貧僧有話要說

星雲大師 口述

佛光山法堂書記室 妙廣法師等 記錄

《貧僧有話要說》序

　　二〇一五年三月，台北市政府對慈濟功德會在內湖園區開發一事表示異議，經過四任市長沒有通過，他們不能贊同，台灣的媒體對慈濟因此撻伐，引起了軒然大波，佛教界也受到波及。

　　其實，慈濟對於台灣的社會也有正面的貢獻，不能因為內湖事件，完全抹煞他們幾十年來的喜捨、救苦救難。慈濟集合佛教信徒、社會人士慈悲布施的淨財，為社會做福利的事業，他並不是屬於寺廟道場，而是社會的慈善團體。因為在政府主管單位上，他們大部分的事業隸屬衛福部或內政部社會司管轄，是社團；而佛教的寺廟道場、佛教會大多屬於內政部民政司管轄，是教團，因此在性質上，這恐怕是最大的不同了。

　　當然，慈濟也應該檢討，除了各地的開發引起社會的異議，尤其對於財務沒有即時公開，會為社會所詬病。貧僧在三十多年前，也曾經為慈濟醫院主持破土奠基典禮，應該對慈濟也有一些因緣，現在看到媒體因為慈濟事件對佛教也踐踏，貧僧不得不出來有話要說。

最初只想寫一說、二說，就可以結束了，但是社會對慈濟和佛教的攻擊有蔓延之勢，後面就又再寫三說、四說，一直寫到二十說。記得我在海南島出席「博鰲亞洲論壇」的時候，還為《人間福報》四月一日創刊十五周年紀念，要刊登這許多文章，寫了一篇〈貧僧有話要說・序〉。

　　沒想到這些文章發表以後，支持佛教的海內外信徒、各界人士，非常熱烈的回響，我出家七十七年來，從未見過佛教徒對於佛教這麼樣的熱絡，甚至鼓勵我在二十說之後，繼續說下去。我在感動之餘，就請佛光山書記室妙廣法師等，由我口述，幫我記錄，就這樣，不知不覺中就有了四十說。

　　這四十說旨在說明，在六十年前，我從宜蘭度化青年，用音樂、歌唱、舞蹈，啟動人間佛教弘傳的開始，到一九六三年在高雄創辦佛教學院，接引一些青年學佛、出家，培養佛教人才，共同推動人間佛教的運動。後來，又遷移至佛光山，如今，佛光山開山也有五十年的歷史，佛法也遍傳全球五大洲了。

　　佛光山非個人所有，是佛教和信徒共成，在口述這許多

歷史的時候，把佛光山為社會興辦的文化、教育、慈善事業等，一切都攤在陽光下，藉這個機會，讓貧僧向社會和信徒做一個報告，覺得也是好事。同時，也勉勵佛光弟子，在未來有一個修持上的依循。例如：要有平等的性格，要有「佛教靠我」的觀念，要有「與病為友」的想法，要能對社會救苦救難，要珍惜生命、愛護生態、重視心靈環保等。

凡是宗教，你信仰他，他就是佛、是神，你不信仰他，他就是魔、是鬼，佛魔之間、神鬼之間，由人自己選擇。貧僧在此，也只希望這個社會能夠人心淨化，增加道德，樹立台灣社會的美好，促進兩岸和平的往來。這就是寫這本《貧僧有話要說》的微願了。

這些文章在《人間福報》發表期中，引起信徒的發心響應，紛紛表示要出資贊助，希望結集出版。現在，由我的公益信託基金、中華佛光傳道協會，和《人間福報》讀者、信徒共同印刷一百萬冊，完全贈送社會各界人士。凡想要閱讀者，皆可以在海內外佛光山的道場，甚至大陸佛光祖庭宜興大覺寺等各處索取，不需繳交費用，只要填一張表格，佛光山就會贈送給你。

除了這四十說以外，還收集部分文章作為附錄，那是貧僧過去不成為詩的詩作，加上各界閱讀《貧僧有話要說》

後，紛紛響應，有近萬封的回響，裡面有許多的見解、看法，我們只能從中選擇一些覺得應該與讀者共同分享的內容，將之編輯成專冊一併贈送，提供給大家參考、指教。期盼這個社會對人間佛教有一個正確的認識，那就是貧僧最大的希望了。

負責編印的徒眾告訴我，這一本書的價碼應該在台幣四、五百元；但我告訴他們，金錢是小事，真心誠意才是重要的。希望以此誠心供養十方讀者，並以「佛光四句偈」來祝福大家：平安吉祥。

「慈悲喜捨遍法界，惜福結緣利人天；
　禪淨戒行平等忍，慚愧感恩大願心。」

星雲　二○一五年五月十六日
　　　於佛光山開山寮

目次

星雲大師簡介

一九二七年生，江蘇江都人，十二歲於南京棲霞山禮宜興大覺寺志開上人出家，曾參學金山、焦山、棲霞等禪淨律學諸大叢林。

一九四九年春天來台，主編《人生》雜誌等刊物。一九五三年創宜蘭念佛會，奠定弘法事業的基礎。

一九六七年創建佛光山，以人間佛教為宗風，致力推動佛教教育、文化、慈善、弘法事業。先後在世界各地創建三百多所道場，又創辦多所美術館、圖書館、出版社、書局、雲水醫院、佛教學院，暨興辦西來、佛光、南華、南天及光明大學等。一九七○年後，相繼成立「大慈育幼院」、「仁愛之家」，收容撫育孤苦無依之幼童、老人，及從事急難救濟等福利社會。一九七七年成立「佛光大藏經編修委員會」，編纂《佛光大藏經》、《佛光大辭典》。並出版《中國佛教經典寶藏精選白話版》，編著《佛光教科書》、《佛教叢書》、《佛光祈願文》、《人間佛教叢書》、《百年佛緣》等。先後榮膺世界各大學頒贈榮譽博士學位，有智利聖多瑪斯大學、澳洲格里菲斯大學、美國惠提爾大學及香港大學等，並獲頒南京、北京、人民、上海同濟、湖南及中山等大學名譽教授。

大師弘揚人間佛教，以地球人自居，對於：歡喜與融和、同體與共生、尊重與包容、平等與和平等理念多所發揚，於一九九一年成立「國際佛光會」，被推為總會會長，實踐他「佛光普照三千界，法水長流五大洲」的理想。

一說

我還是以「貧僧」爲名吧！

十方來十方去，共成十方事。

以無爲有、以空爲樂。

在過去，中國大陸的出家人都自謙叫「貧僧」，我非常不喜歡這個稱呼，出家人內心富有三千大千世界，為何自甘墮落要做貧僧呢？我童年家貧，甚至三餐不繼，但我從來不覺得家裡貧窮。雖然無錢入學念書，但是我有雙手、雙腳，眼耳鼻舌身俱全，我為什麼要感到貧窮呢？

我一生歷經北伐、中日戰爭以及國共內戰。記得母親告訴我，我出生的那一天，適逢國民革命軍總司令蔣中正率軍北伐和五省聯軍總司令孫傳芳在江蘇會戰的時候，軍隊正在家門口殺人，我就哇哇墮地了。

十歲蘆溝橋事變發生，抗日戰爭開始，我與家人每天跟隨難民潮向蘇北方向逃亡，穿梭在槍林彈雨之中求生，沉伏在死人堆裡苟活。於此同時，父親在南京的煙硝裡人間蒸發，當時寡母遺孤的窘迫，豈只是貧窮可說

　南京棲霞禪寺山門

呢？雖說戰爭真不是人過的日子，但經過槍砲子彈洗禮過的人生，對於窮困、生死自然別有一番體驗。

十二歲出家之後，貧窮的祖庭宜興大覺寺、貧窮的參學寺廟南京棲霞山寺，都是生活艱苦，我也甘之如飴。在六十六年前，我二十三歲到了台灣，無親無故，連找個寺院掛單，都沒有人願意收留，我仍然不覺得貧窮。

但後來，各種的因緣，正如某些媒體清算佛光山的財產說有一百三十多億，其實何止於此？其中，南華大學有四十多億，佛光大學有六十多億，普門中學有二十多億，均頭國民中小學和均一國民中小學有近二十億，老人仁愛之家、孤兒院，還有佛光山的建設等，總花費應該不只五百億吧！

在貧僧的下文裡，會一一向各位報告。

高雄佛光山

宜蘭佛光大學校景

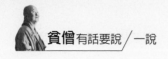

皆非我有 乃大眾所共有

雖然花費那麼多錢財，成就了那麼多的事業，到了現在年近九十，才感到自己確實是一個「貧僧」。為什麼呢？因為這一切都不是我的，都是大眾和社會共有的。所謂「十方來，十方去，共成十方事；萬人施，萬人捨，同結萬人緣。」這一切與我都沒有關係，我只是其中的一點因緣而已。貧僧自比也是一個信徒，可以說也樂善好施，佛教裡《金剛經》說，布施要無相，度生要無我。所以關於給人一些小惠樂助，也就不值得在此敘述了。至於辦理的學校、寺院，本來就為十方財物，我孑然一身，不是「貧僧」又是誰呢？

不過，社會還有人說我少報了一條：「星雲公益信託教育基金」有十多億，但那也不是我的。這些款項屬銀行代為管理，私人不能動用，必須經過委員會會議，用於公益才可以支出，由銀行按照章程規定，直接寄發給需要的機構、人士，貧僧也不能加以過問。這幾年辦了「真善美傳播貢獻獎」、「三好校園獎」、「全球華文文學獎」、「卓越教師獎」等。雖然有這些錢，也並不是化緣所得，是貧僧六十多年來稿費、版稅、一筆字，以及人家的結緣供養而有，所以做一些微小的善事，這也是理所當然，不值得居功。

享受貧窮 也是一種快樂

回憶五十年前開創佛光山，我就誓願不積聚金錢，「以無為有、以空為樂」，我不趕經懺替人念經，我不

出外化緣、不走政府、不到信徒之家，甚至於五十多年來，我沒有到過百貨公司、什麼超市商店購買物品。因為貧僧不積聚金錢，所有一切，都歸公佛光山教團所有，甚至信徒給我的紅包，我都拒絕，很安然的做我一生的「貧僧」。我覺得享受貧窮也是一種快樂。

在開山初期，所有的拜墊、桌椅、圖書、雜誌，以及至少可以舉辦二、三十次展覽的名家書畫，例如：李自健的油畫、施金輝的觀音像、高爾泰的禪畫、香港阿蟲的漫畫、何山的敦煌壁畫、賀大田的老屋系列、田雨霖的水墨國畫等等，當初都是貧僧分批收藏而有。現在，這些作品，均由佛光緣美術館如常法師負責管理。藝術無價，文化、教育上的意義，價值又何止萬億元以上呢？

承蒙媒體某些女士先生經常在電視、報章批評我，甚至辱罵我，我都很感念，因為一無所有的貧僧，遭受一些批評、議論，也是替我的人生增添一點彩色。我一生「以不要而有」為理念，個人什麼都不要，佛教、教團當然還是需要發展，雖是「貧僧」，能叫他不愛教嗎？

就拿慈濟功德會的證嚴法師來說，我想他個人的生活也是淡泊、節儉，一切都是為了社會。現在佛光山千餘眾比丘、比丘尼，不拿薪水、沒有假日，他們使用的教室、寮區，還是維持五十年前的傳統生活設備，居住的地方都沒有冷氣空調，佛光山的空調都是客人所用。大家安貧樂道，還要為社會服務，那許多好發表議論卻又不了解的人，為什麼不對這些時間、空間因緣做一點研究功課、多了解一些呢？難道都沒有看到這些貧僧們

的身心、思想、生活天地嗎？

　　佛教徒大多守貧，縱有公共的寺院財富，亦為寺院所有、社會共有，都用之於社會大眾。近來，各媒體對佛教很殘忍的踐踏，少數的媒體保持傳統的道德，為佛教說幾句公道話，持之以平。貧僧坦誠的向社會報告：我這一生沒有用過辦公桌，沒有用過櫥櫃，雖然現在有了一些辦公桌、身旁櫥櫃也很多，但我從來不曾用過、開過。我有一張八公尺的長條桌，吃飯、會客、寫作、會議、寫字都在這張桌子上，甚至當初李登輝先生光臨佛光山和佛教裡的萬千信徒來訪的時候，他們都曾經坐過。我不知道這些朋友、信徒是否還記得這張綠色桌面的長方形桌子？這張長條桌，一直陪伴著我四十多年的後半生。

吾安於貧　自信用錢得宜

　　貧僧除了自己生活簡單，不喜愛對外應酬，不喜歡社會公宴活動，非常欣賞古德所說的：「為僧只宜山中坐，國士宴中不相宜。」當初，之所以到南部弘法，也是因

大師帶領佛教青年趕火車下鄉弘法

為在北部佛教界的會議很多，如果不去參加，他說你不同他合作；請你吃飯，如果你不去應酬，他說你看不起他。為了要看得起他、為了要跟他合作，每天開會、吃飯，就什麼事都做不了了。貧僧感到自己不適合台北的應酬，便在六十年前到南部來。那時候台灣南部少有外省的出家人，減少了很多的應酬，貧僧有了時間寫作、讀書、課徒，才感覺到人生的樂趣。

　　不過貧僧也知道，我能安於貧，所以能建設很多的寺院；我能安於貧，所以有那許多人緣。媒體把宗教罵得一錢不值，假如台灣沒有這許多宗教裡的寺院、教堂、宮廟、道觀，還是多采多姿、安定和樂的美麗寶島嗎？但我們自信，我們用錢用得很有價值。

　　貧窮會延伸罪惡，台灣是一個富而好禮的地方，希望我們愛台灣的人們，不要嫉妒別人所有，不要仇視富者，不要排斥宗教，不要詆毀信仰，我們的文化是寬容的、是厚道的。為了佛教許多「貧僧」，為了他們未來的生存形象，我不得不在這個時候，以我為例，代表他們說幾句公道話。

「以無為有」是大師生活之道

二說

我對金錢取捨的態度

佛法在五大洲流傳，佛教還會沒有財富嗎？

人間還會沒有幸福安樂嗎？

在佛教裡面，稱「貧僧」的人很多，現在我忽然也稱自己是「貧僧」，在世間法上，我感覺自己是最有資格稱「貧僧」，為什麼？

我在銀行裡沒有過存款，我也沒有儲蓄過金錢，我的荷包裡面、口袋裡面沒有錢；我沒有保險櫃，也沒有保險箱，更沒有把錢存到哪一個人的戶頭裡去。在佛光山，我也和大眾一樣，在常住的福田庫，也領有一個號碼，常住給我的少許零用金，都存在那個福田庫裡。

全世界的佛教信徒們，我有單獨跟你們化緣過嗎？我沒有跟你們化過緣。甚至於多少年來，信徒送給我的紅包，我也拒絕接受，或者不經手。為什麼？因為我都不要。

有時候人家送紅包給我，我推辭不了時，那個紅包

18

就會交由常住去處理。因為我所要吃的、穿的、用的，都有常住幫我解決，我要這些錢做什麼？沒有用處啊！即使為了佛教事業，文化、教育、慈善、弘法上等等支出，如何使用金錢，也是大家的事情，不需要我個人特別去張羅。因此，今天敢稱自己是「貧僧」，是因為我真正做到了「貧僧」。

現在，站在我個人的想法上，看到東西來了、物品來了，就有一種不能接受的感覺，我不要那麼多，好比《維摩經》所說：「吾有法樂，不樂世俗之樂。」但站在世間法上，佛光山的這許多事業，能說與我沒有關係嗎？當然與這許多錢財的關係是有的，不能說跟我沒有因緣。只是，我個人沒有和金錢有直接的來往，我與金錢，都是緣分或信仰的關係。

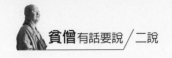

今天要來向各位護法信徒們報告一下，我個人的基本思想和心理，對金錢的看法與處理的模式，我先舉幾個例子跟各位說明。

處理金錢　寧可無不預支

第一個例子：本山功德主南豐鋼鐵公司的董事長潘孝銳居士，在我開山建寺之初，那個時候應該經濟非常困難，他將一顆印章交給我，跟我說：「需要用錢時，你拿著印章，隨時都可以到銀行去取錢。」但他的印章放在我這裡幾年，我從來沒有用過一次，後來還是還給他了。你說我有困難嗎？的確有困難，但是我不能動用他的印章。有了困難，常住大眾會一起來解決，我自己要有分寸。我不會讓佛光山因為困難而帶來了其他不必要的麻煩。貧僧有貧僧的人格，我不去動用不屬於我的東西。

第二個例子：日月光集團的創辦人張姚宏影女士，我們都稱呼她「張媽媽」，現在九十多歲了。她是一位非常發心，也是很肯布施的善人，但我有向她募捐化緣嗎？從來沒有。都是她主動表示想要捐獻，希望我為佛教做什麼。

例如，在三十多年前，我們還沒有見過面，她就約我在台北普門寺，拿了三十萬美金給我，鼓勵我到海外建寺弘法，可見她很有遠見。後來，她又拿了五千萬台幣給我，叫我辦大學。但是我也不能接受，為什麼？因為辦大學不是我自己想辦就辦，還要政府的法令准許登

記等等。

我記得她見我不肯接受五千萬的時候，她生氣似的說：「我現在有給你，你不要，等到我沒有，你要，我也不得辦法。」我覺得話是不錯，但是，我接受了你的金錢，你就會問我：「大學呢？大學呢？」我可受不了啊！所以我也不能接受。況且，大學在哪裡都還不知道，我怎麼可以還沒有大學就先用了人家的錢呢？在我的個性裡，我寧可以沒有，但我不能預支。這就是貧僧一生處理金錢的性格。

第三個例子：過去，月基法師把身上的八百萬元款項，寄存在依嚴法師那裡。依嚴法師是佛光山早期的徒眾，但這件事情我並不知道。月基法師是我的師長，所以他後來住院醫療，都是我去照顧；他要建設棲霞精舍，叫我做監院，也是我去幫忙；甚至於他從香港到台灣來，高雄佛教堂請他做住持，也是我主動邀請。他圓寂以後，也是我去替他料理喪葬後事，他遺留下來的棲霞精舍，因為我是監院，當然是寺院的接任者；不過，我有佛光山，我也不會需要棲霞精舍。

再說，有一些人士出來想要爭取棲霞精舍的所有權，我也從來沒有過問。後來，知道月基法師有八百萬元存放在依嚴法師那邊，我就趕快叫依嚴法師拿去還給棲霞精舍的信徒。告訴他們，那是月基法師的，可以為精舍作一些處理，我不要這許多意外的財富。據聞，後來棲霞精舍上法院訴訟數十年之久，誰和誰爭我不知道，至今我也沒有過問。

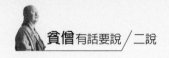

信衆往來 依法不共金錢

貧僧一生也不曾向人借貸過，包括銀行。過去我在困難的時候，曾經想要跟高雄土地銀行貸款，但是當時銀行不貸款給寺廟，於是就這樣放棄了。從此以後，我就沒有跟銀行有所來往。這樣也很好，因爲高雄土地銀行的拒絕，成就了貧僧一生從來和人沒有借貸的關係。

常常有信徒知道我的性格，總特別在供養我以後，愼重的告訴我說：「這是要給您個人的，不可以給常住，不可以給佛光山。」我人都是常住的，身外之物，怎能不歸常住所有呢？

也經常有這許多的信徒要我接受他們的供養布施，但我都不想用個人跟他們建立關係，爲什麼？我只想到整個常住，所以我都用常住的立場與他們來往。我的原則是，個人的名下不積聚金錢，這不叫「貧僧」還叫什麼呢？

因此，我現在正式的跟全世界的信徒宣布，我沒有和信徒化過緣，我也沒有跟信徒借貸過，這是我一生之所以成爲「貧僧」的人格保證。

在我的想法裡，所有的信徒跟我的關係是佛法的因緣，既是法緣，私人就沒有金錢上的來往。我沒有請託過信徒爲我買過東西，我也沒有借助信徒的力量，爲我去辦過什麼個人的事情，也沒有向信徒借用過什麼有價值的物品，大家都是以佛法爲緣分而交誼，所以一切的來往都以佛法作爲標準。

當然事實上，不錯，佛光山要建寺，必須要籌款，

但佛光山在籌款上是有制度的，常住籌款必須由住持公告天下有緣人，他自然會前來幫助，這也與我個人沒有關係，是有緣人和佛光山建立的緣分。我做住持的時候，也建寺籌款過，但是我沒有經手過錢。我一直主張，掌權的職事，不可以管錢，管錢的，都由沒有權力的小職事負責；因此，錢財和權力要分開。

成就學子　百萬人士興學

　　佛光山的一切都由歷任的住持主持，現在已經到第九任，他代表著宗務委員會負責這許多事情，我個人則在三十二年前，就已經辭謝住持的職務，可以說，佛光山的財務跟我毫無關係。但是，我覺得我還是有責任，因為我也是佛光山的信徒之一，跟信徒一樣，也樂捐樂助給佛光山，給我們信仰的中心。

佛光山第九屆全體宗務委員，向新任住持心保和尚宣誓全力護持，共揚人間佛教。
2013.3.12

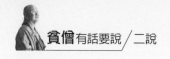

像是辦大學這件事，現在台灣的信徒，知識水準提升，他們不只支持建寺，也有興學的觀念，願意栽培莘莘學子，讓下一代接受良好的教育。因此，我提出「百萬人興學運動」的建議，也提供他們一些策劃，但我沒有直接參與，也沒有過問，都是由佛光山歷任住持，和執行大學建設的慈惠法師他們去處理。這些也都是有期限的，每個人每個月繳交一百元，三年為期。它不是無限的，因為我不貪圖無限。

唯有佛陀紀念館例外，它的花費浩巨，每日一開門，就需要各項費用支出。曾經我建議過，若是有人捐建佛陀紀念館，每個人贊助一萬元，他的名字可以刻在石碑上，對象以「千家寺院、百萬人士」為主，讓來到佛館的大眾知道，這裡的設施，就是有這許多人的護持而成就。當然，我也沒有經手過這些捐獻，這許多事，就由功德主會慈莊、永平、滿益等法師他們去負責了。

佛光山叢林是接受十方信眾的供養，常住縱使有存款，不論多也好，少也好，我只是佛光山眾中的一個，我還是一名貧僧，和大眾一樣同霑受益，一切都是統一由常住安排，因此我還是沒有沾到財務的邊緣。

寫一筆字 作為公益信託

甚至，我在常住照顧之下，自己也有作務，有生產，為什麼？我出書，我有稿費、版稅收入，但我悉數都捐給常住，沒有留給個人。我也寫一筆字作為公益之用，因為有人來捐款，甚至有人一個館、一個館的來收購，

這些一筆字的捐助究竟多少錢，我不曾過問，全由公益信託基金處理，我個人不能取用，至於如何使用，則由委員會作決定。我這一生不肯涉及金錢，化私爲公，貧僧敢說，這樣的自我期許是有做到的。

當然，我也有用錢的時候，比方我爲了常住的公事出門，需要搭飛機，乘坐交通工具，需要路費，當然常住都會替我處理。至於我的俗親家人，我父系的親族很少，母系的親族比較多，我也只有在兩岸開放來往的時候，給予一點紀念品跟他們結緣，聊表心意。但那也是在我有能力的情況下，動用自己的稿費、存款買一點東西。

記得年輕的時候，有一回，一個遠房親族譏笑我說：「和尚的錢財，都是念經得來的。」我認爲這是對我們人格最大的傷害污辱。就是和尚念經的錢，也是辛苦所得，何況這錢，都是靠我自己的智慧、能力、努力所獲取的。你輕視佛教，就等於輕視我，親人有這樣的思想，我只有和他斷絕來往。我在佛門裡，對於這些親情，債權、金錢我都分得非常清楚，你既然對佛教有所傷害，我當然在佛法因緣裡，就覺得不用往來了。

甚至我有病了，每次從醫院出來，我都吩咐我的侍者，不要動用常住的金錢，我請他們從我在常住福田庫裡的存款，把單銀（金錢）取出來支付所有的住院花費。

貧僧八十歲的時候，問徒眾我有多少錢？他們告訴我有兩千多萬。我很訝異，怎麼會有這麼多呢？一個人錢多，在別人是歡喜，在我卻是恐懼，所以我就決定把

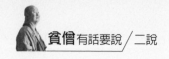

它通通捐出去做公益信託基金。人家說「無官一身輕」，我是「無財一身輕」。我一生的歡喜自在，就是這樣得來的。

當然，在佛光山住持這麼多年，也在世界上創造這麼多的事業，說我完全對金錢糊塗、對金錢沒概念，那也不見得。我對於取財之道，也有我「星式」的風格，在此也向各位報告：

財富觀念　信徒富寺廟窮

第一、在我的思想裡主張，要「儲財於信徒」：

我經常跟出家的弟子說，我們要「儲財於信徒」。假如有時候信徒過分的發心，超過他的能力負擔以外，我都會叫常住的人把捐款退回去給他。曾經，我請慈惠法師替我退回一筆捐款給香港一位非常發心的信徒，那位信徒還特地跑來台灣跟我抗議。

但在我的想法是，我要讓信徒富有起來，佛教才能富有，信徒不能貧窮。大家要了解，佛教事業需要財富，我們個人要錢沒有用。但是信徒需要有錢，因為他要發展事業，他要養家活口，因此，超額的捐款必須還給他們。

所以，我一直主張不儲財於寺廟、不儲財於佛教，在我認為，所有的個人都是寺廟的，所有的寺廟都是教會的，那我們在佛教裡面還需要什麼財富呢？要讓佛教的信徒都要富有，他們富有了，佛教才會富有。這是我第一個財富的觀念。

第二、興辦文教事業，要讓佛光山「窮」：

興辦大學、雲水書車、雲水醫院，送醫療、圖書到鄉村、山區，辦報紙、辦電視台等等文化、教育事業，辦這麼多事業是為什麼？其目的就是要讓佛光山「窮」。

一般的人都認為窮不好，但在我認為，窮，對佛光山的弟子會有幫助。因為窮，你要奮發向上，你要辛勤努力，你要精進不懈，你要力爭上游，你要發心光大常住。不窮，這許多力量怎麼會出來呢？

貧僧看到歷史上，有很多富有的寺院，或是富家子弟，有了錢財以後，都去享受，都去花費，不知道要上進，不知道要努力，最後惹了很多麻煩，就會失敗。窮苦，才會讓人努力奮鬥進取，極力去尋找生存的前途。就等於佛陀說，修行人要帶三分病，才肯發道心。所以修行也要帶一點窮，才知道要向前走。大概我一生都是守貧、守窮，就知道為佛教要努力，所以也能為佛教創辦事業。

給受之間 施比受更有福

第三、珍惜信徒淨施的發心：

我不需要信徒拿許多大錢來捐獻，大功德主在佛光山不是沒有，只是說，我們之間也像君子之交。但對於那許多供養一百元、兩百元的信徒，他們的施捨，我非常的重視。

我經常告誡佛光山的徒眾們，信徒一百元布施給佛教，那可能是他一整天的菜錢了，也可能是他一整個月薪水裡百分之幾的收入，他拿最真誠的心捐獻給常住，

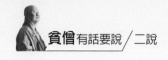

我們能隨便不當一回事嗎？一個人能「給」比「受」更有意義啊！

但是在我自己的心裡覺得，對於所有的功德，我受得起，也給得起。只要肯得為佛教興辦事業，我有什麼受不起？但是我也給得起，只要有好的、善的事情，我有力量，我為什麼不能給他呢？我為什麼不能布施呢？但是，「給」與「受」之間，我的這一生還是「給」多於「受」。

對於「受」與「給」，我這個人感到「給」比較快樂，「受」雖不痛苦，但有負擔。因此，我生平喜歡給人，也為佛光弟子立了佛光人的工作信條：「給人信心，給人歡喜，給人希望，給人方便。」雖是千萬，有意義，我就給；雖是萬千，人給我，我也能受，但我不願意。為什麼？在錢財的前面，我做貧僧比較安全。

第四、布施要不自苦、不自惱：

我們佛光山的信徒也真可愛，他們經常為佛光山出錢，一下繳納會費，一下點光明燈、一下這個活動贊助，一下又那個活動捐款，整年總有許多對社會、對人生有益的事情可以參與。我也一直警告佛光山的徒眾，要把信施和個人私有的財務分開。

有的人對教育熱心，就不要他贊助文化事業；有的人對文化事業熱心，就不要讓他在教育上再支出；有的人在慈善事業上發心，就讓他專心做慈善事業；有的人歡喜法會共修，就讓他參與共修。因為分開，大家的負擔就不重，他的信仰就不會有壓力。重要的是，要讓信

徒在不自苦、不自悔、不自惱的情況之下歡喜布施。

施者受者 功德等無差別

我也常說，佛教界的領導人，在領導信徒的時候，要懂得體諒信徒的生活，體貼信徒的辛苦，體會信徒的一切來之不易。所以，當信徒再給常住時，我們也要思考：我們自己又給了信徒什麼？

所謂，捨得、捨得，要捨才能得，我們自己也要奉行。我一直鼓勵信徒在佛光山吃飯不必給錢，你在這裡吃飯就是功德。你布施，有功德，你接受人家的布施，一樣

大師隨眾過堂

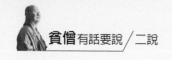

有功德。等於我們到寺廟裡捐獻、添油香是功德；在寺廟裡面喝口茶，吃碗飯也是有功德。跟佛門結緣，並不是說一定都要給才是布施，才是功德。接受，也是緣分，也是功德。佛經裡說，施者受者，等無差別。

過去，大醒法師曾經告訴我，凡是信徒供養他的錢，若信徒說：「師父，這個給你喫茶。」他就在紅包上面寫著：「這是喫茶的錢。」若信徒說：「師父，這供養給你吃水果、買水果。」他就在上面寫著：「這是吃水果、買水果的錢。」他說，不能把信徒給的淨財弄混了，這會錯亂了因果。因此，他總是喫茶的喫茶，吃水果的吃水果，功德分門別類寫好用途。

但我認為這樣做也太過迂腐。在我認為，錢財是相通互用的，只要是善於利用，給你、給他用都是一樣的。何況錢財是社會大眾共有的，所以我不在這個細節上去分別。因此，當佛陀紀念館建設好了以後，我召開了幾次佛教寺廟的會議，歡迎他們來辦活動；或有什麼事情，都可以來使用這裡的場地，因為佛陀紀念館這本來就是大家的。

俗諺云：「大廈千間，夜眠不過八尺；良田萬頃，日食又能幾何？」所以，我們要比較的、要爭奪的又是什麼呢？一個人在世間上，你能睡多少、用多少，都有一定的，如果你超過了，那就會變成一個負債的人。

對於一些出家不久的徒眾，我也經常告訴他們，你可以儲蓄十萬元、二十萬元，因為萬一家人或有疾病了，或是你要旅行，或是你要買書，擁有一點私款可以使用，

這是人之常情。你們可以存在福田庫裡，常住是不可以干涉你的所有。這就是我人間佛教的性格吧！

所有佛光山的大職事，像慈惠、慈容法師、心定、心培和尚等，他們在佛光山都是長老級以上資深的職事，他們跟隨我都幾十年了，到現在，你問他們有多少存款，他們可能都沒有。但是，他們在常住所有的用度開支，常住都有制度給予照顧。他們在佛光山所擁有的禪悅法喜，就夠他們受用了。

佛光山常住為山上的徒眾建立了醫療、疾病照護、退休養老等制度，徒眾的食衣住行，常住寺廟也會全部為他們負擔。我也主張徒眾要孝養父母，所以現在不少徒眾的父母，都依靠他的兒女，住在我們的佛光精舍裡頤養天年。試想佛光山都能救濟天下的人了，為什麼不能幫助徒眾的父母，解除他們的苦難呢？當然，徒眾也要爭氣，有所作為，父母才能沾你的光。

人常說，這世界上共產制度進步，它是要讓社會貧富均衡、平等、不私有，其實佛教六和敬的僧團，本來就講「利和同均」，你看我佛光山比共產主義更共產、更落實。

現在，佛光山開山五十年，宗務委員會也經常開會，總想，一個道場要朝百年、千年發展，委員們要為未來著想。我都告訴宗委會的大家，不可以只想在錢財上儲財，大家要儲道，要憂道不憂貧，要鼓勵修道，有道就不怕沒有錢財。

我們也要把大眾的道糧預備好，因為不能吃了今天

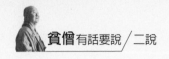

望明天，明天吃了望後天，那是攸關大眾的慧命。怎麼能不預備呢？我的意思是，我們可以窮苦一點，寺廟基本可以儲糧一年，但不可超過三年，超過三年，就會變成積聚儲蓄，那是非法的。這就是我對儲財的想法。

過去佛陀和阿難在路上走，看到地上有幾塊黃金，佛陀跟阿難說：「阿難，你看啊，這是毒蛇。」阿難回答說：「是的，這是毒蛇。」他們就走過去了。

在田裡工作的父子，他們聽了佛陀與阿難兩個人的對話後，跑去一看，就說：「哪有毒蛇？那是黃金嘛！」於是很歡喜的就把它帶回去了。

不久，國家政府發現國庫裡的黃金被人家盜取，在當時的印度法律明文規定，百姓不准許私藏黃金。因為這對父子竊取國庫黃金的嫌疑最大，於是就逮捕他們關進牢獄。

在牢獄裡，父親對兒子說：「兒子啊，那個是毒蛇。」兒子也回答說：「父親，那確實是毒蛇。」這對父子受苦了，才悟到金錢可以成為淨財、善財，也可以成為毒蛇哦。

又有一天，佛陀與阿難走在半路上，看到一群烏鴉，在爭食一塊死亡許久的老鼠臭肉，互不相讓，彼此爭得你死我活。佛陀於是對阿難說：「阿難啊，末法時期，我的弟子也會為世間的財物，就好像這群烏鴉爭奪這塊臭肉一樣，爭得你死我活。」

所以，我對於這十方供養的應用，其實說起來，也沒有什麼祕密，「猶如木人看花鳥，何妨萬物假圍繞」，

這些總總，原本什麼就都不是我的，是大家的、是十方的，在我，也只是「百花叢裡過，片葉不沾身」。這也是我敢稱自己「貧僧」的原因，我若有一點貪念，我哪裡能自稱「貧僧」呢？

最後，還有一件事跟大家報告，記得佛光山開山之初，有一些出家同道之人到山上來參觀，看到前面高屏溪的水一直向外流，就警告我說，這個佛光山地理不好，水都流出去了，保不住錢財。

但我聽了非常歡喜，因為水就是法財，佛法要長流，這是我們的目的，所謂「法水長流五大洲」，不就是我們的願望嗎？因此，我不需要儲財，佛法在五大洲流傳，佛教還會沒有財富嗎？人間還會沒有幸福安樂嗎？

建在高屏溪畔的佛光山，象徵著「法水長流五大洲」。

三說

我究竟用了多少「錢」？

慈善救濟本來就是佛教徒的責任，
社會需要寂寞的慈悲。

貧僧這一生的歲月究竟是有錢呢？還是沒有錢呢？自己也搞不清楚。

不談內心的財富，就是談世間的金錢吧，貧僧口袋裡一向沒有放過錢財，銀行裡也沒有存款，也沒有私產，所以佛光山只有傳法、傳位給弟子，歷任住持從心平、心定、心培，到現任的心保和尚已經是第九任了，沒有錢財的傳承。這一生真正追究起來，就算是過路財神，也有一些錢財經過我的名下。不幸的是，貧僧不好財富，卻在名義上有很多財富上的關係。仔細一算，應該也不只在百千億以上。

興辦大學 動輒數 10 億元

現在社會都叫人要公開帳目，貧僧個人的私帳沒有，但公有的財富卻有不少。為了向社會大眾報告，將它列表如下：

第一先說慈惠法師幫我辦的教育事業。

一、南華大學，二十年來，在教育部登錄有案的花

　宜蘭佛光大學　　　　嘉義南華大學　　　　　澳洲南天大學

費就有四十多億。

二、佛光大學，在教育部登錄已使用的也有六十多億。

三、西來大學，雖然在國外，大多由國外的信徒分擔，若把美金換成台幣，二十五年來，也約在二十二億左右。

四、南天大學，土地由政府以一塊錢贈送，占地一百 Acres（英畝）以上。澳洲的信徒，光是建一棟大樓和一座南天大橋，包括南天寺，開支也在三十六億多。台灣的建築費高於大陸一倍，澳洲又高於台灣三倍以上，在澳洲的建設之難，建築經費之昂貴，說來實在讓人膽戰心驚。

五、光明大學，二十年前，由菲律賓的信徒，幫忙買下蘇聯位在馬尼拉的大使館，改建成十層樓的「萬年寺」。現在，又再為光明大學買了十五公頃的土地，應該價碼也在近十五億以上。

六、普門中學，至今已經超過四十年。別人辦學都是

美國西來大學　　　　　　　　菲律賓光明大學

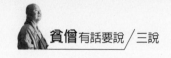

賺錢，但普門中學每年都要靠佛光山補助，再加上購買土地、遷建新校舍，四十年下來，總計也在新台幣二十多億左右。

七、在南投埔里，承蒙靈巖山向台糖公司租賃土地，後來妙蓮長老轉讓給我接收，要我辦理「均頭國民中小學」。因為空間不敷使用，又買下學校左右的土地，預計開辦高中，總計也花了大約七億多元。

八、在台東建設的「均一國民中小學」，也是跟台糖公司租借土地辦學。但光建築費就花了三億多元。因為路途遙遠，照顧不周，剛好碰到嚴長壽先生對原住民教育有理想，我就把均一中小學交由他來接辦。這一個學校的財務深坑，除了我最初投入的三億多建築經費以外，今後只好委由嚴長壽先生來負擔了。

九、宜蘭的慈愛幼稚園、新營的小天星幼兒園、善化的慧慈幼兒園、台南的慈航托兒所，甚至包括佛光山普門幼稚園，以及當初在高雄開辦的普門幼稚園等，因為有學雜費收入，還可以維持經常開支，但土地和建築費，也將近花費了六、七億元。

十、由政府主辦、佛光山承辦的社區大學全省有近二十所，現在由慈容法師擔任總校長。雖然不買土地，不建校舍，利用各縣市別分院的道場殿堂，當作教室使用，每個學期給予教師的鐘點費，十年下來大概也花了五億元左右了。

十一、在世界五大洲，三十餘所的中華學校、幼稚園、托兒所等，甚至包括馬來西亞、澳洲、印度、香港、

菲律賓、南非等各地的佛學院、孤兒院，三十年來，除了完全供應學生免費就讀，師資、三餐供應，應該也花了十五億以上。所幸，在印度新德里由慧顯法師領導的沙彌學園，有近百位來自印度各省的沙彌，非常用功勤學，將來印度佛教的復興，還怕沒有希望嗎？

十二、佛光山叢林學院已有五十多年的歷史，每年有數百人免費就讀，食宿、三餐，連衣單都供應。細帳已難以計算，如果男、女眾學部每年每人五萬元，加上教師的鐘點費，五十年下來，應該不只有十億以上。

善財辦報 15 年補貼 20 億

其它，也曾經辦過「西來獎學金」、「佛光獎學金」等，幾十年來，在世界各地鼓勵青年學子的獎學金也就不去計算了。

總說上面的教育部門，貧僧自己雖然沒有錢，感謝十方，為了貧僧的因緣，大家護持的教育經費，也用了二百三十億以上了。我們沒有大功德主，但是「百萬人興學」每人每月新台幣一百元，為期三年，讓大家有辦教育的理念，增加自己的品德。

佛光山是一個教團，不是以慈善救濟為主，而是以文化教育為重。除了大量的經費用於教育之外，第二部分就談到文化了。

說起文化，貧僧從小雖不好錢財，但喜歡舞文弄墨，六十七年前在大陸時，就曾經辦過《怒濤》月刊，承蒙家師志開上人捐獻補助紙張，蔭雲和尚幫忙印刷費，一

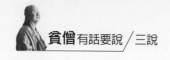

共辦了二十期。時逢法幣和金圓券不斷的貶值，也難以去算它有多少錢了。

到了台灣以後，貧僧除了供應過去的《自由青年》、《覺生》月刊、《菩提樹》雜誌稿件以外，自己也主編過《人生》雜誌、《今日佛教》。尤其發行四十年的《覺世》旬刊，到現在《人間福報》每天都有「覺世版」，至今十五年不輟。「覺世」這個名稱隨著我，應該也有五十五年的歷史了。

之所以會辦《人間福報》，是貧僧青少年時候的理想，一定要為佛教辦一所大學、辦一個電台、辦一份報紙。雖然面臨平面媒體發展不景氣的時代，但我特地選擇在二〇〇〇年四月一日「智人節」創刊。我籌備了一億元給心定和尚做發行人、依空法師做社長，我和他們說，這一億元來路不易，你們要是把報紙辦到三年才倒閉，我就不怪你們；如果在三年內停刊，你們就辜負我的苦心了。

貧僧的話還算有力量，先後歷經依空、永芸、柴松林、妙開、符芝瑛、金蜀卿等社長，到現在已整整十五年了。十五年來，常住大約也有二十多億元的補貼。辦報紙到底有沒有賺進分文，歷任社長都可以見證，如實知道實際的情況。

重編藏經　逾千套贈大學

另外，十五年來的人間衛星電視台，那更是一個無底深坑了。因為這是一個公益電視台，完全不收廣告費。

最初，光是付給二十六個國家系統業者上衛星的費用，每個月就要數千萬元；還要做節目，每天二十四小時播出，從來沒有過一分鐘的空檔，每個月花費億元以上。後來，實在是經營不起，只有慢慢節省預算，將一百多名員工裁減到七十多名。十五年來，好在有幾位衛視的護法，如賴維正、李美秀、羅李阿昭、陳鄭秀子、薛政芳等人補貼，也應該花費三十億以上的新台幣。目前就由覺念法師承擔負責了。

為了編印《佛光大辭典》，日本龍谷大學博士出身的慈怡法師為我主持編務。花了十年的時間，在一九八八年完成，大陸中國佛教協會會長趙樸初長者，就希望我們能把大陸的出版權贈送給中國佛教協會去發行。這十年開支一億元以上的費用，也在自己歡喜捨得的性格下，就轉贈給他們在大陸出版了。

後來，聽說在亞洲其他國家如越南、韓國，把這十大冊、三萬二千多則詞條、約三千幀圖表、近千萬言的

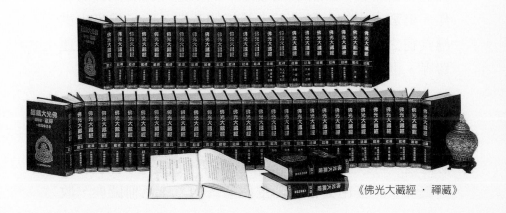

《佛光大藏經．禪藏》

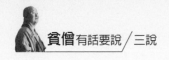

辭典，都翻譯成當地語言出版。為了佛法的流傳，我也就不去顧慮什麼版權的問題了。現在隨著電腦、網路的快速發展，也花了不少費用，由慈惠、永本法師將《佛光大辭典》重新增修，並且製作成電子佛學辭典發行，以利大眾使用。

《佛光大辭典》編輯完成的同時，三十多年來，佛光山大藏經編修委員會不斷進行《佛光大藏經》的編修工作，將經典重新分段、標點、校對。陸續完成的有：《阿含藏》十七冊、《禪藏》五十一冊、《般若藏》四十二冊、《淨土藏》三十三冊、《法華藏》五十五冊等。這許多大藏經，光是送教育部代為轉贈給各大學就有三百部，還有贈予聯合國圖書館，紐約大學、哈佛大學、俄國聖彼得堡大學、英國劍橋大學、牛津大學等海內外各大學圖書館等，已不只千套以上了。

目前由依恆負責《聲聞藏》，依空負責《藝文藏》，永本、妙書負責《本緣藏》，滿紀負責《唯識藏》等，他們各自帶領無以計數的義工，同步進行編纂藏經的工作。集數十人的力量、三十餘年的時間，除了佛光山供應食宿之外，包括編輯義工的車馬費、印刷、出版、運費等，也應該在五億元以上了。

佛教圖典 花費不只 10 億

耗費十餘年編輯的《世界佛教美術圖說大辭典》出版之後，可以說，不但震動了佛教界，也震撼了藝文界、建築界。這套由如常法師主持編修的二十巨冊圖典，收

錄有四百多萬字，一萬餘張圖片，九千多條詞目。甚至，沒有出版的圖片，在佛光山檔案裡還存有五萬多張。除了中文版之外，有恆法師負責的英文版也即將印行。這當中誰又知道，為了這套佛教美術圖典，包括資料的收集、專業人士的撰寫稿費、翻譯、印行、出版等，佛光山花了不只十億元以上。

從六十年前，慈莊法師負責的三重佛教文化服務處開始，到今日有滿濟等負責的佛光出版社；由永均、蔡孟樺、妙蘊前後負責的香海文化；在上海，有滿觀、符芝瑛前後負責的大覺文化等出版社，以及依潤、永均、覺念前後負責的如是我聞文化公司，雖然出版品也有訂價買賣，但佛教著作仍然以贈送為多，其它印贈的小叢書、各類書籍、《佛光學報》、《普門學報》等，也實在無法一一細算，這幾十年下來，開支應該也在三十億元以上了。

此外，依空、滿濟、永應、吉廣輿負責，邀請兩岸學者專家共同編撰的《中國佛教經典寶藏精選白話版》一百三十二冊；永明、永進、滿耕以及南京大學程恭讓教授，共同收錄編輯的兩岸碩博士論文《法藏文庫‧中國佛教學術論典》一百一十冊等，所投入的經費，也在一億元左右。加上貧僧個人的出版，著作二千萬字以上，以一本一本的書計算，應該有三百多本。這許多文化的經費，我們又要向誰去化緣呢？

以上的開支，總計新台幣一百多億元以上。所幸，貧僧的書籍已上了大陸十大暢銷書排行榜，他們贈予的

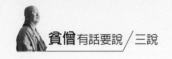

稿費、版稅人民幣，也給了我一些幫助。

建圖書館 復興中華文化

　　至於捐建的圖書館，像台灣八八風災後，在高雄市，我們協助整建九曲國小圖書館、溪埔國小圖書館、水寮國小圖書館、普門中學圖書館，重建那瑪夏鄉圖書館、桃源鄉圖書館；在屏東、台東，分別重建霧台鄉圖書館、長治鄉向日葵圖書館等。除此，大陸揚州鑑眞圖書館外，也贊助了南京大學中華文化研究院、湖南嶽麓書院、中國書院博物館等，希望爲中華文化的復興貢獻些許力量。

　　其實，光是佛光山系統下設立的圖書館，如：西來大學、佛光大學、南華大學、南天大學、光明大學等各級學校，加上新竹無量壽圖書館，以及設在各別分院大大小小規模不等的圖書室，就不只三十間以上了。

　　這許多圖書館的書籍，當然很多是善心人士的捐贈，除了向萬千護持文教的信徒們，深深的表達感謝以外，也沒有什麼別的表示了。可憐的貧僧，當初四、五十年前省吃儉用，甚至把午餐的錢省下來，就爲了買一本書，誰又知道貧僧這種對文化教育愛好的性格呢？

　　除了文化、教育以外，慈善也是佛光山的四大宗旨之一，只是，在我們想，慈善救濟本來就是佛教徒的責任，社會固然需要熱鬧的慈悲，但更需要寂寞的慈悲。因此，數十年來，佛光人默默關懷被社會遺忘的苦難者，或窮鄉僻壤的居民，或不幸家庭、弱勢團體等，也就少予對外宣傳了。

救災濟貧 60 年逾千百億

在急難救助方面，往例不說，光是近幾年來天災人禍，像台灣九二一大地震、莫拉克八八風災等，除了初期的積極救災，物資捐獻、祈福超薦外，事後的家園、校園重建，持續的心靈加油站，用佛法紓解受難民眾恐懼等等，佛光會的慈容、慧傳、永富、覺培和慈善院的依來、妙僧等法師，以及吳伯雄、陳淼勝、趙麗雲總會長，也帶領所有佛光信眾無不全力以赴。

例如，九二一大地震之後，佛光會為無家可歸的居民興建永平佛光村，提供臨時住所二百餘間，認養三所小學重建校園費用（東勢中科國小、中寮爽文國小、草屯平林國小）、提供十七所學校營養午餐、數十所學校

佛光山為台中東勢鎮中科國小重建工程完成後，全校師生特別撰寫感言感謝大師。
2000.4.30

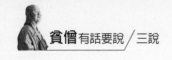

設備、九所學校午餐炊具、臨時教室二十餘所等。

像大陸汶川大地震，我們協助重建木魚中學、彰明中學，捐建醫院，重建三昧禪林等佛教道場六十一間，捐贈救護車七十二輛、輪椅二千台。若要再加上與曹仲植基金會共同在全球贈送的輪椅，那就不只幾萬台了。

國際方面，南亞海嘯、伊朗大地震、紐西蘭大地震、日本東北亞大地震、菲律賓颱風、馬來西亞水災等，全球佛光人也本著四大菩薩慈悲的精神，及時出現在他們需要的地方，給予適當的救助捐贈。

慈善之外，教育是必須同時並進的。爲了讓貧困失學的兒童，得到適當教育，佛光會與香港嚴寬祜長者、鄺美雲會長等，一起於大陸興建兩百多所佛光希望小學，助學、蓋校舍、建醫院三百多所、領養孤兒六百餘人等。

另外，啓動「雲水書車——行動圖書館」，讓圖書館能夠像行雲流水一樣，開往各地學校、偏鄉社區及部落，縮短城鄉差距，讓孩子們歡喜閱讀。目前，全台灣已有五十部雲水書車穿梭窮鄉僻壤、偏遠山區，設立了五百個服務點，嘉惠的兒童豈止上萬人。以上這些慈善救災捐贈的費用，也花了上百億元以上。

至於，五十年來的大慈育幼院，也照顧近千名幼童，供應他們讀書、升學、成家立業；而數十年來，仁愛之家和佛光精舍近千名的老人，也都是照顧的常住眾了。

總結如上所述，教育、文化、慈善、各地建寺費用，還有五、六十年來的相關經費等，總合也應該有千百億元以上了。

監獄贈書 花費超過千萬

　　貧僧除了最初帶了師父給的十二塊銀元到台灣之外，以上千百億的銀錢未經過我的手，但總是經過我的因緣名下去發心、發展。假如有剩餘的錢，應該要向大家報告，但這種「日日難過日日過」，入不敷出的情況下，貧僧不跑政府，不走信徒之家，不對外募緣，我們要向誰去報帳呢？又可以向誰去呼救？又要向誰去報告呢？在台灣居住的各位仁者們，貧僧有跟你們開口募捐嗎？

　　若不說以上情況，光是佛光山四十多年來，送給外交部帶來海外貴賓們的紀念品，國防部希望我們提供給前線官兵的念珠、護身佛像，全省各監獄布教時贈送的書籍、結緣品等，也不知花了千萬元以上。我們也不要政府知道，也不要領獎，只希望佛光山的信徒，你們要知道你們的功德啊！

　　明年就是佛光山開山五十周年了，此時，台灣社會宗教財務問題議論紛紛，我覺得也很好，趁此向我的信徒老闆們有一個報告的機會，讓徒眾們和所有的佛光人，在他們的辛苦、辛勞為大眾服務之後，也知道他們做了什麼、自己的成績在哪裡。

　　同時，也希望讓弟子們知道，貧僧並不完全沒有個人的錢財，但總是化私為公，奉獻全部。之所以能大、能多、能有，文化、教育以外，弘法、建寺，如此，才能把佛法弘揚五大洲。想來，多少也與貧僧的這種性格以及心量的大小有關吧！

　　現在貧僧更老了，沒有著作出版，漸漸不能寫一筆

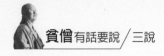

字，也不收紅包，社會和我彷彿更絕緣了。對於錢財問題，我生未帶來，死也不會帶走，社會再要如何批評，也只有向各位懺悔告罪了。

四說

佛陀紀念館的風雲錄

不好積聚，不好私蓄，
有什麼都是和人分享。

在我們的社會上，有許多有錢的窮人，也有許多清貧的富者。中國人講道德人格是為人之道，平常不計較金錢多少，是以人格道德為君子之本。佛陀的大弟子大迦葉尊者居住山洞、樹下，日中一食，他不以為苦，享受法喜禪悅。孔老夫子的學生顏回「居陋巷，一簞食，一瓢飲，人不堪其憂，回也不改其樂」，近代天主教的德蕾莎修女，她也以貧窮為榮。有錢、沒錢，都是個人的生活態度、對生活的看法。我雖不敢比美這許多聖賢，但我也有一個性格：不好積聚，不好私蓄，有什麼都是和人分享。

能捨即捨　憂他人不愁己

記得在二十歲離開焦山佛學院的時候，對我近十年出家生活所擁有的一些破舊的東西，雖不值錢，但在那個時候，卻是我出家以來的所有。當我要離開焦山的時

候,只留下兩句話:我所有的東西都跟同學結緣,誰歡喜什麼,誰就拿去吧!包括棉被、枕頭、蚊帳、書籍等。我是一襲長衫,身邊沒有盤纏路費,到鎮江和師父志開上人會合,由他把我帶回祖庭大覺寺禮祖。這一次的喜捨,增加我人生擁有了另一種世界。

我在宜興做了兩年的國民小學校長,收入頗豐;在南京做了將近一年寺院的當家住持,也有了一些積蓄、衣單、用具等。但當我離開大陸的時候,我也只交代了兩句話:凡是出家人用的圓領方袍,華藏寺的僧眾都可以去拿;日常生活用的鍋碗瓢盆等,給我逃難的兄弟李國民所用吧。我子然一身,臨走時,靠著師父給我的十二塊銀元,走上不知道未來的前途,在太平輪失事後不久,我也乘船抵達台灣。

在宜蘭念佛會服務的時候,一些年輕人和學生要跟隨我到鄉鎮布教,火車票雖不貴,但需要籌措他們來回

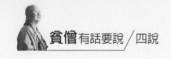

的路費；我也幫助幾個青年學生的學雜費、生活費，我自己沒有爲金錢憂愁，反而爲他們煩心。這種憂煩，也是人生的另一種樂趣。

我初建佛光山時，就有許多孤兒集中而來。五十年來，成家立業的已經有七、八百個。叢林學院曾辦到有七百名學生之多，我要供給他們吃飯、衣單、醫療、零用等；甚至五十年前，有一些小姑娘國中畢業還沒有穿過玻璃絲襪、用過化妝品，我也從國外買回來跟她們結緣，滿足她們的願望。海關人員檢查的時候還嘲笑我：「出家人，還買這許多東西！」我想說的是，人是不容易爲別人所了解的。

大眾成就　人間佛國現前

佛光山能到處建立寺院、到處成立佛光會、到處辦學校、雲水書車、雲水醫院等公共事業，當然不是我的能力所能做到；但是我身居一個領導人，我「不要」、「以空爲樂」的生活，我想，信徒也是受我這種性格感召吧，而樂於施捨成就佛光山，樂於成就全世界佛教的事業。現在佛光山的所有，是怪信徒不好呢？還是怪貧僧不好呢？這個社會嫌宗教的建築太多嗎？我們的齋堂，不管是信徒、觀光客，只要和我們一起吃飯，連添油香的地方，他們都找不到。是寺院的作風不好嗎？還是要怪罪於信徒呢？

佛陀紀念館興建了，那龐大的費用，哪裡是一個寺院所能承擔？我們不開工廠，不經營商業，當然，總得

靠發心的護法居士挺身而出購地、建築。現在，千家寺院、百萬人士共成的佛陀紀念館，是台灣南部最好的觀光朝拜景點，不收門票，不收停車費，每天有三百餘位的職工、義工，為每天數萬的來客導遊、解說、服務。你說，是那些發心的護法居士不好嗎？還是那許多職工、義工都不對呢？或是貧僧的錯誤呢？

　　佛陀紀念館的本館、佛光樓、佛光大佛早已正式取得使用執照，但社會少部分的人，一直以佛館的山門、牌樓未有建築執照而批評詬病。那只是佛館的景點，並沒有人居住，也正在辦理執照中，只是山坡地開發、水土保持的行政程序曠日費時，時間來不及，信徒、遊客就蜂擁而來，我們阻止好呢？還是開放好呢？感謝高雄市政府的領導單位，諒解我們為社會服務的苦心，協助我們補辦執照。我們也不想擁有特權，只是時間遲了一些。我們又不圖名、又不圖利，我們又有那麼大的罪過嗎？

免費辦展　弘文化傳知識

　　佛陀紀念館開放了，每天遊覽車不止百部，小客車也在千部以上，光是解決停車問題，就不是我們民間能力所能負擔。貧僧也想，這許多車輛都向國家繳了稅金，政府應該要有路給他們走、有車位給他們停才是啊！可憐的佛光山，不得已，只有臨時向一些村民租借土地作為停車場，提供來者免費停車。論坪計算，一年一坪也都要千元以上啊！有良心的信徒、旅客，你們覺得佛陀

紀念館應該怎樣去發展才好呢？

　　一般人都知道，書展都在大城市舉辦，有些書商認為南部是文化沙漠，甚至不肯前來。為了提高南部知識水準，也配合陳菊市長興建圖書館的政策，佛陀紀念館位處偏鄉，啟用之後，已辦了多次國際書展，獲得些許肯定。為了感謝每個參展出版社的參與，我們都幫助他們新台幣十萬塊。貧僧不是要得到什麼讚賞，只是盡一點對文化的熱心，希望增加知識的傳播而已。

　　此外，台灣藝術家各種作品的展覽，明華園歌仔戲、劉家昌慈善義唱；大陸文化部每年提供珍貴寶物展出；山東、河南、上海雜技團，四川的變臉、浙江的婺劇團、泉州的布袋戲等，提供大家免費欣賞，演出經常爆滿。在完全不收費的情況下，你說，佛光山要怎麼做才好呢？

　　佛陀紀念館裡設有四十八座地宮，每一座地宮收藏一、兩千件文物，每一百年開啟一個地宮。三百年、五百年、四千年、五千年後，當今的文物，都可以給未來的子孫做個見證、研究。這許多文物，當然有的是信徒的捐獻，多數還是佛光山的珍藏。你說，這是佛光山貪戀呢？還是喜捨呢？現在，佛光山已經把存放五年的文物錄影留下紀錄，有心人願意觀看，不妨可以放映出來，供大家觀賞、參考、了解。

煙火燈會　為人心增美好

　　做了一些事，才稍有成果，就有人批評：「佛陀紀念館一進門有零星的攤販、漢來素食餐館、統一7-11、

星巴克……商業氣息太重了。」孰不知,如果沒有提供吃喝以及店家經營紀念品的地方,遊客來了、信徒來了、累了、渴了、餓了、想要購買禮物等等,你想,應該如何替他們解決問題呢?現在,貧僧想在旁邊的空地增建一些禪窟,提供給旅行的背包客,可以靜修一天半日,讓大家在人生的旅途上加油再出發。但為了山區水土保持而遲遲無法開展,這是青年的損失呢?還是佛光山的罪過呢?希望我們的政府能夠積極輔導。

　　如今,佛陀紀念館裡有猴子成群嬉戲,西伯利亞的候鳥、綠頭鴨飛來雙閣樓過冬;觀察山上的鳥群,據說有百種之多;蝴蝶翩翩起舞,蜜蜂花叢飛翔;每一年的煙火,數十萬人感動欣賞,每一年的燈會,帶給多少家庭溫馨歡喜,佛光山何止要花上千萬啊?但佛光山總當家慧傳法師、館長如常法師和幾位副館長,每次談及,都是愁眉苦臉,慨嘆開銷困難。而我們也只是想為台灣社會增添色彩、為社會人心增加美好而已啊!

　　貧窮是罪惡,我不積聚、不私蓄。以上所說,在我一生似乎擁有一切,似乎又空無所有,但總歸一句:「何貧之有?」

佛光山佛陀紀念館樟樹林生態池

大師於佛光山佛陀紀念館樟樹林

五說

雲水僧與雲水書車

世間的錢財有散盡的時候，
享受歡喜、享受奉獻，
才是無限的受用。

貧僧的名字叫「星雲」，星星高掛在天上，白雲飄浮在空中，我也不願意登在天上，也不願意掛在空中，好在出家人一般都稱「雲水僧」。水，流在山間小溪，匯成江河湖海，覺得「雲水僧」也非常適合貧僧做另一個名字的稱呼。

偏鄉醫療 便利貧者看病

佛光山開山以來，常常要出版一些紀念刊物，尤其開山四十年的時候，徒眾說要替佛光山和貧僧出版一本影像專輯，我就把它訂名為《雲水三千》。那本書有五公斤重，大多是貧僧在世界上到處雲水的紀錄。所謂「雲水」，讓貧僧像白雲飄浮自由，像流水婉轉自在，所以一生也居無定所，真正是一個「貧僧」和「雲水僧」了。

有一位日本僧人叫「滴水」和尚，我對這個名字非

雲水書車灑淨啓動典禮於佛光山大雄寶殿前舉行。2012 年

常羨慕，因為我們中國人「滴水之恩，湧泉以報」的文化傳統非常美好。所以，後來佛光山為信徒服務餐飲、提供簡食的地方，都名為「滴水坊」。如：「滴水食坊」、「滴水書坊」、「滴水花坊」、「滴水畫坊」等，都以「滴水」為名；甚至在台灣、大陸都向政府申請註冊，意思就是要感念世間上所有的恩人，雖是「滴水之恩」，我當「湧泉以報」。

「滴水」之外，貧僧自然也喜歡「雲水」，所以佛光山很多建築、弘法單位，也跟著這個意思都把它訂名為「雲水」。比方，信徒客人來居住的地方，我把它訂名為「雲水寮」，過堂餐飲住宿的地方是「雲居樓」。連佛光山的醫療診所，到各個鄉間偏遠的地方施診，我都把它取名為「雲水醫院」。在三、四十年前，貧僧已經五、六十歲了，但還不算很有辦法，只能像悠悠的浮

五十部雲水書車展翅於佛光山佛陀紀念館

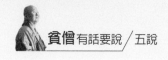

雲、潺潺的流水一般，隨分隨力弘法利生。

我們曾經擁有十餘部雲水醫療車，每天浩浩蕩蕩的出發到各山區服務。我辦不起大型的醫院，不過，我們希望讓健康、有錢的人出錢，為貧病的人治病，將醫療送到偏遠地區，讓貧苦的居民，能因貧僧的一點心，減輕疾病輾轉周折到都市就醫的艱難困苦，也不要因為醫療而花費許多金錢。

雲水醫院確實幫助過許多苦難的人士。只是政府在鄉間也設有衛生所，他們不喜歡我們參與類似的工作，因為我們施診不收費，影響他們的業績。我們不想妨礙人，就慢慢把「雲水醫院」縮小到只在佛光山下服務的「佛光診所」了。

雲水書車 億元打造 50 部

但貧僧對「雲水」的喜愛，不甘就此結束。在二○○七年發起，花了一億多元陸續打造五十部雲水書車，也就是所謂的「行動圖書館」。每一部雲水書車上，配備的圖書有數千本之多，每天穿梭在偏遠的山區，遙遠的海邊，甚至窮鄉僻壤。讓一些貧窮的兒童，也能在雲水書車裡，讀到他們喜愛的讀物，好比漫畫、童話故事、英雄傳記、列女傳，或相關科學、時代新知等各種書籍，以及報章文藝刊物。

這些雲水書車歸屬佛光山文教基金會管轄，由如常法師擔任執行長，規劃相關購書、培訓、發展等事宜。我們基金會沒有對外募捐，也沒有零星的捐款，是把滴

水坊的收入，以及靠著爲南華大學在校外興建的學生宿舍的房租津貼，拿來做爲雲水書車經常費之用。包括圖書、油錢、車輛保養、司機的補貼等，每個月都在五百萬元左右，還有一些雜務開支，一年下來，已經將近一億元。

如常法師經常爲這許多困難愁眉苦臉，儘管如此，他對兒童的教育和我同樣熱心，每年還繼續舉辦相關兒童說故事比賽、小作家徵文比賽、兒童繪畫比賽、兒童歡樂藝術節等活動。每次參與的小朋友都有千人以上，甚至達到六、七萬名也有。

說學魔術 吸引看書興致

現在，每當雲水書車一到達目的地，小朋友就會蜂擁而來。我們在大樹下、操場上停下來，車子裡也準備了小板凳，可以在書車旁邊坐下來看書。也有一些偏遠的學校，特別歡迎書車到他們那裡，提供學生閱讀一些課外讀物，提高小朋友的讀書興趣。我們和這許多位處偏鄉、設備簡陋的中小學合作無間，希望爲學生帶來智慧、帶來歡喜。

我記得這五十部雲水書車宣誓授旗時，承蒙當時的教育部部長親臨參與，但多年來，也沒有得到教育部的片言隻字，或補助一、兩本書籍。貧僧想，經常講說要爲社會、要爲國家，我們沒有向信徒要錢，也沒有向政府要求補助，但雲水書車像飄飄的雲、潺潺的水，在大家的努力發心下，在窮鄉僻壤雖不爲人知，自然有一些護持的因緣。

　　之所以願意這樣做，沒有別的意思，只想到貧僧幼年失學，了解沒有讀書的苦處。現在能有一些辦法，爲和我童年相同命運的孩子盡一點心意，這也是平生快慰之事。

　　多年來，許多的義工媽媽，自願發心跟隨雲水書車，在台灣各地山區海邊，爲兒童講說故事，唱著歌謠；記得高雄市長陳菊「花媽」，也曾經在我們雲水書車旁，爲小朋友說故事。而駕駛的海鷗叔叔們也幫腔助陣，變變魔術，來吸引兒童看書的興致。現在，全省已有五百個服務點，當書車的兩翼打開，像大鳥一樣展翅，見到孩子們驚喜興奮的神情，所有的奔波辛勞，也都不算什麼了。

星期學校　兒童千人以上

　　回想起六十多年前，貧僧在宜蘭最初辦的兒童班，也就是所謂的「星期學校」，每到星期天，兒童不用去學校，我都叫他們到宜蘭念佛會裡來參加活動。當時，

　高雄市長陳菊「花媽」說故事　　　　　　　　　海鷗叔叔變魔術

請來張慈蓮做主任，林美月擔任老師，她們四十年如一日，從未支領車馬費，非常疼愛這許多小朋友。有時候，給一張小小的畫片、一粒糖果、一塊餅乾，兒童們就喜不自勝，我們自己也歡喜。所謂「喜捨、喜捨」，捨，就是歡喜，真是一點也不錯。

那時候，實在因為地方太小，每次集合的兒童都在千人以上，只得在寺廟外面的庭院活動。有時看到八、九歲的小妹妹，身後還背著一、二歲的小弟妹，也會合掌跟在後面念佛，讓貧僧看了真是熱淚盈眶、感動不已，覺得自己若不發誓普度眾生，實在愧對出家為僧。

那許多兒童班的小朋友，後來參加學生會、補習班、歌詠隊，一路成長，有的人在大學教書，有的人做醫生，有的人做過縣議員、立法委員，也有人在監獄布教等，各行各業都有，現在很多都已退休了。像林清志、林秀美夫婦，每個星期都到監獄裡教化，一發心就是四十餘年，風雨不斷，政府聘請他們擔任正式的義務教誨師。政治大學鄭石岩教授，擔任過教育部常委，著述不斷，在佛教心理學方面開創出一片天地，教學、心理輔導，令無數人獲益。醫師李宗德不但自己在國內行醫，也和當初我們的大專夏令營數十位做醫師的學員，像在洛杉磯的沈仁義、李錦興，在日本有林寧峰、福原信玄等，一同在國外行醫救人。貧僧雲水弘法中，偶爾有一些小毛病，都勞駕他們把醫療器材搬來我們寺中，為我無償治療，這在海外真是一件奇人妙事，令人感動。

回顧貧僧這一生雲水弘法，撒下菩提種子，如今長

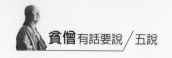

大，不但自己花果滿樹，又在各地撒播種子，結果實在無限無量。這數十年來，貧僧每年雲水繞地球兩、三圈是常有的事情，在台灣上山下海、東南西北奔波，也是經常有之。我們稱念的「阿彌陀佛」是一句佛號，意思是無量光、無量壽。所謂無量壽，超越了時間；所謂無量光，超越了空間。能超越時間、空間的，那就是宇宙的真理。貧僧一生學佛念佛，希望能可以忘記時空的限制，忘記人我的對待，忘記生死的流轉，所以貧僧又號「雲水僧」，又怎能說不宜呢？

捐退休金　香港人也發心

　　從兒童班、星期學校到雲水醫院、雲水書車，六十多年的歲月，就在默默無聞中，悄悄的過去了。貧僧沒有什麼了不起，都是那許多義工、說故事的老師、說故事的媽媽、開車的叔叔等無名英雄的發心，他們的精神實在偉大。

　　這五十部雲水書車，除了在台灣，也開始在香港、日本、祖庭宜興大覺寺發展了，都是由我們各地別分院的徒眾、義工照顧，維持正常運作。這些雲水在全台灣各處偏遠山區海邊的書車，偶爾佛陀紀念館有大型的集

日本雲水書車啟用。2014 年

香港雲水書車啟動典禮剪綵儀式。2014 年

會，也會把所有的車子全部調回來，一起展翅開放，讓活動期中的大、小朋友看了都感到驚奇不已，一同在書車旁流連觀賞閱讀。

　　慈悲喜捨在熱鬧的地方去做比較容易，在冷淡寂寞的地方就不容易了。佛光山也不一定以大學、報紙、電台做為教育文化的傳播工具，我們全台灣的別分院都有兒童教室、兒童圖書室；而在鄉間農村、偏遠的山區，我們也願意照顧那許多缺少慈愛的兒童。

　　有一些了解我們的信徒，像賴維正、劉招明、羅李阿昭、馬廖雪月、謝炎盛、劉珀秀、陳和順、蔡國華、謝承濂、白清棟、蔡璧玉、王碧霞、江陳喜美、陳寶月等等，甚至也有人把退休金捐出來贊助購買這些雲水書車，他們對於教育的熱心，怎讓我不感動呢？最近，聞說香港的蔡蝴蝶、高雄的翁貴瑛等，又再發心各捐贈一部，也要花費一、兩百萬元。他們歡喜、我們歡喜、小朋友更歡喜，看起來給人給己，所謂「自利利他、自覺覺人」，奉獻服務，都是彼此歡喜啊！

　　其實，世間的錢財有散盡的時候，享受歡喜、享受奉獻，才是無限的受用。

宜興大覺寺雲水書車啓用。2014 年

揚州鑑真圖書館雲水書車揭幕啓用。2015 年

大師於日本本栖寺本栖湖畔

六說

佛光山「館」的奇緣

今後，代表「法寶」的藏經樓完成，
有了「佛光大道」讓這十餘個樓、閣、館、台，
連結一體，通行無礙，
讓整個佛光山真正「佛法僧」三寶俱全。

二○一六年就是佛光山開山五十周年了。起初的四十年是建佛光山，是為僧寶教團；後來花了近十年建佛陀紀念館，是為佛寶的教團；即將完成的藏經樓，是為法寶的聖地，由「佛光大道」貫穿了佛、法、僧三寶的佛光山本山教團。

　　在佛光山教團，一個出家人的序級分有：清淨士有六級，每級一年；之上是學士，有六級，每級二年；學士之上是修士，有四級，每級三年；修士之上是開士，五年一級。這期間，要四、五十年才能完成升級，獲得長老的尊位。其它還要有學業、道業、事業等考核。他們居住的地方則有淨士樓、學士樓、修士樓、開士樓等不同。

　　在本山和祖庭之外，有別院、分院、講堂、禪淨中心、精舍、布教所等。以上對佛光山了解的人都會知道。但在本山，除了上述這許多寺、院、樓、堂之外，佛光山還有多少「館」？就是有人知道，也不容易了解詳細了，在此不妨向大家作個報告。

　　說起佛光山的「館」，館，有二個寫法：一是「食」字旁的館，另外一個是「舍」字旁的舘。為了這個館（舘），大家就有意見，用「食」字旁呢？還是「舍」字旁呢？我說，屬於精神食糧，像圖書館、美術館，就用「食」字旁；凡是信徒、客人來住宿的，像會舘，就「舍」字旁的舘吧！從此，在佛光山，這兩種「館」，都有多種的設立，都各有功用，就不下數十個之多了。

　　說起食字旁的館，佛光山現有的圖書館，先後有佛

佛光山朝山會館

位於佛光大學的佛光山百萬人興學紀念館

大陸揚州鑑真圖書館

光山叢林學院圖書館，有大慈育幼院的兒童圖書館，有政府立案對外開放的新竹無量壽圖書館，有美國西來寺的英文圖書館，有大陸揚州的鑑真圖書館。另外，南華大學、佛光大學、西來大學、南天大學，甚至普門中學、均頭、均一中小學等都設有圖書館；其它包括各別分院也都有圖書館、圖書室，總計佛光山設立的圖書館應該不止四、五十個（有的小一點的稱為圖書室）。

廣設圖館 藏書數百萬冊

在佛光山叢林學院的圖書館裡，收有許多珍貴的藏書。如藏經方面，記得六十多年前，貧僧在香港請購了一部《頻伽藏》，運到台灣的時候，宜蘭所有的信徒每一個人從火車站，頂戴手捧、香花迎請，恭迎到雷音寺，

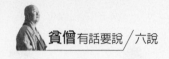

以示我們對法寶的尊重。

除了《頻伽藏》，還有日本《大正藏》、韓國《高麗藏》、藏傳佛教的《藏文大藏經》、南傳的《巴利文大藏經》，中國歷史上出版的《嘉興藏》、《磧砂藏》、《開寶藏》、《龍藏》，以及日本贈送的《鐵眼大藏經》等等。算一算，恐怕世界上的藏經，我們都收藏了。等到藏經樓蓋好了，這許多藏經都會供到藏經樓上，同時附設數十個研究室，供給世界研究佛學的有心人士研究，深入經藏。

在這短短的幾十年之內，能有這麼多的館，藏書數百萬冊，假如要了解其中的這許多書籍購買，以及種種的因緣，那就不是那麼簡單了。

貧僧生性喜愛讀書，在初來台灣的時候，別的嗜好都沒有，就是好買書。在五十年前左右，台灣印經處的書，我無一不買；香港佛經流通處所印的書，我無有不全；甚至於台灣的新興書局，出版一些古籍書冊，尤其是筆記小說、文史哲的書，衣可以不全，飯可以不吃，書不能不買。

貧僧記得購買這許多圖書的過程，在四十年前，跟隨旅行團到日本訪問，有一天自由活動，旅行社給我們一個人五百元日幣，作為當日的午餐費，旅行社就不為我們準備了。我拿著這五百元，準備去午餐，但經過一間書店，進去看到一本日文書籍《典座行事》，圖文並茂。我愛不釋手，那頓午餐索性不吃了，五百元就買了那一本書。

藏經齊全 眾緣成就護持

在三、四十年前，台灣商務印書館出版了《四庫全書》，訂價就要一百萬元，他們說只有一百套，要我也購買一部。那時，正當開山建寺不久，要花一百萬元去買一部《四庫全書》，也不知道有沒有人看。不過，寺院可以慢慢的建，但圖書不能不快一點購買。

貧僧怎麼樣愛書、看書、買書、藏書，當然也有很多的助緣。例如：佛光大學要開始籌辦的時候，王雲五先生收藏的所有書籍，全部由他的公子王學哲先生送給佛光大學，我就把它訂名為「王雲五圖書館」，那棟圖書館大樓，由美國陳正男夫婦捐贈興建。

揚州鑑眞圖書館也是很好的因緣，承蒙中國佛教協會會長趙樸初先生看重我是揚州人，給我在揚州捐建一個圖書館的因緣，他並捐贈了三萬冊佛教類典籍；之外，江蘇鳳凰出版集團捐出萬冊重點書刊，清史研究專家陳捷先名教授也將所收藏二千冊清史類的書籍捐出，以及一些教授、信徒的發心捐贈，才有現在這座頗負盛名的揚州鑑眞圖書館。

為了這許多書籍建設了這許多圖書館之外，貧僧也喜愛收藏字畫、美術藝術，以及佛像法物。希望為寺院增添一些文化的內容，因而設立佛教的美術館來珍藏。

當初，在大陸文化大革命期中，有很多的文物，流落到海外，貧僧那時候雖不富裕，也儘量的把那許多流落到海外的中華文化瑰寶購買回來。現在分別在佛光山佛教文物陳列館（寶藏館）、佛光緣美術館、佛光山宗史

館等展出，甚至於把這些法寶，獻給佛陀紀念館的四十八個地宮珍藏。

推廣藝術 保存中華瑰寶

記得在初開山期中，好友廣元法師要幫助我籌措建寺的經費，他邀請了王雲五、馬壽華等先生發起，為我跟當代名家要了三百幅書畫給我義賣。貧僧看到那許多的書畫，實在不忍心出售，寺院可以慢慢的建設，書畫不能不好好的保存。雖然後來為了籌辦佛光大學也辦過義賣，但是捐贈給佛光山建寺義賣的那許多名家，如張大千、溥心畬、黃君璧、齊白石等人的作品，現在都還珍藏在佛光山。

目前佛光山在全世界，我鼓勵每一個寺院都要設立一個小小的美術館，供人參觀。貧僧告訴那許多的住持、當家說：你有了寺廟，信徒絡繹不絕來訪，恐怕無法花太多的時間接待。假如有了美術館、圖書館，不要你陪他，讓詩書字畫陪他，可以節省多少時間去辦你的法務。所

佛光山寶藏館

佛光緣美術館台北館

江蘇蘇州嘉應會館

以，現在台北道場位在松山火車站旁的黃金地帶，特地別出一個樓層來做美術館，每個月都有名家展出。二十多年來，已經不知道展出過多少稀奇難有的藝術作品了。

在宜蘭蘭陽別院、高雄南屏別院、彰化福山寺、台南南台別院等，也都設立了美術館，甚至在國外的洛杉磯西來寺、休士頓中美寺、澳洲南天寺、紐西蘭佛光山、馬來西亞東禪寺、香港佛光道場、巴黎法華禪寺等，都有中華文化和佛教相關的詩書字畫在美術館展出。總計，佛光山也有二十個以上的美術館了。

對於佛教的弘法，貧僧覺得空談玄論不是很重要，重要的是，學習歷代的那許多古德，為佛教文化藝術奉獻的精神。文化歷史流傳至今，我們今天到了英國大英博物館、法國巴黎的羅浮宮、美國芝加哥美術館等，看到中華文化、佛教的寶藏，給他們收藏之多，當然於心不忍，自己國家的國寶，竟然讓別的國家來收存。但是也感謝他們，讓這許多中華寶物，不至於在戰火裡毀滅，這也不能不說是不幸中之大幸。

巴黎法華禪寺

北島佛光山紐西蘭一館

澳洲墨爾本

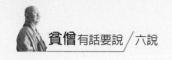

古物展覽 文化弘法度眾

　　貧僧雖不太懂藝術，但是很歡喜文化藝術，在大陸的敦煌、雲岡、龍門、大足、寶頂等石窟，可以說，無一不參觀。回想起民國三十五年（一九四六）貧僧十九歲的那一年，正逢抗戰勝利不久，我還是焦山佛學院的一名學生，就向佛學院請求在端午節辦一次佛教古物展覽。承蒙當時的院長雪煩和尚首肯，我就和幾位同學，分別到金山寺借蘇東坡的玉帶和文徵明的書法，以及竹林寺、超岸寺這許多道場收藏的許多文物，在焦山的華嚴閣展出。

　　貧僧怕沒有人前來參觀，就在鎮江貼了一些標語，如：「秦磚漢瓦出現了！」「請你到焦山來欣賞龍袍、玉帶吧！」「龍蛋出現在焦山了！」哪知道，這樣的標語，震動了當時鎮江左近縣市的民眾，在展覽的一個星期之內，每天有數十艘船隻，在鎮江和焦山間載送客人往來觀賞，人潮之多，讓焦山難有突圍之勢。我嚇得不敢出來，怕給常住責怪我給大眾帶來麻煩，惹得常住每天這麼熱鬧烘烘，人聲吵雜，破壞了焦山的寧靜。

　　所幸，時因抗戰勝利不久，大家都覺得這也是喜慶之事，應該歡喜，也不必嫌棄。甚至，因為焦山在報紙上一展成名，所以勝利復員後，太虛大師從重慶到焦山籌辦「中國佛教會會務人員訓練班」，我有幸也參與其中，還曾親炙太虛大師的教誨，這也是讓我對新佛教的前途更加建立了信心。

佛光普照　千年暗室即明

當然光有精神食糧，是不夠的，因此，除了展覽藝術作品的美術館，貧僧也爲信徒、有因緣的人士設立可以提供吃飯、住宿功能「舍」字旁的「會舘」。

比方，在宜蘭，設立了「礁溪會舘」；在佛光大學，海內外弟子一起爲我的母親捐建了一座「老奶奶紀念舘」（光雲舘）；之後，佛光山也爲百萬人興學委員們建立了「百萬人興學紀念舘」。

佇立舘前，面對太平洋、龜山島和蘭陽平原，我做了一首對聯：「晨間太平洋上觀日出，夜晚蘭陽平原數珍珠」，這是眞實的寫照。因爲百萬人興學紀念舘位在宜蘭林美山上，居高臨下，晨間，看到從太平洋升起的太陽；夜晚，看到蘭陽平原的萬家燈火，眞是美不勝收。

其實，佛光之美，也不一定在這個形象上。我的願望是，讓普世所有人等，都能像佛光大學的景色美麗莊嚴，人人的內心，也都能像千年暗室點亮心光，讓文化教育發揚。而貧僧在佛光大學大門口題寫：「佛光照耀聖賢路，大學廣開狀元門」，這首聯語，正是對這許多老師、學子們的期勉了！

財用大眾　具足佛法三寶

話說回來，佛光山開山以後，信徒蜂擁而來，尤其台北的信徒，每周六、每周日，不下十多部的遊覽車南下，都要住在佛光山。形勢所逼，貧僧便陸續爲他們興建了朝山會館、麻竹園、雲居樓等。而由我學習題字的

「朝山會館」這四個字,小小的招牌,至今還掛在朝山會館的門口,應該有四十年以上的時間了。

也因為佛光山建了朝山會館,甚至可以參觀的「淨土洞窟」、陳列佛像法物的「陳列館」等各館一一完成,世界各地的信徒,就更喜歡到佛光山來參觀問道了。如今,光是佛光山和佛陀紀念館,就有觀賞的各館十餘個以上。

貧僧曾說過,有土地就有人,有人就有財富,有財富就用之於大眾。因為五十年來,佛光山不斷的聚集人潮,陸續就為這許多人建立了代表「僧寶」的佛光山教團,代表「佛寶」的佛陀紀念館。在此之前,貧僧曾寫了一篇〈佛陀紀念館的風雲錄〉,現在,佛陀紀念館也沒有風雲,也沒有是非,只有每天萬千人士來參訪禮拜,為他們的身心加油打氣。

回顧一路走來,貧僧對於「館」這一個字,背負了多少的過去、現在甚至未來。在貧僧想,今後,代表「法寶」的藏經樓完成,有了「佛光大道」讓這十餘個樓、閣、館、台,連結一體,通行無礙,讓整個佛光山真正「佛法僧」三寶俱全,那麼,所有過去的一些辛勞,也就不值得計較了。

七說

我的歡喜樂觀從哪裡來

這個歡喜樂觀從哪裡來？
從內心泉源裡面來，從思想通路裡面來，
從大眾相處裡面來，從人我關係感恩中來，
從工作勤奮成就中來。

貧僧的個性是非常的樂觀，每日都在歡喜中。我不喜歡愁雲慘霧的生活，也不喜歡艱難困苦的思想，我喜歡樂觀進取、安然自在，我學佛也是學習轉煩惱為菩提，轉痛苦為快樂。

　　《般若心經》說，照見五蘊皆空，可以度一切苦厄，開宗明義就已經指導我們修行的道路。所以，在講述《貧僧有話要說》的時候，忽然想起可以講講我這一生的歡喜和樂觀從哪裡來，僅以此文給予一點述說。

賺到歡喜　世間財無法比

　　明年（二〇一六）就是佛光山開山五十周年了，五十年前，來到大樹鄉麻竹園開創佛光山，也沒有專家，也沒有工程師，更沒有建築師，只是一個初中畢業的木工蕭頂順先生，因為在高雄幫我建幼稚園的因緣，貧僧就帶他上山來開創佛光山。

　　他不會繪圖，貧僧也不會，我們只憑著一根樹枝，在地上畫出這棟建築要多寬、多高、多長，他就著手開始建設了。從開始到現在，即將五十年，這批木工、鐵工、泥水工、瓦工、油漆工、綁鐵工，都是原班人馬，沒有換過。你們說世界的「金氏紀錄」裡有這樣的紀錄嗎？

　　蕭頂順先生來山做工程以後，把父親也帶來加入建築行列，並將兩個兒子送到工科學校學建築，他們畢業後也都回來參與工程，可以說他們一家幾代都為佛光山發展而努力。當然，也有些人來參觀，看到佛光山的建築後讚歎說：「佛光山的佛殿莊嚴，佛光山的坡台高低

大師與蕭頂順先生

走路順利……。」但是誰知道，這都是我和這許多工人，如「三個臭皮匠」一般地共同創建的呢！

建設期間，雖然不斷地有傳聞，說佛光山的這塊土地非常貧瘠，都是深渠溝壑，是不容易建築的。但是蕭頂順先生從不畏懼艱難，貧僧得到他，也可以說，就像是伯樂得到千里馬，我們相互尊重。

當然為了建築物的莊嚴宏偉，外面不斷地有人來挖角，要他去替他們建寺；但是蕭先生是一個有情有義的人，他說：「我在佛光山賺到了歡喜，這是世間所有財富都不能比擬的。」所以，佛光山就在這樣歡喜的團隊中成長。

每當一棟建築完成，貧僧也想給他一些獎勵，讓他

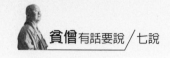

出去旅遊參觀，學習更好的技術再回來建設，他都推說：
「自己已經有預備。」我說：「我要獎勵你。」他說：
「你給我機會在這裡建設，就是獎勵了。」到最後，獎
勵金就在桌上推來推去。他忽然笑起來說：「奇怪，我
在別的地方做工程，爲了人家不給我工錢，幾乎要吵架；
難道現在你給我的獎勵，我不要，我們還要吵架嗎？」

　　所以，佛光山應該可以又稱爲「歡喜山」，佛歡喜來，
菩薩歡喜來，信徒歡喜來，國內、國外人士都歡喜來，
甚至於所有的工人都歡喜來，佛光山就是一座歡喜山。

世事成就　天時地利人和

　　因爲，住在佛光山的歡喜裡，貧僧一生也是樂觀人
生，也是歡喜生活，每天都感覺在過年，都感覺生活在
歡喜中。若要細說我的歡喜究竟在哪裡？我也難以說出。
事實上每天要爲近千人籌吃籌穿、籌措經費、辦學開支，
憂愁都不斷啊！哪裡有那麼多的歡喜呢？

　　實在說，世間上所有事情的成就，都要靠天時、地
利、人和。貧僧記得在五、六十年前，從北部台北到南
部高雄來發展，北部的朋友們都認爲我此舉不當，是錯
誤的決定。因爲那時候南部的文化發展，不及北部那樣
的興隆、進步。但是我並不這麼覺得，在南部最優勢的，
就是這裡的天時、地利、人和。

　　先說人和，那時候高雄市出家人不多，像高雄市佛
教會的會長隆道長老、元亨寺的住持菩妙長老、宏法寺
的住持開證法師，以及許多的比丘尼道場，我們大家互

相尊重、互相幫助、互相友好，從來沒有嫉妒、障礙，所以在南部，「人和」應該算是很難得擁有的歡喜。

再說地利，佛光山的土地雖是深渠溝壑，但地價便宜，我可以慢慢把溝壑填平，做好水土保持，慢慢的來發展，時間對我一定幫忙的，只要我不懈怠，一天一天，一年一年，慢慢的建設，就能完成。橫豎我的經費來源也沒有那麼快，我只能在時間裡面慢慢地成長，也沒有人跟我爭取這一塊貧瘠之地，所以說，我擁有了地利。

最重要的，就是天時，因爲台灣南部的天氣，每年從九月份起，到第二年的四月，都沒有雨，雨季只有在夏、秋之間；一般春、冬之季，南部都是陽光普照。沒有雨水，信徒和客人就容易來山參拜。

建設初期，經常爲了山上的建築費用，周轉不靈，而無法繼續工程，但是常住大眾都很有信心：「明天就是禮拜六，後天就是禮拜天，有人來了，還怕沒有香油錢嗎？」五十年的歲月，很快的，佛光山到明年就五十周年紀念，這當中，天時、地利、人和都給我很大的幫助，我怎麼能不快樂，能不歡喜呢？當然，貧僧也很感謝父母，生給我一個樂觀的性格。

施受皆喜　成就信仰公益

一般的人都是接受人家給我才歡喜，其實，施捨更有價值。有的人擁有了一些財富，捨不得給人，到了最後兒女爭產，連社會都不知如何去處理。爲什麼不在活著的時候，把它處理清楚，讓子女們遵守上慈下孝的道

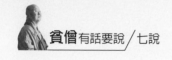

德，傳承下去？雖然人已經往生了，卻能讓自己的所有，讓自己的事業，發光發亮，與人有益，不是很好嗎？

當你熱心社會公益，態度樂觀進取，不但自己歡喜，也給人歡喜，也給人信心。我們受人家的金錢，我們給人家佛法，這就是所謂「財法二施，等無差別」。給或取，彼此都是歡喜的，大家表現同一個信仰的誠意、恭敬，還有什麼事不能成呢？

所以，當初褚柏思夫婦，將佛光山這一塊貧瘠的地付託給我，可以說他付託得人，我沒有辜負他們，他們應該能含笑於天堂、含笑於人間了吧！甚至於仗此因緣，他們可以再回到佛光山，承接佛光山的事業。一個人要能看到因緣，看到未來，什麼東西都能給未來去發展，這才是人間最智慧的想法，也是最值得歡喜的事。

貧僧一生吃過的東西，都會難忘、都要報恩的。例如，幾十年前，曾在台北金枝姑的家裡喝到一杯冰牛奶，有如甘露瓊漿，至今給我難忘。七十年前，在鎮江「一枝春」的小麵店，現華法師請我吃的一碗麵，如今口頰芬芳，難以忘懷。好比過去鎮江市委書記許津榮的一碗鍋蓋麵，我都覺得是人間美味。又如三、四十年前，彰化的小麵攤裡，那碗只要一塊五毛錢的麵，讓我懷念不已。假如有機會，還是要回報他們。這些都是我一生中飲食的最高享受了。

當你受到人家給你的歡喜，你也要給人家歡喜。例如，在嘉義我們有一塊二、三十坪的土地，剛好位於一戶人家土地的入口，那位地主的土地有千萬的價值，卻

被我們這塊畸零地給攔住，讓它不能跟大馬路貫通。當時他就表示要用八十萬一坪，比市價更高的價格跟我們購買，我告訴弟子覺禹，不可，公訂價格就好，不要這樣奇貨可居。如果以高價讓給他們，這就等於敲人竹槓，你多收了錢，讓他人一世罵名，不值得啊！公平就好，彼此就能皆大歡喜了。

君子有成人之美，像這一類的事情，我成人之美的歡喜，也是無限的。韓信受漂母一飯之恩成為美談，我們今天倘若能多多給人助緣，讓天下的韓信，也能再遇到萬千的漂母，那不就是世間很美好的事情了嗎？

暢遊法海 生活平淡自在

你問我歡喜從哪裡來？就是從彼此相互之間，在信仰的法海裡面暢遊，一切都把它當作是我的，一切都把它當成不是我的，無我無人，有我有人，這中間有著很微妙的道理。例如：在太陽底下工作很炎熱，但是回到房子裡，午餐是簡單的茶泡飯，也是美味無比，我怎麼能不感到歡喜呢？

過去老友煮雲法師經常來找我，到了晚上要睡覺，貧僧只得把我的房間床鋪讓給他休息，我則睡到陽台上去。夜晚涼風徐徐，清涼無比，貧僧怎麼能不歡喜快樂呢？就等於明朝朱洪武一日夜歸，回到寺院，大門已深鎖，進不去了，他就躺在寺廟外的廣場上，看著天上的星星，不禁說道：「天為羅帳地為氈，日月星辰伴我眠；夜間不敢長伸足，恐怕踏破海底天。」那種逍遙自在，

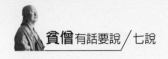

我真有這個感覺啊！

我還記得到洛杉磯去，徒弟為了我，在美國準備好的床鋪要給我休息，可是我卻翻來覆去無法入睡，因為床鋪太軟了，我的性格還是苦命，只有睡到地上，而且睡得很痛快，因為洛杉磯氣候涼爽，非常舒服。我以大地為床，覺得這是世界上最好的享受，也睡得很歡喜。

你說每天為了籌錢、籌吃、籌穿，日子過得很艱難，那也不盡然。佛光山的土地是很難買的，山下的民眾不斷地漲價，到現在，山坡地已經都多少萬一坪了。但是沒有關係，好在最初已經有玉琳國師幫貧僧買下了這一塊土地。

大家也許會覺得奇怪，玉琳國師是三百年前順治皇帝的老師，他怎麼會來幫我買佛光山的土地呢？因為貧僧寫了一本《玉琳國師》的小傳，這一本小書，不只出版了幾十版以上，在馬來西亞、香港、菲律賓一直都在暢銷書排行榜上，也被拍成電視劇、電影，幫我宣揚。

突然之間，有了那許多版稅收入，貧僧平時也沒有用錢的習慣，當然就買土地，佛光山也就越來越大，即使有的土地是山溝深渠。不過，因為早期價格便宜，你說我怎能不歡喜呢？

開山創建 萬緣匯集護持

有了土地以後就要建築啊，最初，信徒一再警告我，這種醜陋的地方，鬼都不會來的。但是，貧僧一生不相信只有鬼會來，鬼有鬼的世界，我相信佛、菩薩他們會

佛光山大悲殿的觀音菩薩

　　來。所以，後來觀世音菩薩就來幫貧僧建了一座「大悲殿」。

　　觀音菩薩怎麼會幫我建大悲殿呢？貧僧在新竹青草湖教書時，有學過三個月的日文，於是就翻譯了日本學者森下大圓先生的著作《觀世音菩薩普門品講話》。在台灣五十年前，還是佛教文化沙漠的那個年代，這一本書也成為暢銷書。

　　當然，除了版稅的收入，要建一座佛殿也還不夠。好在觀音菩薩慈悲，他以每一尊五百元的金身，讓有緣人來供養，所以貧僧就以觀音菩薩萬佛寶殿的名義，作為號召，建設了大悲殿。連蔣介石總統聽聞以後都想來

參觀，甚至蔣經國先生還曾經四度來山。貧僧想，他們因為佛光山的建設，想要來一窺奇妙的究竟吧！

在觀世音菩薩大顯神通威德，建了大悲殿以後，釋迦牟尼佛也出面來幫貧僧建大雄寶殿。佛陀是很平等的，全世界的多少的寺廟，多少人要建大雄寶殿，他哪裡能幫得了那麼多的人呢？

不過，我有特別的因緣。因為，貧僧寫了一本《釋迦牟尼佛傳》，在東南亞等很多地區，出版不只百刷以上，發行量遍及海內外，真是佛光普照啊！再加上信徒支持，供養一尊佛像一千元。貧僧就這樣把大雄寶殿完成了，也沒有很困難，也沒有費多少的力氣，你說我能不歡喜嗎？

佛光山接引大佛四周圍繞了四百八十尊佛

有了大悲殿、大雄寶殿，阿彌陀佛也來幫忙貧僧。多少年來，貧僧精進打佛七、早晚念佛，毫無懈怠，阿彌陀佛跟我就更有緣分了，接引大佛高聳的立在東山之上，開光落成時，貧僧寫了一首偈：「取西來之泉水，採高屏之砂石，集全球之人力，建最高之大佛。」就像圍繞在接引大佛四周的四百八十尊佛，象徵著一佛出世，千佛護持，這一切的因緣還不夠我歡喜嗎？

在佛光山建設，有人幫我捐獻這個、有人幫我捐獻那個，貧僧一向都同人不開口，我都告訴別人，你不必要捐那麼多，布施是細水長流，慢慢的來。但可愛的信徒，他們都傾全力給我助緣，貧僧當然也要盡全力地去發心。

例如：我要在台北辦中國佛教研究院，沒有經費的來源，我想跟人借一個地方先來開學，但是東借西借，連一個門都借不到。貧僧就跟佛光山重要的職事說：「我們回佛光山吧，春節快到了，我們回去為信徒煮麵，他們會贊助我們的，還怕研究院不能成功嗎？」

所以，在民國六十四年（一九七五）的春節期間，我都在廚房裡煮麵，一天可以煮個五十大鍋以上。信徒上山要找我，就有人告訴他們：「師父在廚房裡。」他們來了，看到我在煮麵，當然沒有時間和他們交談，我只有說：「你幫我來端麵，服務給大家吃吧！」他們也很樂意。所以，台灣義工的成長，就由這樣子而來的。

你說佛光山能夠弘揚五大洲，也是因為這樣的結緣，當一切因緣成就，自然就法水長流了。大家都要能悟到：

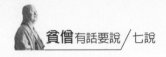

佛法都是要靠因緣才能成功的啊。

在佛光山，真的是你走到哪裡都會歡喜。好比貧僧記得開山初期，在東方佛教學院圓門的前面，我們只有一塊三十坪用水泥鋪起的平地，常常在出坡作務之後，就與開山初期的弟子們坐在平台上敘談，歡聲雷動，暢所欲言。

有人說，東山那條路，把它定名為「菩提一路」、「菩提二路」、「菩提三路」，其實，這條路才不到三百公尺長，就已命名到「菩提三路」。三百公尺雖不多，但菩提道卻很長喔。

又有人建議，放生池到大雄寶殿的路，從放生池到

佛光山寶橋

不二門為「慈悲一路」，不二門到朝山會館為「慈悲二路」，朝山會館到大雄寶殿為「慈悲三路」；佛陀教導世間慈悲為本、方便法門，我們不能不以此做為根據啊。

也有人建議，從頭山門進來左轉到叢林學院，可以叫作「智慧一路」，從香光亭到叢林學院的圓門，叫做「智慧二路」，從圓門到大悲殿，就叫「智慧三路」；主要的，我們要把東山大智殿文殊菩薩的智慧，和西山大悲殿的觀音菩薩的慈悲融和起來，成為全山的重要結構。

這些路雖不長，但每一個人的心願是無窮、無盡、無限的長遠。因為五十年來，佛光山的建設，無論施者、受者；無論老、少參觀者，無一不歡喜。所以，大家說佛光山是個歡喜山，又有什麼不當呢？

寶橋度佛 七重行樹成蔭

位在佛光山西山的叢林學院和朝山會館中間，隔了一條深溝，往來不便；後來下定決心，不管如何困難，一定要造一座橋，把它連貫起來。深溝橋梁雖高，但蕭頂順先生卻認為不困難，只花了十一萬元台幣，就把那一座橋造好了。於是貧僧就將之命名為「寶橋」。

相傳佛世時，佛陀要經過一條河流的時候，由於外道破壞了橋，目犍連就把他的腰帶解開，化作一座橋，讓佛陀可以順利通行，這就是「寶橋度佛」的典故。我做了這一座橋以後，讓叢林學院和朝山會館之間，信徒、徒眾彼此往來，不必另外再繞到前山、後山走很遠的路。所以，出家眾來、信徒在家眾去，來去真是寶橋度佛啦！

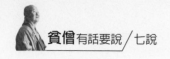

大家對此也稱讚不已。

　　有一次颱風肆虐，把橋邊一棵正在成長的菩提樹吹倒了，颱風過後我去巡山，看到它只剩下一米長的枝幹，無根、無枝、無葉，像棍子一樣。我看到了很傷心，就把這一根像棍子一樣無根的枝幹，在原地埋了下去，我怕它風吹日曬，受當不起，就去找了稻草，把它蓋起來，保持潮溼，每天為它澆水。兩、三個月後，竟然它枝葉繁茂，現在已經長成一棵高大的菩提樹了。

　　佛光山早期很多的樹，當初在栽種的時候，都是這樣關心，細心培養，現在才能成為樹蔭啊。像從麻竹園往東山的菩提路上，一層一層的樹木排列，真是有如《阿彌陀經》裡所述極樂世界的「七重行樹」。這一些樹木花草的生命，隨著我的成長，它們也跟著成長。現在這些樹木，經過五十年，已經慢慢成長茁壯，有一些巨木，無法由一個人圍抱了，這裡真是福地啊。我怎麼能不歡喜呢。

　　除了佛光山的樹木成蔭，這裡也是百花盛開。我有一個性格，不會特別去注意花卉，所以常有人送我一盆花，我都看不到，等到花謝了以後，落在地上，我才知道有花。貧僧知道自己有這樣的性格，也想，為什麼在花紅美麗的時候，我不看到它，一定要等到落葉衰殘了以後，才知道有花呢？

　　不過，山上的徒眾，跟隨我經常走在路邊，只要見到紫羅蘭（九重葛）沿途綻放，他們就會告訴我：「師父，你看！」整排的炮仗花掛在樹上，他們也會跟我說：「師

父，你看！」這不得不看，確實豔麗。

百花盛開 供養十方諸佛

現在佛光大道上，有台灣欒樹、印度紫檀，以及到了七月學生即將畢業，盛開的鳳凰花……，在山上一年四季，真是不需要我們去買花供佛，山上自然生長的各種的花卉，就能供養山上的十方諸佛。

在中國偉大的佛教建築，如雲岡、龍門、敦煌、大足、寶頂石窟都成為藝術瑰寶，那都是過去由國家出資建設的，我們現在生在末法，也不能要求像那個時候的盛世。但是，目前近代的寺院中，如佛光山佛像之多的，恐怕少有，佛光山大大小小、裡裡外外，不只數萬尊的佛像，確實需要很多的鮮花，代表我們虔誠的信心，來供養諸佛如來。當樹木成蔭、百花盛開的時候，不禁為諸佛菩薩來歡喜了。

在佛光山，貧僧把浙江普陀山觀世音菩薩的道場大悲殿建在西山，把山西五台山大智文殊菩薩的道場大智殿建在東山之上，左有四川峨嵋金頂的普賢殿，右有萬壽園邊上的地藏道場，分別坐落於佛光山這朵蘭花瓣上，這不就如中國佛教四大名山的展現嗎？

我們經常說，佛菩薩在我們的心中，世界在我們的心中；現在，佛光山這樣的建設，我們不都是把宇宙諸佛菩薩，融入到我們的心中，讓信徒共同沐浴在佛光法水裡面，享受禪悅法喜？

佛光山還有個淨土洞窟，你看，參觀的人出來，臉

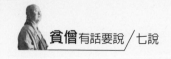

上總會有滿意的笑容，對未來充滿希望，不像是看十八層地獄回來後驚恐的樣子。

所以，佛光山歷年來的活動，信徒不論是三步一拜的朝山修持，或是到各個殿堂參禮，他們在這裡的一餐一飯、一宿一覺，可以說，我們做到讓人歡喜，也就是我們的歡喜啊！

佛館朝聖 成為文教據點

佛光山完成了，要建佛陀紀念館，那個時候也是想像不到的。雖然承蒙西藏那許多活佛仁波切，送給我這顆佛牙舍利，佛牙雖小，卻需要很大的土地供奉。為了建設佛陀紀念館，貧僧也只能希望看看政府是否能給我們幫助，來去完成這件善舉。

行政院院長蕭萬長先生確實很熱心，在台灣，他為我們推薦了好幾塊土地，我看了之後，雖然可以建紀念館，但卻需要廣大的土地做為停車之用啊。因為停車場的問題沒有獲得解決，我都不敢在那許多土地上，隨便開工動土。

最後，緊鄰佛光山的擎天神炸藥公司那一塊土地，是奧地利人與台灣政府合資經營的，正逢他們結束經營，再加之，擁有這個土地所有權的奧地利人，一定要將這片土地和佛光山結緣，但是那麼大的地，也不是貧僧這一生的能量能取得的。承蒙熱心的信徒集資，才能有這麼一塊土地。除了買土地，還要龐大的建設經費，真是感謝佛陀為我們找了千家寺院，找了百萬的人士，大家

眾志成城，共同建設佛陀紀念館。

　　現在，佛陀紀念館已經完成了，老實說，我經常看到百輛以上的遊覽車、千部左右的小汽車停在門口，但都沒有我看到全家大小同遊那樣來得歡喜。貧僧常看到老公公、老婆婆，在年輕兒女的攙扶下，帶著幼小的兒孫，一家三代、四代同堂，悠閒的散步在佛陀紀念館內，歡笑聲不斷。館內前後左右，無障礙的空間，讓老人家的輪椅可以通行無礙，嬰兒車也可以順利推行，不必擔心遇到障礙而煩心。

　　還有一些善心人士來護持，有的人開飯館，有的人開咖啡店，例如：統一的 7-11、漢來大飯店的素食餐館、星巴克等等，他們都不是為了牟利而來，只想來為旅客服務。因為這樣，就助長了佛陀紀念館的發展，帶給參觀朝禮者的方便。

　　可以說，佛陀紀念館不但是佛教的中心，也成為台灣一個文化教育的據點。貧僧能把佛教帶入了人心、帶入了家庭、帶入了文化教育的圈子裡，我怎麼能不歡喜呢？

神明朝山　相約共聚佛館

　　在建設佛陀紀念館期中，猴子也跑來嬉鬧、高屏溪的白鷺鷥也飛來覓食，甚至，野狗都有五十條以上聚集，因為工人吃飯，留下來的便當剩菜剩飯，也讓牠們來分一杯羹。我真掛念，這是佛陀紀念館，不是貧僧用來養狗的地方耶！

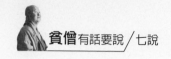

　　好在，佛陀紀念館完成了，工人不來了，野狗也不來了，換來的是空中的飛鳥，水溝裡牛蛙的鳴叫，甚至於西伯利亞的綠頭鴨，為了避寒冬都飛來這裡生蛋、孵育小鴨子，之後也就留住在佛陀紀念館。像這樣的情況，世間上的生命，都與佛陀紀念館共同互相各取所需、各取所要，我們怎能不為這種平等的發展而歡喜呢？

　　不但人和動物歡喜，從佛光山創建以來，到佛陀紀念館成立後，全台的神道寺院、宮廟，就不斷有神明來朝山拜佛，他們都說，是神明指示筊杯而來的。所以，佛陀紀念館落成後，在每年十二月二十五日，大家有志一同，訂為「神明朝山聯誼會」的日子。

　　這一天當中，媽祖、城隍爺、玄天上帝、神農大帝、包公、呂祖仙公、中壇元帥……，四、五千尊的神明，由他們的信徒抬著轎子敲著鑼鼓，浩浩蕩蕩地來朝拜。佛陀紀念館在這一天，要供應幾萬人簡單的飯食，徒眾、義工雖然忙得辛苦，但是為十方大眾，甚至為十方神明服務，也無有不歡喜的事情。

　　現在大陸湄洲的媽祖也來了，甚至連菲律賓天主教的聖嬰也都來了，大家不因宗教不同，而有所分別。最近，山東的「至聖先師」孔老夫子，山西的「關聖帝君」關雲長，都有很好的因緣來到佛陀紀念館。他們以八尺的銅鑄金身，分別佇立在佛陀紀念館本館的兩旁，成為文武護法。

　　今年（二〇一五）六月，「中華傳統宗教總會」也經由內政部通過成立了，由立法院院長王金平擔任總會

高雄市杉林區天主教真福山社福園區奠基典禮。2003.3

長，副總會長由心保和尚、立法委員許添財、北港朝天宮董事長蔡咏鍀、行政院政務委員楊秋興擔任，高雄市長陳菊女士擔任顧問。

　　人神和諧，超越時空、超越人為的障礙，能在超越裡面，怎麼不感到歡喜呢？

宗教交流　團結祈世和平

　　在佛光山眞是天天像過年。但過年的時候，就更加不可思議了，單國璽樞機主教，可說中國人在世界的天主教裡面，能做到紅衣主教少數者之一。單國璽樞機主教跟我有數十年的交往情誼，除夕他都不在教會裡，跑

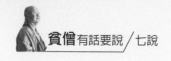

到佛光山跟我兩個人，一人一碗麵，就這麼圍爐過年了。

在他的晚年，貧僧也是感念他每次都來參與我們的活動，所以他建眞福山的時候，佛光山雖然經濟困難，不過，與人爲善，我也捐他五百萬元台幣建設眞福山。甚至天主教舉辦的數千人路跑，也安排從我們的佛陀紀念館出發，終點抵達他們的眞福山。

「中華民國建國一百年——愛與和平宗教祈福大會」在佛光山佛陀紀念館盛大舉行，有十幾個宗教團體聯合參加。如：天主教台灣地區主教團、教會合作協會、道教會、中華理教總會、中國回教協會、宗教與和平協進會、中華天理教總會、中華天帝教總會、一貫道總會、天德教總會、中華佛教居士會、中華佛教協會、財團法人軒轅教……，共同來爲世界祈和平。各宗教間不必互相排擠、不必互相對立；能夠互相包容、互相尊重、團結和諧，這才是人世間最寶貴的歡喜。

還有貧僧和各界宗教的往來，也無法細說，貧僧就不去一一敘述了。總之，和平不是嘴巴說就有，要透過交流來往才能達成。

我們要把歡喜擴散到人間。貧僧在寫「一筆字」的時候，常常喜歡寫「歡喜人間」。我們到人間來，不是爲了煩惱而來的，不是爲了鬥爭而來的，不是爲了互相對立、較量而來的；我們爲了歡喜、友愛、融和而來的。像這樣的歡喜、快樂，不是一個人的，這是全世界都需要的，你說我們身爲全人類的一分子又怎能不歡喜呢？

最近，最歡喜的事情，就是佛光山到佛陀紀念館，

相連接的佛光大道完成了。所以現在來到佛光山的人客，不必繞到山外的道路到佛陀紀念館，步行山內，就能直達。在佛光山，殿和殿相通，佛和佛相鄰。佛陀紀念館代表了「佛寶」；現在佛光大道上，建造完成的藏經樓，代表「法寶」；佛光山這邊是叢林學院和僧眾住的地方，已經有五十年歷史的佛光山，就代表「僧寶」。所以，佛、法、僧三寶，由佛光大道把它連起來，成為一個整體，這種不是有心有意，要去這樣做的，是自然完成。

就等於，佛光山從放生池直上大雄寶殿，過去也不知到這座山的東南西北，因緣成就，就這麼樣從放生池、不二門、靈山勝境、朝山會館、成佛大道、大雄寶殿一項一項完成。後來，把朝山會館打通以後，放生池一路走上來到大雄寶殿，就是一條中軸線貫穿全山，大眾在通行上，更加的便利了。

佛光普照 法水遍灑五洲

有人常問我，你會看地理風水嗎？其實，地理風水在我們的心中，在我們的歡喜禪悅裡面。所以，無論佛光山稱三寶山、歡喜山、蘭花瓣山，或是四大名山，佛光山真是佛光普照的山啊！

除此之外，佛光山還有很多的靈奇異事，我們也不敢多說，如地藏王菩薩不肯走、如觀世音高站在樹梢頭、如接引大佛轉身……，這些都有萬千的信徒見證。但是，那是靈異的世界，讓感受得到靈異的人去感受，我們在此就不去宣揚了。

一九五三佛光歌詠隊

　　除了硬體建設讓人感到歡喜之外，與信徒之間的活動也是無限的歡喜。像一九九二年，我們在洛杉磯成立國際佛光會以後，一夜之間，佛光山佛光照耀到全世界，各地一時風起雲湧，五大洲紛紛建立佛光山的分別院，如在美國的西來寺、非洲的南華寺、澳洲的南天寺、歐洲巴黎的法華寺……等，世界各大城市都有了佛光山的據點。

　　當然這不是我個人的力量，這都是百千萬信徒共同的心願、共同的發心。他們把二千五百年前佛陀的慈悲，光照在當今的世界，他們為佛陀，從印度行腳到現在五大洲，普照放光，這不是將個人的歡喜，更擴大到諸佛菩薩也跟我們一起歡喜嗎？

　　除了佛光會以外，再回憶民國四十二年（一九五三），

我初到宜蘭，當時都是老人家參加佛教，很少青年來拜佛，為了接引年輕人學佛，不得已，我就成立佛教青年歌詠隊，很多的男女青年紛紛加入。如：已經出家的慈莊、慈惠、慈容法師，現在都八十歲以上高齡。沒有出家的林清志、張友良、張肇、張鋼鎚、張慈蓮、謝慈範、林慈菘、吳寶琴、楊阿珠、陳蓮珠、周寬諒等人，這些當時的青年，現在也都已經是七、八十歲，白髮蒼蒼的老公公、老婆婆了。幾年前，他們再次組織了「一九五三佛光歌詠隊」，意思就是要紀念當初六十年前他們參與的歌詠隊。現在，他們唱遍世界，曾到菲律賓、馬來西亞、香港、大陸等地高歌一曲。

尤其有一次，在佛光山的如來殿大會堂，在數千人的前面，舞台上的這群白髮蒼蒼老人，仍然如我當初的青年子弟兵一樣，精神矍鑠，一如六十年前，唱著〈弘法者之歌〉，唱著〈佛教青年的歌聲〉，那樣的響徹雲霄。你說，我在那一個情況之下，時空的歲月，人事的融和，我怎能不歡喜呢？

為探佛教 基督徒變佛子

在貧僧弘法的初期，佛教在社會上是不給人看好的。舉例說，有一位熊養和老先生，在江蘇省阜寧縣做過縣長，到了台灣來以後，我們成為很好的朋友、教友。他太極拳功力很高，我就請他來幫我教導這些年輕人，學習太極拳、太極劍、太極棍。

他有一個侄兒，在宜蘭中學做教務主任，這位熊養

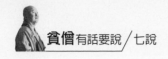

和老先生,一個人獨自居住,記得有一年他要過七十歲生日了,侄兒就來爲叔叔祝福。熊養和就說:「岫雲啊,你要祝福我七十歲,只要替我到佛前磕三個頭,我就高興了!」

但是他的侄兒是基督教徒,一聽到這句話,非常不能接受,怎麼叫我拜偶像,就拂袖而去。但是回頭想想,叔叔是他在台灣最親的親人了,因此心裡又感到十分懊悔。爲了想知道佛教究竟用什麼力量,讓威德並具的叔叔心悅誠服,後來貧僧在宜蘭講經,經常看到熊岫雲坐在人眾裡面,甚至我每個星期三、星期六講經,他也都來聽講。

大概經過了五、六年的時間,我們也沒有講話,不過有一天在皈依三寶典禮上,他跪在我的前面,跟隨大家皈依了三寶。我很訝異,我說:「熊老師啊!恭喜你皈依三寶,信仰佛教。」他說:「是啊!眞奇怪,五、六年來,你爲什麼都不叫我皈依佛教,信仰三寶?」我說:「這個皈依要你自己來,我怎麼好叫你來呢?」所以,後來熊岫雲也成爲我們宜蘭念佛會的重要助緣,幫我們教書、幫我們發展。對於信徒,有一些剛開始都不是很友好,都不是跟佛教有緣,但是我們肯得跟他結緣,慢慢的,他們就一個一個進入佛教,一家一家進了佛教。

佛光親屬 護持出家兒女

當然辦叢林學院,也不是那麼順利的。五十年前,如果有年輕的人進了佛教,尤其想要出家,簡直是天大

的事情，家長都是反對，社會也不認同。但是，在我們心裡想，佛教要靠青年，一定要有青年來參與，佛教才會有前途。所以有青年要來發心出家，我們當然接受不排拒。

因為家長沒有答應，當他們知道兒女出家了以後，父母就常來這裡吵鬧，要把出家的孩子帶回去。不過，那許多的年輕人，當然都很理性，他們因信仰而出家，也希望父母能成全他們，我們則從旁幫忙。直到現在，佛光山有一千多個青年，不但有的取得博士、碩士學位，至少也都大學畢業，或者我們叢林學院畢業。

所以我為了這許多年輕人，特別舉辦佛光親屬會，我認為徒眾的父母、家長，是我們的親屬、親家。等於你的兒子、你的女兒，嫁來給佛光山一樣，我們接受了，所以就成為親家。每兩年一次的親屬會，父母來看看他的兒女，知道兒女在佛門裡也有前途，有的青年都在大學裡做了教授，有的主持電台，有的主持報紙，有的分發到世界各地去做住持。透過親屬會，讓這些佛光親屬更認識佛光山，現在好多父母們也都來參與佛光事業。

甚至，我也讓我們的徒眾，不但說法上是孝養父母，實質上父母有需要，我們也准許徒眾可以孝養父母。像我們的佛光精舍，就有好多的父母住在裡面，他們彼此談話、聊天，都有共同的語言，有共同的信仰，覺得兒女出家，他們才有福氣，所以他們歡喜，兒女也歡喜，貧僧怎麼能不歡喜呢？

再有，早期在佛光山開山初期，過年的時候，大家

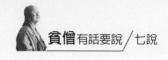

都是在家裡團圓，除夕圍爐，不會有人想到寺院裡面來。但是現在佛光山到了除夕，真是幾千人來登記，大家一起團圓過年。過去信佛教的，從一個人到一個小的家庭，現在佛光山漸漸發展了以後，數千人聚會一處，不論出家的、在家的，大家融和相處，在佛光普照之下，成立佛光大家庭，你說，我能不歡喜嗎？

禪悅法喜　為眾奉獻付出

貧僧的歡喜在哪裡？我每寫了一篇文章、每建了一棟房屋、每蓋了一座殿堂，我總歡喜自己做了一件事。尤其，每出一本書，我也歡喜自己為佛教做了一個貢獻，我經常挑燈夜戰，東方已白，還在那裡埋首寫作是常有的事，過去年輕的我，不以為苦，只感到禪悅法樂。

回想起過去在世界建寺的時候，不但自己勤奮工作，為了各個地方的建設，貧僧也要做一位信徒，幫助大家貢獻財施。所以，我沒有別的本領，我在紅磡香港體育館講經二十年，每年三天，都是數萬人聽講，雖然一個人的門票只收二十塊錢，但一年也都有數百萬元。我在美國講《六祖壇經》透過遠距教學講說，都是百元以上的課程費，都供應給全世界的道場。所以，佛法也流通了，道場也高樹法幢了，不為佛光山歡喜，另外還有什麼歡喜呢？

這個世界的佛教發展，都是大家集聚的功德，那麼到了現在，在大陸要復興祖庭，在各地，我還是一樣地要建寺安僧；儘管人已老矣，眼睛也看不到，「一筆字」

寫來倒是不難，但是想到信徒的發心，那麼多的財施，貢獻那麼大的力量，貧僧怎麼不努力提筆寫字來回報他們的發心呢？貧僧希望全世界的人類，都能為人間佛教的建設而歡喜，這就是我的本願了。

　　這個歡喜樂觀從哪裡來？從內心泉源裡面來，從思想通路裡面來，從大眾相處裡面來，從人我關係感恩中來，從工作勤奮成就中來。所以，每天都有人，每天都有事，每天我都和大自然天地日月接觸，怎麼能每天不歡喜快樂呢？

八說

人間因緣的重要

因緣裡面有人我關係；
真正的金銀財寶、法身慧命，
都在因緣裡。

現在有一句流行的話：「向錢看。」錢，有那麼重要嗎？

除了「向錢看」，世間上可看的東西太多了，有的人喜歡看山，有的人喜歡看水，有的人喜歡看書，有的人喜歡看人；也有人喜歡看各種表演，喜歡看各種奇人妙事，喜歡看電視、看報紙、看網路……。喜歡看的很多，為什麼不喜歡看「因緣」呢？

貧僧有一雙眼睛，過去也有看的功能。我從小立志就想看世界，看社會的苦難，也可以說，我真正喜歡看的是——看「道」。道是什麼？道就是因緣，道就是佛法，道就是佛教。

審查自心 發覺貪瞋無明

貧僧初出家的十年中，因為貧窮，沒有錢可看，也看不到錢，錢在哪裡？我也不知道，也不太覺得錢有什麼了不起。出家後，每天都是看佛像、看菩薩像、看羅漢像、看莊嚴的殿堂、看佛經、看老師、看同學等等。

後來在此中覺得，「看」的東西很快忘記。比方說，太遠的東西看不到，隔了一道牆也看不見，乃至現前看到的一段人事因緣，過了一段時間也就過去，都不一樣了。發現「聽」比「看」好，老師們談古說今、談佛論道，聽得我津津有味，回味無窮。

之後，貧僧又慢慢感覺到，感官的看、聽，所謂「眼耳鼻舌身」對應的「色聲香味觸」都不究竟，看來看去、聽東聽西，都與自己無關。有一次，在挨了一個老師的

耳光之後，他說：「你看什麼？世間什麼東西是你的？」我心裡想，確實，這個世間沒有東西是我的，因此有過幾個月不看的經驗。後來老師叫我說：「你要看心。」心是什麼樣子，我也看不到。老師雖打我、罵我，但也很慈悲的教導我說：「你心裡有什麼？自己不能審查一下嗎？」

我這一審查才發現，貧僧業障深重、貪恚無明、瞋恨嫉妒，實在內心不能一看，甚至比喜歡看財、看色還要更醜陋。我有嫉妒心，我有貪欲心，我有瞋恨心，我有無明愚痴心……。那時候，我的身高已經快近一八○公分，忽然感覺自己比別人矮了一截，別人都比我好、都比我高，我實在是見不得人。原來，我不但是貧窮，而且是醜陋。

找到目標 禪坐念佛調心

後來又得到老師慈悲的開示：「你可以用尊重包容對治你的嫉妒，你可以用慈悲喜捨對治你的貪欲，你可以用溫和體貼去除你的瞋心，你可以用因緣明理去除無明愚痴。」從此，在佛門裡，我覺得自己翻了身，有了目標增長我的高度、我的廣度。

在參學的歲月裡，對社會、對人生、對五欲六塵的看法又有所不同。這時候，貧僧雖不愛財但「好名」，希望別人知道自己是一個好人、是一個健全的人、我比別人優秀。但在佛教法海成長期中，年近三十，觀念又全然不同了。

　　原來，個人是渺小的，個人是不能太自私的，做一名出家人，要為佛教，要為眾生。所謂「弘法是家務，利生為事業」，儒家說「三十而立」，我雖不知道自己有立沒有立，但知道靠因緣才能成長自己。我把自己「色身交予常住，性命付予龍天」，也就不計較個人有無，只想為佛教的前途去奮鬥了。

　　禮拜、禪坐、念佛，我覺得這個時候物質上很貧乏，內心裡卻很富有，我覺得有了方向，我要跟大眾結緣；也感到自己有了目標，好像擁有了世界。記得我在撰寫《釋迦牟尼佛傳》時，知道佛陀在菩提樹下、金剛座上悟道，悟的是什麼？緣起，就是因緣生起。

安貧樂道　成為重要肯定

　　所謂因緣，看起來好像很容易懂，比方，人和人之間彼此要好，就會說：「我們好有緣啊！」如果不好，就說：「他們沒有緣。」；或者也經常說「我們有緣千里來相會」。其實，因緣不是這麼簡單。因緣就是條件，世界的成立、人生的生存，哪裡能少了很多條件（因緣）呢？

　　原來，佛陀證悟的「緣起性空」，它的基本意義是：「有依空立」、「事待理成」、「果由因生」，佛陀是人成的，能夠成佛，是多少的因緣才能從人到佛啊！

　　我十幾歲才看到汽車，二十六歲才有電燈照明，到三十歲，連一個皮箱都沒有，到哪裡，都是一塊布包著兩件衣服。事實上，貧窮還是跟著我，但貧僧心裡並不

覺得窮有什麼苦？感謝佛門，在初學受教時期，養成我淡泊無求的性格，所以外界的什麼誘惑，都不能動搖我。安貧樂道，是我這個時候已經有了的重要肯定。

像我出家以後，師父不給我錢用，不給我新衣服穿，他讓我貧窮，實際上，他給了我很多的因緣。因為，他養成我沒有購買的習慣，養成我清貧的觀念，感謝師父給我這樣的好因好緣，讓我能夠安住於佛教的僧團，實在感謝恩師給我的因緣與苦心。

師長的打罵教育，多少的委屈、多少的難堪，打手心、罰跪，都是經常有的事情。原來，老師們都是給我成長的因緣。他和我無怨無仇，為什麼要打我罵我呢？所謂「愛之深，責之切」，他只是希望我成為佛門的人才，成為佛門的龍象，不惜辛苦給我打罵。原來，這是他布施給我的肥料、布施給我的水土，讓我能可以成長，讓我能可以在人生裡、在世間上，開花要芬芳，結果要甜蜜。確實，是到了三十歲以後，才慢慢覺得「因緣」的重要。

看清因緣　凡事不被動搖

本來我不來台灣留在大陸，就要承受十年浩劫的苦難。感謝智勇法師給我的因緣，讓我來到台灣，避開了文革時期的苦迫，我能不感謝這一段因緣嗎？

越南的華僑褚柏思夫婦，我只是對他們資助少數的錢財，他們送給我佛光山這塊土地，竟然可以建立道場，安僧度眾，讓佛光普照、法水長流，能說這不是好因好

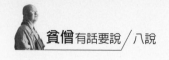

緣嗎？

記得閻錫山在台灣做行政院長的時候，講了幾句話：一個人的完成，要做到金錢買不動，愛情誘惑不動，威脅恐嚇不動；不能這樣，人就會給金錢壓扁、給愛情拖累、受恐怖威脅。貧僧認為，假如一個人能把因緣看清，明白一切緣起緣滅，就能夠不被動搖。不要光是看錢，要看因緣，因緣裡面有大眾，因緣裡面有世界，因緣裡面有人我關係；真正的金銀財寶、法身慧命，都在因緣裡。

貧僧歡喜看書，沒有錢買書；喜歡參學，沒有旅費；一心想要為佛教做什麼，例如：辦學、護教、度眾、安僧，可是我都沒有錢。這時候，才感覺到金錢對我們還是很重要，但這也不能怪誰，因為我沒有因緣獲得財富，也無可奈何。不過，人事因緣很奇妙，當你因緣不具備的時候，煮熟的鴨子都會飛了；當你具備因緣，你不去找錢，都有人自動的送給你，給你助緣。

不愛金錢 早已養成習慣

我記得三十年前，有一次，我在台北普門寺停留的時候，一個老太太拿了十萬元，硬是朝我長衫的口袋放，並且很嚴厲的跟我說：「這個錢，是給你的，不是給佛光山的。」感謝她賜給我這份好因緣，但是，連貧僧個人一切都是佛光山的，我怎麼能私自的接受這一份厚賜？在佛光山，職位高的人不可以管錢，管錢的都是小職事，錢和權是分開的。因此，我還是把它交給常住，讓常住做一些建設功用。這才明白，原來，因緣不是個人的，

是大家共有的；我們生活在大眾中，原來我們就生活在
因緣裡。

記得有一次在香港機場過境，因爲兩個小時後才有
飛機可轉，實在無聊，就在免稅店旁觀看。我在文具店
裡看到一樣東西（現已記不清是什麼了），當時覺得非
常有用，想要買它，可是身上一塊錢也沒有。忽然看到
慈惠法師從遠處走來，我就跟他說：「請你借我五十塊
港幣。」他問我做什麼？我指一指要買的文具，他竟決
然的說：「哦，這個我們台灣多的是。」大概他還有另
外緊要的事，就揚長而去了。

我茫然若失，覺得不要錢也不好，以後還是身邊要
有兩個錢，就不致受這樣的冷落。但貧僧生性如此，年
近九十，不蓄金錢、不愛金錢，早已經養成習慣。

說貧僧沒有錢，也非事實。當我四十歲的時候，要
建設佛光山，當初立志不建寺院道場的我，爲了一群年
輕的學子，不得不建一個叢林學院，讓他們安身讀書。
這時候，說也奇怪，當我這樣發心以後，很多的因緣就
集中而來，接受了佛光山這塊貧瘠的山坡地。

發心建寺 十方資源相助

佛光山初建，最重要的先要有水。一個丘陵的山上，
哪裡有水呢？素不相識的嘉義吳大海先生，他說要來替
我把高屏溪旁深井的地下水抽上來給大家使用。感謝他
給我的因緣，我也感謝他的因緣，因爲他的名字叫「吳
大海」，我就將水塔讚美爲「大海之水」了。

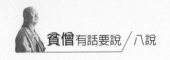

　　我沒有水泥，當時價錢很貴，台南統一企業的吳修齊先生說：「我環球的水泥可以供給你使用。」房子建好了，沒有錢油漆，高雄有名的虹牌油漆張雲岡雀說：「以後你需要多少，我全部免費供應給你。」甚至，南豐鋼鐵公司的潘孝銳給我一顆圖章，並且說他可以擔保，帶這顆印章到銀行就能夠拿到錢，但是那顆印章在我這裡存放多年，我從來沒用過。就是說有好因好緣，我也不能隨意濫用啊！

　　後來，貧僧辦了叢林學院海內外各級佛學院，數百名師生，光是他們的衣食住行，我哪裡有能力？這要多少的因緣來幫助。我籌辦了五所大學，還有中學、小學，我哪有能力？也需要百萬人興學的因緣來共成。甚至於文化、慈善的事業，我哪裡有能力？那也是一切因緣所

成就啊！

就這樣，貧僧不窮了，好像心想事成似的，我要什麼就有什麼。甚至於佛光山這塊地都是深渠溝壑，有的也是窮得只有鐵牛車的平民，他也來表示說，我替你拉一百部砂石給你、我替你拉兩百部砂石送你。在五十年前，我不知道從哪裡來的環保思想，就在這裡植樹、造林、做護坡、水土保持，愛護了這一塊原本是崎嶇不平的土地。

各洲善信 如同觀音相助

過去管台灣山林的一位局長，因為我曾經幫助過他的家庭人事的因緣，他對我感念，就藉局長之便，鼓勵我承租一塊土地，可以建大寺院給人禮拜。後來，他派

佛光山鳥瞰圖

了幾位處長帶我去查看，像現今的台北榮民總醫院、陽明山中山樓、新北市烏來台灣銀行宿舍等地，他說可以向林務局承租。我一看那許多地方，大多是山林，那時候，連一棵樹，我都沒有錢買斧頭、鋸子來砍，所以就拒絕了他給我的好因好緣。

　　過幾年後，我在佛光山開山了，他跑來跟我生氣的說：「我們林務局好好的土地租借給你建寺，你不要，你要在這塊醜陋的地方建寺，這要花費多少成本啊？」我說：「局長，謝謝你的好心，給我好的緣分。只是那些土地是國有的，我何德何能？就是租借，我連租金也付不起啊！你說這是醜陋的地方，只要我們有心，又何怕它將來不能完成所願？我慢慢的建設，何患它將來不能成功呢？淨土總要發心建設才能擁有啊！」

　　他聽了以後，很無奈的說：「那好，你可以建寺院，樹木讓我來結緣吧！」因此，佛光山至今沒有一塊土地是國有，沒有土地糾紛。後來就有他捐獻的印度紫檀、

余月瑛
統府
顧問

江陳喜美
資深功德主

蔡蝴蝶
資深功德主

賴維正
三好體育協會
會長

李美秀
資深功德主

曹仲植
生命線創辦人

楊朝祥
佛光大學校長

林聰明
南華大學校長

陳正男
旅美企業家

雲
佛光會
總會
長

戰淑芬
名教師

張靜之
星雲文化教育
公益基金會
祕書長

潘孝銳
南豐鋼鐵公司
董事長

陳永年
《菲華日報》
發行人

胡楊新慧
皇后珠寶
董事長

王家培
美國西來大學
佛陀教育基金
會發起人

吳修齊
統一企業
創辦人

洪呂淑貞
資深功德主

桃花心木，以及吳修齊捐獻的菩提樹等，讓佛光山滿山成蔭了。

　　佛光山逐漸發展，感謝許多有緣人，就像千手千眼觀世音菩薩給予諸多因緣的幫助。像美洲的張姚宏影、賴維正、李美秀、陳正男、王家培；澳洲的游象卿、劉招明；亞洲的嚴寬祜、余聲清、蔡蝴蝶、陳永年、胡楊新慧、蔡其瑞，以及陳曾四欣、江陳喜美、洪江烏爲、白清棟、陳林雲嬌、戰淑芬等等。他們經常聞聲而至，數十年如一日。

　　還有像吳伯雄、趙麗雲、潘維剛、曹仲植、辜振甫、余陳月瑛、楊朝祥、林聰明、柴松林、田雨霖、田青、劉長樂、張靜之等等，他們在各行各業裡，爲人間佛教的教育、文化、共修、慈善等各方面增添許多助緣。其他，還有許許多多人士的善因善緣，有的甚至已將信仰傳承至第二代、第三代繼續接棒護持，貧僧實在無法在此一一細說，只有化作心香深深致意祝福了。

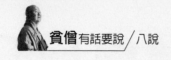

　　而貧僧個人的一粥一飯，也都是別人的因緣，我才能有米飯充饑；貧僧春夏秋冬的衣單，雖然就是那幾件替換，但是每穿一件，都是滿心感謝諸多因緣。所謂「一粥一飯，當思來處不易；一絲一縷，恆念物力維艱」，沒有這許多因緣，我又怎麼能活下去呢？沒有很多的因緣，怎麼會有今日的佛光山呢？

　　所以，支助佛光山的人，我們把它看成順的因緣；批評我們的人，我們也把它看成逆增上緣。不管是好因好緣，或者是惡因惡緣，對我們還是有幫助和勉勵的，這些因緣都是給我們助力。我們在因緣裡，明白宇宙人我的關係，具有智慧、明理、分析，而不致於糊塗、陷於不義，那就不懂因緣了。能對因緣具有正知正見，就不致犯錯。

　　貧僧至此自覺構不成貧，也不能稱貧了。但想想，佛光山的一切一切都是十方有緣而來，不是我個人所有，我仍然過著簡單、淡泊、空無的生活。雖不認為是真正的「貧僧」，貧而無有，實際上我還有人間的因緣。貧僧認為，擁有因緣，就是擁有真理；擁有真理，就擁有世界的一切。所以，貧僧要告訴世人，你們不一定要看錢，你們要看因緣哦。

九說

我怎樣走上國際的道路？

心懷度眾慈悲願，身似法海不繫舟；
問我一生何所求，平安幸福照五洲。

貧僧自從童年出家後，自覺沒有什麼好的因緣培養自己的前途，最早的志願，只想在佛門裡做一名飯頭僧。因為在棲霞、在焦山時，偶爾客串典座（煮飯菜），大家都交口稱讚，貧僧感到自己對調理飲食有一些天分。

當飯頭僧 樂與大眾結緣

飯頭僧每天與大眾結緣，也是人生一件樂事，但後來慢慢知道佛教落後的弊端，是因為沒有人才、沒有教育、沒有青年。貧僧就發心，想在文化教育上對佛教有所貢獻。不過，那也只是一點微弱的心意，不敢說是大志大願。

民國五十二年（一九六三），政府派貧僧做領隊，代表中國佛教會到東南亞訪問，那是華人聚集的地區，雖然受到很多讀者的擁戴，但對我個人的影響並不是很大；關於此行的感想、記事，全都記錄在《海天遊踪》這本書裡。

發願弘法 勉青年學外語

到了創建佛光山後，民國六十四年（一九七五），政府又派我代表佛教前往美國參加慶祝建國兩百周年活動，忽然眼界寬廣了，想起我應該為佛教轟轟烈烈做一番事業：佛光普照三千界，法水長流五大洲。從此，我就立定志願，不管成功與否，都要弘揚佛法遍天下，不為個己求安樂。因此，在佛光山就更加想要把叢林教育辦好，培養國際弘法人才。

　　四、五十年前的台灣，在佛教裡很少有年輕人學習英文，在青年學生當中，如果有人學習英文，我就每個月給予兩百元獎勵。要想弘揚佛法，與世界來往，就必須具備國際語言、國際人才。所以一有機會，我就鼓勵學生們出遊，到印度朝聖，培養對佛教的信心，到歐美旅行，開闊自己的眼界。雖知其前途艱難，想到自己有個心、有個願，成功與否，也就在所不計了。

海外建寺　差點打退堂鼓

　　會走上國際弘法，是因為美國信徒王良信從洛杉磯打來電話表示，他捐贈的一塊土地，要我趕快派人前往建寺。那時候在美國、加拿大，要贈送寺廟、土地給我的人很多，我都因為顧慮人才不夠，不敢輕舉妄動。例如：紐約的應金玉堂，要把大乘寺交給我主持；加拿大的詹勵吾，要把靠近尼加拉瓜瀑布不遠處一百七十 Acres（英畝）的土地送給我，做為「世界佛教弘法中心」。經王良信居士不斷的催促敦請，我就籌措了兩萬美金，請會日文的慈莊法師，會英文的依航法師，前往美國開山建寺。信徒們也都非常興奮，甚至在台北圓山飯店為他們餞行。

　　他們到美國以後，一調查發現，那塊土地只能建住宅，不能建寺廟，因為它不在宗教區域之內。那個時候，美國的一棟 House（房）至少也要十萬美金，我們只有兩萬美金，哪裡能開山建寺呢？兩個人預計打道回台，打了電話回來報告說建寺困難，還是回台最好。我立即警

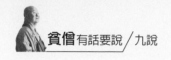

告他們：「你們已經在圓山飯店受了人家那麼熱烈的宴請餞行，如果回來，以何面目見台灣父老啊！請等幾天，我和心定法師即刻趕往美國。」

信徒捐的地既不能建寺，買一個房子也要十幾萬美金，佛光山僅有的能量——兩萬元，怎麼能成事呢？我們乘著王良信的車子，一行人就在洛杉磯的大街小巷轉來轉去，在第三天的黃昏，經過一條街道，慈莊法師指著旁邊的小教堂說：「這棟教堂正要轉賣，不過賣價要二十萬美元。」我說：「我們先進去看一看好了。」他說：「看了也買不成，又有什麼用呢？」我想，了解一下也好，至少知道二十萬元價碼的房子，究竟是什麼樣子的內容。

進去一看，這是一座可以容納一百多人集會的教堂，有會客室、辦公室，旁邊一間宿舍，可以住一家四、五口人，還有一間小型的幼兒園，以及停四十部車的停車場。我一看，真的很適合我們作為到美國發展最初的開始，但是二十萬元，實在是個天文數字。在一旁的王良信就說：「你們可以向銀行貸款。」

忐忑貸款 教堂變西來寺

貧僧一生沒有和人借貸金錢，一聽到「貸款」，心裡就涼了半截。因為在台灣，佛光山初建設時，也曾經試著與銀行接觸貸款，銀行毫不考慮的一口就拒絕：「寺廟不能貸款。」難道美國的法令會有不同嗎？不得辦法下，也只得依著王居士的建議去銀行走一趟。

美國銀行的經理聽到我們要貸款，特地隆重接待，

美國西來寺

滿口答應。我說：「我們沒有保證人。」那一位經理一聽，
很訝異的問：「爲什麼要保證人呢？你們要買的教堂不
就是保證嗎？」我一聽，有這樣的好事嗎？我接著告訴
他：「可是我們不住在美國，我們住在台灣，可以嗎？」
他說：「那有什麼關係？台灣有我們美國銀行，你在那
邊可以分期付款。」就這樣，我們用兩萬美元頭期款買
下了這座教堂，改作寺院，定名爲「西來寺」，意思是：
「中國的佛法西來美國。」終於能夠「大法西來」了。
此即爲佛光山到國外建寺，走上了第一步。

　　把一所教堂改成寺院，在西方不算稀奇，但在我們
弘法的情況，卻有一些周折。例如，西方的信徒做過禮
拜之後就回家吃飯，中國的信徒到寺院裡參拜之後，他
們不肯離開，等著要吃素齋。但只能容許七、八個人用
餐的廚房設備，哪裡能供應信徒吃飯呢？同時，在美國
沒有汽車，每天簡直無法外出了解社會；連一台電視都
買不起，又哪裡能知天下大事？雖然住在開放的美國，
也等於每天關在「關房」裡一樣。

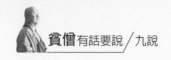

撙節免稅 開啓美弘法路

但慈莊和依航法師還是很能幹,他們第二天下午一個錢都沒有花,就開回來一部可以坐上十二個人的車子。車價一萬美金,稅金五百塊,車行老闆對他們說宗教人士不必繳稅,還把五百塊稅金退還給他們,而且說其它的九千五百塊之後每個月慢慢分期付款就可以。這真是天下奇事,買了汽車,還沒有付錢就賺了五百塊。

離寺不遠有一間百貨公司,我們也是隨意問他:「一台電視多少錢?」他說:「四百五十元。」我說:「等我們有錢再來買好了。」沒想到第二天早晨,他竟然把電視機送過來了,並且說只要四百塊就好,因為宗教人士可以免稅少五十塊。我心裡想,啊!美國真是天堂啊,生活這麼容易,真好!難怪世界上好多人都要移民到美國來,果真不無道理。

我們在這一所小教堂裡住下來,開啓了美國弘法之路。二十幾個國家的出家人聽到了消息,特地趕來為我們歡喜慶賀。好在我對典座稍有心得,用平底鍋將就煮

澳洲南天寺

巴西如來寺

了一些飯菜，饗宴他們。大家也吃得不亦樂乎，志願要幫助西來寺共同在美國發展。

取名白塔 紀念出家祖庭

但是後來發展就不是這麼容易了。因為信徒增加、地方狹小，沒有吃飯的齋堂，直到又找到梅屋（Maywood）這個地方的另外一間教堂，因為有齋堂設備，可以讓人吃飯，就買下來定名為「白塔寺」，也是紀念我出家的祖庭「白塔山」的意思。再後來，也因為信徒不斷增加，不得已，再買下另一個養馬的場所做為基礎，有十四 Acres 的土地，約一萬七千一百坪，之後就蓋了現在的西來寺。二十多年來，先後已有慈莊、心定、依空、慈容、慧傳、心保，以及慧東等法師擔任住持。

此後，在加拿大、歐洲各地，也不是到處都那麼容易發展。例如，花了兩周的時間，慈莊法師在倫敦、巴黎的大街小巷尋訪，想要在歐洲有個道場。但是，那時候英法人士聽說是台灣人要來租借、購買房屋，都婉言

南非南華寺

法國法華禪寺

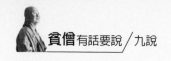

拒絕。看起來，歐洲人對種族之間還是有所分別的。

好不容易，一九九一年，在法國巴黎一家百貨公司的樓上，租借到一間十坪左右的小房間，我們台灣去的十幾個人，就在這間房子裡聚會談論，蕭碧霞師姑利用盥洗間裡的一點空間做飯菜給我們吃。儘管簡陋，大家同心商量著怎樣能在歐美國家立足弘法。

兩千美金 啓加國弘法路

記得有一次在多倫多旅行，看到那麼廣大的土地、那麼多的公園、那麼多的空地，我就想，在台灣，要找一塊地建總統府千難萬難，要是在加拿大，建一百個總統府都不困難。我覺得在這裡應該要有寺院。

因此，在遊覽巴士上，我指著窗外問大家：「這麼大好的一片土地，你們有誰願意在這裡建寺嗎？」同行的依宏法師舉手說：「我願意。」他是台中弘光護理專科畢業，也略通英文。我一聽，就說：「很好！」立刻就叫大巴士停車，「你在這裡下車吧！」我給了他兩千塊美金之後，他也二話不說的在路邊就下車了。我就這樣把他丟在多倫多，讓遊覽車繼續前進。佛光山能在多倫多發展，起初，就是這樣茫無目標，只是靠著一點發心，慢慢才成就的。

之後，我進出歐美多次，想到佛教要國際化、要在海外建立寺院道場，除了語言、人才以外，我想是不能一步登天的，它需要時間逐漸培養因緣。因此，我就為歐美的弘法訂了一個計畫。

　　我告訴徒眾，你們首先要在當地先認識信徒，獲得信徒的信心，他們才會給予我們贊助。你們可以先在 Motel（汽車旅館）租借一間房子住下來，然後跟信徒商量，借他們家裡的客廳，每個禮拜做一次家庭普照。大部分有信仰的信徒會認為這是很好的事，但這也只能兩、三個月，久了以後，畢竟人家的家裡還有其他人。甚至在西方，一個家庭裡也常有不同信仰，你不能老是占據他的客廳，妨礙他們的家居生活。

　　第二步，你們可以向信徒改借他的 Garage（車庫）、準備掛式的佛像，然後在車庫裡，掛起佛像來，就可以開始講座、念佛共修了。這樣的情況，每個星期一次，要能維持兩、三個月，信徒增加到三十人左右，第三步才能說：「車庫裡沒有洗手間、沒有茶水，總是不方便，我們是不是去租借一個比較大一點的地方來集會？」假如這三、四十位信徒都同意，他們會贊成，甚至自己就會籌措資金去租借一個地方了。

　　在臨時租借的道場弘法，要能維持一年，同時也要擁有信徒七、八十人，甚至百人以上，才能有力量。因為大眾共同成就，事業比較容易，假如你本人的條件不夠，單槍匹馬，不能得到信徒的擁護，那所謂建寺的夢就不能成功了。只要你的條件夠，能增加百位信徒，這一百多位信徒自然就會想到要擴大共修空間，主動發起募集經費買一塊土地，建一個小寺院。以此，撒豆成兵、遍地開花，在歐、美、澳、紐，甚至非洲，就真正的能做到「佛光普照三千界，法水長流五大洲」了。

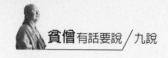

因緣風霜 全靠願心克服

在此中，也發生很多感人的故事，限於篇幅，也不能一一敘述。例如荷蘭荷華寺的建立，也是一段奇蹟因緣；在倫敦，是在修女住過的修道院安居；在巴西，張勝凱捨宅為寺；在澳洲，是臥龍崗鋼鐵公司總經理親自到佛光山邀約，並由慈容法師勇於隻身前往開拓等等。當然，好的因緣外，也有一些風霜，甚至習慣不同的障礙，都要靠願心一一去克服，才能把佛法布滿天下啊！

因為貧僧沒有別的才華，只有一步一腳印，在貧苦中發展辦法。目前靠著佛光山的青年貧僧，在倫敦、柏林、巴黎、馬德里、荷蘭，甚至世界上各個名都，都建設了寺廟道場。當然，其中也獲得當地本土人士以及中華僑胞給予的支援，才能在短短的五十年中擁有數百所道場。因此，歷經出家弘法七十多年的歲月，到了現在，僅以這四句話代表貧僧的心聲：

心懷度眾慈悲願，身似法海不繫舟；

問我一生何所求，平安幸福照五洲。

十說

我弘講的因緣

揣摩、用心，努力的把所有的佛法，

變成現代的語言，

講來給大家都能聽得懂，

可以受用。

這也是我這一生用功最勤的地方了。

做一個出家人，弘揚佛法、宣講教義，這是應有的責任。假如頭腦好的，表示有智慧，他可以寫作，在文化上去發展。如果是口才好的，他可以講經說法，從傳教上去發展。如果頭腦不好，口才也不佳，沒有關係，只要肯發心，從慈悲中開發，就可以做慈善事業，可以發心為佛門苦行、修持，還是有成功的希望。

如果說，這三者都欠缺的話，那就需要靠自己任勞任怨、廣結善緣了。結緣，必定佛祖和所有的人們都不會辜負我們。普世的人，哪一個不希望我們能跟他們結緣呢？因果不會辜負我們的。

結緣，也不一定要用金錢，你可以用佛法結緣；假如沒有佛法，你可以用勞力跟人結緣；假如勞力都不夠，可以用好心好意、祝福、讚歎、見作隨喜，這都是結緣了。

所以，在佛門裡面，應該是沒有一個人不可以修行、不可以得道。可以說佛法平等，人人都能成佛。

六根同修　行三好是修持

除了以上的修行以外，我倡導「六根同修」。眼睛，你要訓練慈悲的眼睛，瞻仰、看經、看書、看人，用佛眼看世間。耳朵，你要傾聽、要會聽、要善聽、要諦聽。佛法的道理，所謂「此方真教體，清淨在音聞」，每一部經典開頭的「如是我聞」，聞法，是聽聞，是耳根的修行。在《楞嚴經》裡面，有二十五圓通章，就講「耳根圓通」是重要的修持。

另外，鼻子，倒也不只是給我們聞香、聞臭、呼吸

空氣，你可以聞到哪裡有法味嗎？有法味的地方，就如空氣，可以養活你的生命，法味能長養你的法身。所以，正法在哪裡？你有嗅覺能偵探出來嗎？其他，像嘴巴說好話，身體做好事，心裡存好心，這就是我經常提倡的「三好運動」。

所謂眼耳鼻舌身心，六根同修，貧僧雖然懂得這個道理，但自幼知道，自己的眼睛也不利，耳根也不靈，鼻子也不敏，其他的只有靠身口意修行，像「身做好事」，我確實做過多少苦行工作；至於「口話好話」，我也在自我修練，凡事都要留有口德。就例如《貧僧有話要說》裡，有一篇文章本來要寫「排難解紛」，只因為牽涉到一些人我是非，想來不說也罷，就免得麻煩。但是，我的心理鼓動我的嘴巴要去傳教、要去說法，所以，我就在這一章裡，訴說我弘講的因緣吧！

契理契機　故事蘊含佛法

最早，貧僧並不認為自己的六根有什麼特殊的功用。在十六歲的那一年，棲霞山舉行學生演講比賽，我師父的一個法兄主持這個活動，他就把我列為第一名。但我並不因為獲得第一名就歡喜，反而覺得自己不夠資格，在我認為不公平，應該另有更優秀的人才是。所以我就有點怨怪我師父的這位法兄，大概因為他和我師父的關係，他不該存有私心。人貴自知，貧僧從青少年起，知道自己的長短，明白自己應該怎麼樣努力。

在還沒有用道傳教之前，我就先用文字來傳教。所

謂舞文弄墨，我在二十歲左右的時候，編過《怒濤》雜誌，做過徐州《霞光》半月刊的主編，在鎮江的《新江蘇報》上，也發表過許多篇的文章。

到了台灣來，也自知沒有其他的本領，還是要靠寫文章弘道，不但排遣歲月，也想藉此為佛教做一些貢獻。那時候，在台灣佛教講習會做了將近兩年的教員，現在回想起來，也不知道自己胡說八道些什麼，不過，那時只是教國文而已，文學的好壞得失，也不去計較了。

第一次真正的講經說法，那是在二十六歲的時候。從農曆的二月初一，一直講到二月十九日，我在宜蘭雷音寺講〈觀世音菩薩普門品〉，這二十天，註定了貧僧這一生，是用講說配合寫作來供養給社會。

我也聽說過，講經不能講太多天，因為來聽講的人，還不習慣佛法，所謂「黃鼠狼拖雞，越拖越稀」，愈聽，人就愈少。就如印光大師，在民國初年左右曾經在上海講經三天，第一天人山人海，第二天就剩下一半不到，第三天人就更少了。他就感覺到，大家不是要來聽佛法，只想看看印光是個什麼三頭六臂的人物，看過了，也就沒有趣味了。所幸，我那時候年紀雖輕，在宜蘭二十天的講經，每天聽眾也有兩、三百人，只增不減，所以到了圓滿的時候，共有一百零八人發心皈依三寶。這算是我最早的弘講因緣吧。

不過，這次順利圓滿，應該與我初到台灣時，每個星期天在新竹城隍廟舉辦的弘法布教訓練有關。那個時候講演，群眾因為對佛法的信心還沒有很具足，每當我

大師首度講經，並於雷音寺舉行首次的皈依典禮，共一百零八人參加。1953 年

講故事時，大眾就像潮水一樣，一步一步走來向我集中，等到故事講完，開始講道理了，大家又慢慢散去。一場講演兩個小時，人就這樣慢慢的聚合而來，又慢慢的解散而去。

　　從中，我就悟到一個道理，講經說法，有時要以事顯理，有時要以理明事，理事要圓融，要契理契機，能夠將故事和佛學相結合，才是一場成功的講演。這也是我後來為什麼一直用心於佛經裡的故事，或人間生活小故事的原因。

青年下鄉 開創歌聲弘法

　　再有，光是講說還不夠精彩，若是能配合圖片更好，所以我也向日本購買許多幻燈片，透過幻燈機投射出影

像，就像看電影一樣，很能夠吸引人的目光。當然，唱的比說的好聽，宜蘭佛教慢慢發展了以後，青年慢慢聚集而來，後來我就組織弘法隊、歌詠隊，帶領著青年們用歌聲下鄉弘法，這在當時也為講演開創另一個新的弘法方式。

在最初，台灣這個地方雖有寺廟，但並無佛教。佛是何名？法是何意？沒有人知道，只有民間宗教。民眾多求神庇佑，神道教的信仰非常普遍。我因為心中對佛法的不彰感到不平，曾經寫過諷刺台灣神道教的興隆而無佛法的童話，題目叫作〈星君仙女下凡塵〉、〈宗教同盟大會〉。

不過，後來一直覺得對民間的宗教，自己還是不應該有那樣子用佛教徒的心理對他輕慢。所以後來，我對老友煮雲法師發表批判媽祖的言論，我就叫他不可。沒有媽祖的信仰，當地沒有法師，也沒有佛法，當然就會大多歸信天主教、基督教了。好在，媽祖為我們佛教守住台灣這一塊土地上有佛教的善根善緣。

貧僧在宜蘭弘法講經，每個星期三、星期六，從不間斷，應該有十年以上，但台北沒有人知道。那時候，台灣的訊息就是這樣保守。記得我已經三十多歲了，才到台北來講演，也講了好幾年，但在台北市以外沒有人知道。

最初，我在台北志蓮精舍講過「佛教與生活」，那算是我在宜蘭「十年磨一劍」，到台北來一展心得。雖然聽眾熱烈，但那是一個在家信徒的大樓，基本上可以

容納三、四百人，儘管每天擁擠，也如此而已。

後來，就有人建議我到國立藝術館講演。那是位在台北植物園裡面，由教育部部長張其昀建的藝術館，應該可以容納千人左右，我曾經在那裡講過，但講了什麼題目內容，已記不清了。

不過，有了這個藝術館講演的經驗，就有人建議我可以到中山堂光復廳做講座，那是國民大會開會的地方，可以容納千人以上。我確實又到那裡去做了講說，現在也回憶不起來講了些什麼。

創新講座 年年座無虛席

這兩個地方講過之後，也因為回響不斷，又有人建議貧僧可以到台北國父紀念館去舉辦講座，說這個場地可以容納三千多人。應該那時，我也在南部高雄佛光山開山建寺了。就這樣，貧僧每年在國父紀念館講三天，

大師於台北國父紀念館主持佛教唱頌講座。2002.11.1

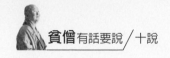

從一九七七年到二〇〇六年，整整講了三十年，每一年都座無虛席。在那裡服務的人說，國父紀念館建館以來，從不曾有過這麼多人。

為什麼會有這麼多的聽眾呢？主要的我是想，所謂人間佛教，就是要把佛法推動到社會、推動到家庭，推動到人的生活裡，讓大家知道佛教是與人有關係的。意思是，能讓大家都聽得懂。這是一個重要原因。

第二個原因是，我有宜蘭弘法的經驗，把唱歌、舞蹈融入到講座裡。在講演之前，先有一些表演，在那個時代，這是很新潮的作法；而且宜蘭的青年，像後來出家的慈容法師，對於歌唱、舞蹈特別有天分，在他的帶動下，真是劃時代的盛況。

三十年的講座，講題三十年也不同。我依稀記得，從《金剛經》大義講到《維摩經》大義、《阿含經》選講、《大寶積經》要義；從佛教的致富之道、福壽之道、人我之道，講到禪修法門、淨修法門、律修法門等等。二〇〇二年，第一次比照傳統講唱文學的方式，把講說、唱頌、梵唄融和在一起，進行「佛教唱頌講座」；二〇〇六年則分別與嚴長壽、單國璽樞機主教、台北市長馬英九對話交流等等。

在這個三十年當中，除了有一流的主持人胡秀卿和勾峰，一流的台語翻譯慈惠法師，一流的宜蘭青年歌舞表演，還有一流的聽眾，儘管過道上都擠滿了人，但沒有一個人起身走動。

貧僧也很有分寸，三十年的講演中，我正在佛光山

開山，但沒有提過開山的事情；也沒有借用舉行這個講座來招收徒眾，徵求各界人士上佛光山禮拜，可以很自豪的說，我從不以弘揚佛法為名義而有另外的企圖目的。我以佛法講佛法，我不在那裡宣傳佛光山，或為佛光山造勢，從來沒有過這個念頭。

回顧自己一生，無論做什麼事情，貧僧都非常務實，橋歸橋、路歸路，文化的歸文化，教育的歸教育，信仰的歸信仰，青年的歸青年，出家的歸出家，把因緣果報分得很清楚，不會錯亂因緣。我想，三十年的聽眾都可以做一個證明，貧僧在三十年的講座裡，有向大家提過一次佛光山貧窮，希望大家來幫助的話嗎？沒有。

應該說這三十年，養成我對於弘法、講經、布教，專心關注的學習。因為我知道，佛教裡有一個情形：

你問他：「你到哪裡去？」「我聽經去！」

「哪一位法師講的？」「哦，某某大法師！」

「講的好不好？」「好極了！」

「怎麼好法？」「聽不懂！」

我就是為了這樣的緣故，所以才揣摩、用心，努力的把所有的佛法，變成現代的語言，講來給大家都能聽得懂，可以受用。這也是我這一生用功最勤的地方了。

所以後來，我自己的道友煮雲法師，也很公平的說過這樣的話，他說：「說你講佛法，你沒有一句是古典經文；說你不是講佛法，你每一句話，都是經文裡的意義。」煮雲法師他也是一位傳教布道者，我引為知己，到底是同學多年，彼此成為知交。

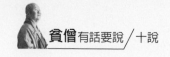

紅館弘講　開國際里程碑

　　當然，在這個期中，雖然我在國父紀念館講了三十年，所有講經的盛況，我們也沒有特別報導，佛法還是沒有走出台灣，仍然只在國內宣揚。不過，因為國父紀念館的關係，當然，台灣的各個大學、監獄、工廠，甚至政府的部會，像外交部、教育部等，我都曾經去講過。這就是說，我把佛教帶入社會各階層裡。

　　而這三十年弘講期中，最值得記錄的事情，是在一九八八年，霍韜晦找我在香港何文田的法住精舍講《般若心經》，後來又到何文田大會堂講演。有了這次的因緣，就有信徒出面，邀我到油麻地梁顯利社區服務中心去講說，接著又轉往沙田大會堂，這裡的場地比較大，能容納一千多人。

　　因為回響熱絡，承蒙林耀明、張麗瓊夫婦和李小龍的女友丁珮小姐的熱心，他們極力要貧僧到紅磡香港體育館去講演。紅磡體育館裡，有二萬多人的座席，在香港，我哪裡可能會有這麼多的聽眾？尤其主辦單位策劃還要賣門票，每一張票二十塊港幣。假如說，兩、三萬個聽眾，就能賣到四、五十萬的港幣，大概夠講座的各種開銷了。

　　在紅館講演，加入了國父紀念館講經的元素，裡面有表演、有聞法，大家聽了以後，覺得有趣味又能受用，後來就一年一年的講下來，聽說包括大陸地區的民眾都來參與聽講。甚至，有很多民眾不得其門而入，主辦單位還在場外架設大螢幕給他們觀聽。

　　過去，紅磡體育館是香港一流的演藝人員才能進入

表演的場所，現在，貧僧也像電影明星一樣，以一個佛教的身分進去弘講，當然受到很多的排擠壓力。所幸，我們聽眾的次序很好，就這樣，我每年在紅磡香港體育館的三天講座，連續講了二十年，每次講座，信徒也好像過年一樣，熱烈響應，這應該算是我走向國際新的里程碑了。

世界傳播　紅磡助緣最大

在香港的講經傳道，對貧僧弘揚人間佛教的國際化有了很大影響。為什麼呢？因為我在香港講演結束，已經晚上九、十點鐘，他們回到家後，正是美國的時間、歐洲的時間第二天天亮；香港這許多聽過的信徒回去，就打電話給美國、給歐洲、給澳洲的家人，就說剛才在

大師於紅磡香港體育館宣講《阿含經》及舉辦三皈五戒法會，聽者、皈依者達二萬餘人。1996.4.12

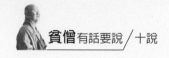

紅磡體育館，聽了什麼什麼道理。因為這樣的因緣，我後來在世界各地弘化，大家知道有紅磡體育館的傳教盛況，都支持我在當地進行弘法的開展。

我何以知道呢？一九九五年，澳洲南天寺要舉行動土奠基典禮，徒眾就互相問會有多少人參加。那是位在臥龍崗的一個市區，但是，距離雪梨市中心也有一、兩個小時的路程，那時候還是一個小荒山。在澳洲，我們無親無友，也沒有幾個信徒，有多少人會來？有人說一百個，有人說會有三百人，在我心裡估計，可能會有五百人以上，但我也不敢說出來。

我記得前一天晚上，由我和蕭碧霞師姑、幾位徒眾在另外一個精舍裡研究，明天要做多少個便當。一夜沒有睡覺，最後我們又增加了一千個。但不敢對人說，心裡頭想，人多就拿出來，人少就分給別人去吃，沒有人就給海鷗吃吧。

結果第二天的典禮，應該來了不只五千人以上，在臥龍崗的小山丘上，滿山滿谷都是人潮，他們扶老攜幼的用廣東話說，在香港的兒子、女兒、媳婦打電話來，叫他們來參加。所以我才知道，我在佛教的國際發展，應該紅磡體育館的助緣最大了。感謝香港這顆東方之珠，對於世界傳播訊息，它真是成了一個發電台的中心一樣。

我在香港的弘講，那麼大的場面，也靠著佛光山很多的弟子一同參與，他們都是青年，具備新時代的知識，各種的布置、各種適合這個時代的表演內容，一一展開。在歷任住持如：慈惠、依如、滿蓮，到現任永富等法師

的帶領下,香港的信徒都成為義工,熱烈參與工作,歡喜我們這種布教的燈光、色彩,共同成就一年一年的弘法盛事。

可以說,香港的佛教,在紅磡體育館講演之前,有很不好的風氣,因為香港是一個賽馬的勝地,大家都不喜歡看到出家人,認為遇見光頭,他們會輸光,連計程車都不肯搭載出家人,貧僧今天也可以驕傲的說一句,我改變了香港社會對出家人的觀感。我告訴大家,出家人是財神爺,有佛法,你們要歡喜接受。後來我們團隊裡的出家人,在香港商店買東西,有的店家不要錢,或者打折扣,坐計程車那就更不用說了,到了目的地也不要錢,都說他們載了財神爺、財神菩薩。

在香港的佛教長老們,如覺光法師、永惺法師等,我的講座他們都出席支持,也給我很大的助緣。還有四大天王之一的郭富城,以及鄺美雲、丁珮、鄭佩佩、冉肖玲、曾志偉、陳曉東等,都皈依了三寶。佛教界能可以不要分地域、人我,大家合力去弘揚佛教,其成果就能更加輝煌了。

從一九八八年在紅磡香港體育館弘講開始,佛光山邁向佛教國際化的弘法;在此之前,雖然也到美國、歐洲演講,但都很零星,還不成為氣候。自從香港之後,好像舉世皆知,一下子對人間佛教的發揚普及,可以說各方響應,在世界各處遍地開花。

連天主教都請我去梵蒂岡訪問,與教宗若望保祿二世見面;同時他們邀請我到義大利和平之城,阿西西市

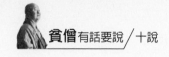

的聖方濟各修道院參觀。感謝他們以上賓待我,還帶我參觀內部的所有設施、圖書館,並且與所有天主教的神父一起用餐。我也記得有一年,南美洲巴西聖保羅各宗教聯合會也邀我去聖保羅 SE 大教堂做一次講演。

甚至,英國國教的修道院,都讓給我們做佛堂;也接受了法國一座百年古堡,作為法國弘法的基地;澳洲臥龍崗市長親自來台灣,贈送二十六英畝土地,作為南天寺建寺之用,而澳洲移民部長捐獻了澳幣一百元,作為南天寺後山園林用地一百年的租金,也增加了我們的建設。

世界各地 播撒菩提種子

一時之間,各地風起雲湧,徒眾們也都發心,或到哥斯大黎加、巴布新幾內亞,或到非洲剛果、史瓦濟蘭弘法。像依來、永嘉、滿穆法師他們幾位女眾比丘尼,先到非洲開疆拓土,後來再有男眾比丘相繼參與進來。甚至國際佛光會在聖彼得堡、莫斯科兩地成立佛光協會,俄羅斯的莫斯科大學、聖彼得堡大學的教授,都有人來參加成為佛光會員,我也曾經前往訪問。雖然我們的能力有限,但是人間佛教的菩提種子,仍然殷勤的到處播撒栽種。

在阿根廷、巴西聖保羅,張勝凱捨宅為寺,許多地方的信徒,也都紛紛站出來要建設道場。就這樣,一下子全世界有七十多個國家地區,二百多間道場如雨後春筍般的成立。

　　尤其在北美洲，從西部的洛杉磯開始，到中南部的休士頓、奧斯汀，再到東部的紐約、波士頓，甚至到加拿大的溫哥華、多倫多、滿地可、魁北克，受到當地的信徒、政府的護持，也要我們前往建寺。好在佛光山已經訓練了一些語言的人才，就能應付各地的需要。

　　在建寺訪問當中，講演的因緣也不斷湧來。例如：在美國講《六祖壇經》，六十塊美金一張票，連續講了三天，西來寺的大雄寶殿座無虛席。在西來大學以遠距教學的方式講《心經》，每堂課都要一百元美金，也有幾十個國家城市的人士參加。後來，這許多聽眾購票的所得（學費），我都捐給西來大學。現在參與我編印《世界佛教美術圖說大辭典》英文版的有恆法師，就是那時候參加網路聽課的學生。至於歷年來，在加州大學、哈佛大學、耶魯大學、康乃爾大學等學府的邀約講演，那時候只要時間允許，我都樂於前往和青年學子們結緣。

　　國際佛光會世界總會成立後，曾經在世界各大城市，像美國洛杉磯音樂中心、巴黎國際會議中心、雪梨達令港國際會議中心、香港國際展貿中心、東京國際會議中心等地舉行會員代表大會，每次有五千名的會員與會，增加了人間佛教傳播的影響力。美國政府還訂五月十六日為「佛光日」，幾次我也以〈歡喜與融和〉、〈同體與共生〉、〈尊重與包容〉、〈平等與和平〉、〈環保與心保〉等，為大家講述一些對當代社會的理念看法。也有好幾個城市都頒給我「榮譽公民」，想到當初簽證不易，來去困難；現在美國、澳洲進出都非常方便。

大師於亞洲最大之吉隆坡莎亞南體育場露天弘法，共八萬人參加，寫下馬來西亞佛教史上弘法之創舉。1996.4.21

聽眾蜂湧　奠本土化基礎

　　這些講演的因緣以外，令我印象深刻的，在一九九二年，貧僧到馬來西亞檳城東姑禮堂講演，那一次可謂盛況空前。原本只能容納一萬人的東姑禮堂，擠進了將近兩萬人，還有許多人被拒於門外，進不到禮堂內。他們在外面大聲叫喊：「我們要進去聽我們的師父講演，為什麼不能進去？」州長許子根先生致詞的時候，在台上聽到外面的喧嘩聲，於是當場允諾說：「我要把這裡重建成兩萬人以上的體育館，請大師再來講演。」一九九七年，他兌現諾言，我也真的前去為新的檳城體育館啟用灑淨，並在那裡做講演。

　　除了台北國父紀念館三十年、紅磡香港體育館二十年之外，大概最盛況的，就要算一九九六年，承蒙回教國家的首相特准，由慧海法師在馬來西亞吉隆坡莎亞南國家體育場，舉辦的「萬人皈依典禮暨萬人獻燈祈福弘

法大會」，當天有八萬人參加。我前往主講「人間佛教人情味」，時任交通部長也是馬華公會會長林良實、內政部長黃家定、能力資源部長林亞禮等六位華人部長也都出席聽聞。

後來，這六位華人部長為了提高華人的地位，提升華人的團結，聯合舉辦了十場講座，再度邀約我前去馬來西亞講演。那一次，他們也陪同我在各州巡迴，每場聽講者都在二萬人以上。

時隔十多年後，二〇一二年，覺誠法師又再度於莎亞南體育場為我舉辦弘法大會，同樣八萬人參加，其中就有四萬人皈依，兩千名年輕人合唱〈佛教靠我〉，震撼全場，參與者皆受到青年的熱情活力所感動。此外，我到新加坡弘講，每一次都萬人以上，也講了多年。我提倡佛教國際化、本土化、人間化、生活化，應該就這樣子而稍有了基礎。

知識分子 認同看重佛教

在這個當中，還有許多的盛事值得一說。例如：美國加州議會找我們去議事會堂主持新年度開議祈福；白宮也邀約我前去訪問；巴西的警察總監夫婦，專程到佛光山來皈依三寶；又如馬來西亞幾任的回教首相，都到佛光山東禪寺去訪問；又如美國舊金山柏克萊大學蘭卡斯特教授為我做西來大學的校長；耶魯大學外因斯坦教授率學生來佛光山參訪。

再有，美國的惠提爾大學、南美洲智利的聖多瑪斯

大師於鎮江體育館講演「看見夢想的力量」，八千多人聽講。2014.4.19

大學、香港大學、澳洲格里菲斯大學、澳門大學，台灣
的中山大學、輔仁大學、中正大學等，都頒給我榮譽博
士學位。很慚愧，我連小學都沒有畢業，只靠寺院裡的
一點學習，承蒙這些大學不嫌棄給我鼓勵，跟我結緣。
由於這樣的關係，北京大學也邀約我做了榮譽教授。

　　此後，像上海同濟大學、山東大學、湖南大學、浙
江大學、東北的吉林大學、南昌大學、廣州中山大學、
雲南大學等，也紛紛邀我到他們的學校講演，敦請我做
名譽教授。我在廈門大學講演「空有之關係」，不但校
長親臨，還有師生四千多人聽講。去年（二○一四），
受到鎮江市政府的邀請，貧僧在鎮江體育館講了「看見
夢想的力量」，當天鎮江的書記、市長等，有八千多人
與會，次序非常良好。我一面講演，一面運用現代的投
影設施，讓人家看重佛教，不再認為佛教是落伍的。

　　其他，像在四川重慶華嚴寺、三峽博物館、湖南嶽
麓書院、內蒙古烏蘭恰特大劇院、上海中華藝術宮（原
世博中國館）、北京人民大會堂、國家博物館、大連人
民文化俱樂部、山東濱州明珠大劇院、廣西人民大會堂

大師於山東大學講演「天地人」，有山東大學師生五千五百餘人與會，為創校以來最多人次聽講之講座。2013.4.23

等等，我雖不便於行，仍然前往講演。其他像南京大學、上海交通大學、復旦大學，以及瀋陽、哈爾濱等地，更是經常邀約不斷，只是我個人現在年老體衰，也難以如願和大家結緣了。

　　我不敢說因為這許多種種因緣，讓人間佛教在大陸受到重視；但原先中國佛教學院的僧青年們，現在都成長到中年了，如學誠、聖輝、心澄、隆相法師等，他們都是未來中國佛教的希望。

可貴佛緣　佛教世界發光

　　最近，中國佛教協會換屆改選，學誠法師當選了會長，全國副會長數十人，這是大陸多年來佛教的盛事。我特地請國際佛光會中華總會祕書長覺培法師，在他於宜興大覺寺舉辦「人間佛教交流聯誼會」的因緣，便邀約了台灣知名的青年法師和一些同道朋友，前往北京為學誠法師主持中國佛教協會給予祝賀，也是一樁盛事，增加兩岸交流來往。總希望兩岸團結，共同為中華文化、為佛教在世界發光。

最近（二〇一五年四月），揚州為了慶祝開城二千五百年，在春暖花開的時節，於鑑眞圖書館揚州講壇舉辦三天《般若心經》講座，市長親自來為我的講演致詞；每天四、五千名聽眾憑票入場聆聽。徒眾告訴我，講演最後一天，有一半人以上，淚灑會場，難分難捨。

上個月（四月），人民出版社為我出版的《獻給旅行者 365 日——中華文化與佛教寶典》，首刷一百一十萬冊，發表會在北京人民大會堂舉行。後來《人民日報》還來採訪我，我非常高興，在中國大陸，人民至上，讓我能和人民站在一起，這也是我希望促進兩岸和平的一點微願了。

在世界各地的弘講中，大陸的領導人，從過去的江澤民、胡錦濤主席，到現任的習近平總書記，我都有過多次的因緣見面。而在他們之前，世界上的領袖，我見過印度總理尼赫魯，也訪問過菲律賓總統馬嘉柏皋，和他對話，泰皇蒲美蓬請我們到皇宮吃飯。到後來，二年前我在新加坡弘法的時候，總理李顯龍先生全程參與聽聞；甚至，今年（二〇一五）三月，我們南天大學的啟用，澳洲總理艾伯特先生也來出席為我們祝賀歡喜。你說，世界上有這許多佛緣，怎麼不感到可貴呢？

僧人傳教 千年早傳美國

對於講演，我也記起幾件事。有一次，我在洛杉磯講演時，忽然有大概三十位左右，穿著白色類似佛教海青的基督教佛友，前來參加我的聽講。他們自稱是基督

教裡的佛教派，其根據地在聖地牙哥，聽了非常法喜充滿。後來還到西來寺和我來往。不過，經過十餘年，我也很久沒有到西來寺，也不知道情況如何了。

說起美國佛教，十多年前，歷史學家唐德剛教授曾經告訴我，他研究過，在墨西哥中部有一個城市叫作Acapulco，都是佛教徒。據聞，這是一千五百年以前，大約在南北朝劉宋時期，有一位在中國居住的印籍比丘慧深法師前往傳教。可以說，他比哥倫布發現美洲早了一千年，在那個地區留下了佛教的基礎。目前，美國有許多古物，如舊金山博物館收藏的一個「石錨」，據聞就是慧深法師所遺留下來的。

也記得我初到洛杉磯開山沒有多久，有一位信徒寄給我一張《洛杉磯時報》創辦一百周年紀念，刊登了一張九位中國出家人到洛杉磯弘法布教的照片；可惜我不懂事，沒能把那一張報紙好好的收存。假如有人來研究，佛教的種子應該在一千多年前，就傳播到美國了。

貧僧我這個人「處處無蹤跡，聲色外威儀」的性格，不曾想過要留下什麼事蹟。像現在口述《百年佛緣》、《貧僧有話要說》，也都是臨時起意，不是有預備的。因為我並沒有想要去創造歷史、記錄歷史，現在回想起來，還是有些遺憾，很多歷史上的事件，我都有經歷過，卻對這許多記錄都沒有重視。

這數十年來，弘講的聽眾對象無數，最特殊的，應該要算監獄裡的同學了。民國七十六年（一九八七）左右，貧僧受軍方的邀請，到新店、岩灣、泰源等軍中監

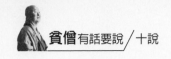

獄，作了一系列演講。在此之前，早在民國四十二年
（一九五三），我第一次踏入宜蘭監獄布教，就開啓我
監獄布教的因緣。可以說，全台灣各縣市的監獄，沒有
一個我沒去結緣講過。由於我經常在台灣各個監獄布教，
貧僧也成爲法務部第一個聘任的監獄教誨師。

獄所布教　心靈引導關懷

我記得有一次到花蓮監獄布教，裡面有兩千多名的
年輕重刑犯，都是十年以上的罪刑。我在講演的時候，
就跟他們說，假如你們都跟我出家，我帶領你們爲社會
做好事功德，我們不但改變了社會，也改變了自己。

我也曾在土城監獄舉辦過短期出家，傳授三皈五戒；
好幾年前，我到高雄女子監獄，和六百名年輕女性的受
刑者講話，得知她們大部分都是因爲丈夫用她們做人頭，
違反了票據法或吸毒而代夫坐牢，我覺得婦女偉大的情
操，男人眞是要自愧不如。

貧僧也曾想設立監獄與社會之間的「中途之家」，
因爲受刑人釋放了以後，社會不容易接受他們，他們也
不容易適應社會。希望在刑期快滿前數月，把他們交來
給寺院，我們給他們心理上的輔導、關懷。再說，監獄
裡的管理大多「不可」，不准站、不准坐，不准這樣，
不准那樣；我想，在合法的情況下，在寺院裡允許他們
這樣、允許他們那樣，讓他們學習用積極、和善、慈悲
心回到社會服務，找回自信心。我想，因爲刑期快滿了，
他們應該也不致於會逃跑，免得重蹈刑法。

　　但是，我這樣的想法，並沒有獲得認可，法務部基於法令上的種種限制，尤其怕受刑人真的逃亡，沒有人敢負責。原本我們預備提供兩個寺院做這件事的，後來沒有成功，我也深以為憾了。

　　不過，法務部也跟佛光山慈悲基金會配合，我們在台南明德監獄，認領了一個戒治班（戒毒村），由佛光山的法師在裡面布教，我也因此和前後任的法務部長廖正豪、馬英九等多次的交流。

　　回憶起一路走來的弘講因緣，也不是一開始就有這許多人聆聽的。民國四十二年（一九五三），有一次貧僧在宜蘭講經，因為時值六月，天氣炎熱，時間到了，我站在講台上，下面空無一人。因為我一生的性格守時、守信，所以當我在台上站好了以後，也不管它台下沒有人，就開講了。在場外一、二十位乘涼的民眾，才陸續跑進來聽講。你說，貧僧最初的弘講，也曾有過這樣的尷尬情況。

　　貧僧在台灣一個甲子以上的傳教，讓佛教從寺院走向社會，從殿堂走進學校，從山林走到都市，從小廟走進會堂，從台灣走向國際，這許多的一切，都蒙佛陀的加被、信徒的熱誠；所以佛法弘揚要靠人，所謂「人能弘道，非道弘人」。我們的佛教人，希望大家共同努力，能把這許多佛光法語普遍於地球之上，這是貧僧最大的願望了。

大師於佛光山佛陀紀念館大覺堂宣講佛法真義。2014.2.4

十一說

貧僧受難記

忍，不但是力量，而且是智慧。

貧僧近九十年來的歲月，面臨生死的邊緣，從鬼門關又走回來，也不知道走多少次了，有些也不值得敘說。比方說掉進冰窟，還能自我爬起來，雖是奇異，但也不值一說；也曾騎自行車，從三層樓高的小丘陵，衝到深溝，車子跌得粉碎，人絲毫無傷，這也不值得一談。甚至在戰爭中，槍林彈雨，多少次的死裡逃生，好像也是很平常的事情，但是貧僧還是有許多受難的過程，在此一說。

師父開除　首次感受苦難

童年家貧，這不算什麼苦難；軍閥、土匪的騷擾，還是一個兒童的我也不懂得害怕；對日抗戰，槍砲子彈齊飛，總想不會打中我，也不知道危險。

出家後，受的是打罵專制的教育，但貧僧認為這是當然的教育，也不覺得是苦難。直到十七、十八歲，在

逃難圖

棲霞山已經過了七年歲月的我，忽然給師父開除，茫茫前途，不知道何處去安身，這才覺得第一次苦難的歲月真的來臨了。

我十二歲出家的時候，師父志開上人只是棲霞山的監院兼律學院的訓導主任，到我十七歲那一年，他已經是院長了。做院長的師父為什麼要開除我呢？原因是，我童年出生在揚子江邊，家門口不遠處就是運河，經常戲水，可以說水性很高。出家以後，在棲霞山上，連個池塘都沒有，就好比青蛙、烏龜，忽然一下子到了乾旱的地方，幾乎奄奄一息，真是苦不堪言。

但這還不算苦難，因為我還能活下去。青少年養成好動的習慣難以更改，最初在小型的律學院裡，就提倡打乒乓球，雖然受責備，但後來師長也是不了了之。對十七、八歲的青年而言，打乒乓球也不夠味道。這時候，同學裡有一位師範畢業的青年同學，擅長打籃球。我經

1937・南京（李自健繪）

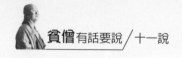

常聽他講述打籃球的好處，因為貧僧當時身兼學生自治會的會長，也就想來設計籃球場，鼓勵同學打籃球。

籃球場位在棲霞山山門外，場地很寬廣，但籃球架、籃球如何取得，就沒有辦法了。不過，那時候棲霞山寺山上的森林經常有人會來盜伐樹木，寺院裡有時候會派我們巡山，驅趕這些偷伐樹木的鄉下人。我在他們身上動了腦筋，把他們盜伐的樹搬回來，做成籃球架子，變賣一點價錢，換了框子和籃球回來。就這樣，我們開始打籃球了。

毅然離校 身上分文也無

棲霞山寺地處偏僻山區，平常沒有人來往，在山門外奔跑吶喊，也不會有人知道。但有一天，不幸師父從那裡經過，給他看到了，他認為我在山門外奔跑呼號打籃球，實在有失出家人的體統，一怒之下，集合大眾，宣布開除領頭打球的我。

但是住慣了七年多的棲霞山，一下子開除了我，我要到哪裡去呢？忽然覺得前程茫茫，不知如何是好。不禁感到一個人沒有前途、沒有倚靠、沒有未來，好像宣布了死刑，是一件多麼痛苦的事。離開了棲霞山寺，難道我要去做孤魂野鬼嗎？回想起來，這是第一次切身感受的苦難。

後來有幸，進入當時最負盛名的焦山佛學院。兩年後，二十歲那年的冬天，忽然對學院的教育制度不滿，就從焦山寫信寄到棲霞山，要求師父讓我回祖庭禮祖。

記得有一天晚餐之後，我到院長室要求告假離開焦山佛學院。當時剛上任院長的東初法師，聽了我的話之後大怒：「不是期頭、期尾，怎麼忽然想起要離開焦山？我們有什麼對你不好嗎？」我千說萬說，他都不准假。因為東初法師的輩分很高，他甚至發狠說：「就是你的師父也要聽我的話，你怎敢不聽話呢？把訓育組長現華法師找來！」

訓育組長現華法師聞訊很快就趕到了，院長下令：「把這個學生關起來，不要讓他離開。」我想到，過去在棲霞山，我不要離開，院長要開除我；如今在焦山，我要離開，院長要關閉我。那時候我也不懂，關閉究竟是不是像閉關一樣，是一年呢？三年呢？都不知道，我也好像犯罪被判了刑似的。

不過，我已經得到師父的允准，他要在鎮江搭幾點的火車，要我趕往會合，準備帶我回宜興大覺寺禮祖。當然，我有恃無恐的跟訓導處抗爭，什麼東西也沒有帶，身上連路費都沒有，在第二天早晨天還沒有亮，就到江邊叫了渡船送我過江。

偏鄉任教　戰爭中求生存

船夫倒也好心，雖然才在天將微曦的時刻，他還是搖搖晃晃的帶我過江去了。快要抵達對岸的碼頭之前，好像在焦山這邊的碼頭有人揮手大叫，船夫一聽，忽然對我說：「你是溜單的嗎？」他以為是焦山的人要他把我帶回去。

　　我內心有愧，但也不敢開口，心想：「這下子真是苦難來臨。」及至回到焦山的碼頭邊，才知道，原來是一位老師也想過江，因此叫船趕快回來。那位在家的老師一登船之後，我就理直氣壯的責備那位船夫：「你怎麼可誣賴我溜單呢？」他連聲向我道歉。到了鎮江，我登上了岸，趕緊跟師父會合。有關去留，是我感覺到的又一次苦難。

　　到了祖庭大覺寺，我們的廟是以務農為業，沒有香客、沒有信徒，只有靠幾個工人種田，維持生計。我本來就是農家子弟，回來後，當然投身以農為業，也不以為苦。正在這個時候，宜興的教育局任命我擔任一所國民小學的校長，我覺得非常的意外。我也沒有受過正規教育，沒有進過學校，也沒有看過學校，我怎麼能做校長呢？但好事降臨到我的身上，機會難得，我不能推辭，於是想辦法「做中學」。

　　從此，我就安住在祖庭大覺寺裡，我的理想是一面在大覺寺設立一座農場，辦好一所學校，讓社會不至於譏諷出家人是社會的寄生蟲、分利分子。

　　但是，幸運的後面，苦難的日子卻隨之而來。一年半後，儘管白塔山位在窮鄉僻壤的地區，白天，因為剛抗戰勝利不久，國軍經常來巡查，他們一來，我們寺廟裡所有的牙刷、毛巾都一掃而空，這也可見得，當時的國軍他們很是貧苦。晚間，共產黨的游擊隊前來問我們：白天國民黨的軍隊來這裡做什麼活動？夾在國共鬥爭之間的痛苦，生命猶如游絲。聽到寺外的狗吠，總是膽戰

心驚；有時候半夜得爬到屋頂上，巡看四周有什麼土匪壞人，因為據聞我的一位師祖，就是在大覺寺給土匪砍斷了雙腿。

五花大綁　險些槍斃送命

終於有一天半夜裡，忽然十幾枝槍對準我的床，把我叫醒。我也不知道是國民黨？共產黨？還是當地的土匪？我雙手給他們綑綁起來，走在田間小徑，我也不認識那些村莊道路。走了一、兩個小時，把我關在一間暗無天日的房間裡，裡面有近百人，有的人被綁在柱子上，有的人手腳被反綁在地上。

我進到裡面的時候，他們原本要用繩索把我吊在屋梁上，有一個人在要吊我的人耳邊說了幾句話，我才被免掉一些災難，讓我坐在地上。在房子裡面，和外面完全隔絕，沒有任何音訊，大家也不敢相談，左右都是監控的人，不知道自己身犯何罪，也不知道究竟是什麼人和自己有什麼冤仇。

一天、兩天過去，我記得將近有兩個星期，每天都看到兩、三個人被叫出去，不是被打得皮開肉綻，用門板抬回來，或者一去就是槍斃不回了。兩個星期後的一天，忽然叫到我，把我五花大綁。記得那是一個春暖花開的時節，陽光普照的下午，可是我覺得太陽非常昏暗，好似被綁赴法場，即將要被槍斃的樣子。但很奇怪的事情，我一點都沒有懼怕，只是感到遺憾，我才二十一歲，在這裡即將被槍斃斷送生命了。師父不知道，家人也不

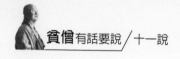

曉得，人生真是像水泡一樣，如《金剛經》所說：「一切有為法，如夢幻泡影。」

後來，那許多人把我帶到另外一個房屋，裡面都是像老虎凳之類的刑具，應該是對犯人嚴刑拷打的地方。有一位先生約莫三、四十歲，跑來跟我講：「我們知道你是知識分子，我們也不為難你，你看看這些刑具，一切還是招供吧！」我正要回答他：「我不知道要招供什麼。」他忽然起座，旁邊有個人找他，講了幾句話之後，他的態度立刻改變，就叫人把我帶回原來囚禁的房子內。

第二天，也沒有要保人，也沒有問話，就把我放出來了。在門口，有師兄來接我，我想大概這十多天來都是師兄想辦法給我營救。回想起來，他們究竟真正的身分是什麼，到了今天，我也搞不清楚。但從此，就不敢在學校擔任校長，也不敢住在祖庭內了。

登台被捕　多人奔走獲救

在民國三十七年（一九四八）的春天，我回到了南京。當時在南京華藏寺，由智勇法師擔任住持，我們是同學，情同手足。他一見到我回來，忽然就說他不要做住持了，要把住持讓給我，所以，我在南京華藏寺做過短期的住持。因為那個時候正發生「徐蚌會戰」，路邊的死屍很多，智勇法師發心做「僧侶救護隊」，去收埋路邊這許多的死屍。他招募隊員半年以後，也招募了一、二百人，共同參加僧侶救護隊。但那個時候，有人認為他們的行為不對，怎麼可以把不知姓名的人埋葬了，讓

他們的子孫找不到他們過世的家人？這個工作應該要先接受訓練。

但到哪裡去訓練呢？他們說要到台灣去訓練。智勇法師忽然就放棄了組織僧侶救護隊的行動。我覺得他的退票不當，因為你邀約了那麼多人，怎麼可以半途而廢呢？我就說：「你不去，我來去。」當時也有多少人說要到延安大學去讀書，有人說要到台灣的國民黨那邊去。我們年輕，根本就分不清國民黨、共產黨，因為關閉在寺廟裡面，對社會的情況不太了解。不過，在南京，已經由家師接洽他的朋友孫立人將軍，因此我就奉師父的命令，拿了他的十二塊銀元到了台灣。

決定要到台灣的時候，也有人叫我要到延安，我也搞不清楚台灣和延安，也搞不清楚國民黨、共產黨，只

大師與參加「僧侶救護隊」渡海來台的法師合影

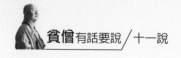

想到要有路可走，就這樣，我也糊里糊塗的，在太平輪失事後不久就從上海乘船到了台灣。這是在大陸最嚴重的一次受難經過了。

我到達台灣，是民國三十八年（一九四九）的春天，剛過完年不久。雖然遇到一些困難，引發我生命的危險，掛單不著，前途渺茫，不過也不算苦難。感謝吳伯雄先生的父親吳鴻麟老先生幫我辦了戶口，讓我可以留下來，後來居住在中壢圓光寺。

記得到了五月的時候，台灣的行政長官陳辭修下令逮捕大陸來台的一百多位僧侶，包括慈航法師、中年出家的黃臚初將軍（律航法師），當然我也在其中。那個時候被抓起來的，大部分不是槍斃，就是用麻袋包起來丟到海底。

我記得我們被關在桃園一個倉庫裡二十三天，好在是夏天，大家都睡在地上，也不覺得寒冷。靠著吳國楨的父親吳經明老先生、孫立人將軍的夫人孫張清揚女士，以及立委董正之、監委丁俊生等人，為我們奔走呼籲，在白色恐怖的那個時代，我們終於獲救了。這應該也算是一次比較嚴重的受難過程吧！

釋放以後，感謝圓光寺照樣收留我們，我們就更加勤勞的為常住服務。打水、擔柴、拉車、洗刷廁所等，心甘情願。當時的住持妙果老和尚，大概是欣賞我的勤勞，親自帶我到苗栗法雲寺，要我在那裡看守山林。我的《無聲息的歌唱》那本處女作，大部分就是在那個山上的茅篷裡，伏在地上寫成的。

警察頻擾 每周半夜問話

後來有機會，受大醒法師之邀，要我擔任台灣佛教
講習會的主任祕書，其實就是一個佛學院的教務主任。
我自知沒有行政的經驗，哪裡能做祕書呢？後來種種的
陰錯陽差，隔了一段時間，我還是到了新竹青草湖靈隱
寺，擔任起教務主任來了。那個時候，警察不准我們外
出，可是佛教會要我們每個星期到新竹市區講說佛法一
次，每次外出，都必須要向派出所請假允許才可。其實，
說來好聽，名義上做教務主任，事實上是畫地為牢。

民國四十二年（一九五三）新舊曆年間，講習會遷
移到台北，因此我也就得以脫身，離開了新竹，受邀到
宜蘭講說《觀世音菩薩普門品》。這是一部由日本人森
下大圓寫的著作，我邊學日文邊翻譯，很受台灣讀者的
重視，也就一邊講說這部經典了。

那個時候，台灣距離二二八事件的發生已有一段時
日，社會的「三七五減租」、鄉鎮長的選舉，社會白色
恐怖的氣氛，已經有所改進了。但是，我在宜蘭，經常
受警察不斷給我騷擾。比方，每個星期半夜叫我起來問
話，甚至於弘法時，因為放映的幻燈片上有日文的字樣，
都受到警告、監視。不過後來，因為對傳道的熱心，我
也把生命都豁出去了，與各地的警察經常捉迷藏。慢慢
的，終於為台灣的佛教走出一片天地。當然，其中艱難
困苦的辛酸，就不是一、兩句話可以道盡的了。

貧僧一生的歲月，在國家、社會裡遇到的不平不談，
就是在佛教裡受長老們的壓迫，雖不能說罄竹難書，也

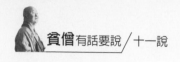

是不只多次了。例如，我為東初法師編輯《人生》雜誌，替他趕在交代的前一天晚上，從江子翠走到萬華火車站，再到台北轉車到北投。下了車，外面正下著毛毛細雨，貧僧怕雜誌淋濕，脫下長衫，把它包起來，扛在身上，爬上了山頂，好像已經將近夜晚十一點鐘了。發行人東初法師看到了也非常歡喜，就對我說，你很負責任。因為太晚了，也不得辦法有交通工具回台北，就留下來，住在法藏寺。

　　第二天他跟貧僧講，我中午要請客，你就留下來幫忙招呼吧。對於院長的託付，我當然樂意，就準備餐具布置。但當要吃飯的時候，他忽然叫我，你怎麼不到廚房去吃飯？貧僧覺得，這是很大的侮辱，我也做過校長，我也做過住持，我也是現在雜誌的主編，連跟你們坐一桌吃飯都不可以嗎？好，到廚房去吃飯！

　　這時經過廚房，看到廚房裡面忙的那許多人，貧僧都不認識，實在不好意思進去吃飯，就只有走旁邊悄悄

的下山。法藏寺的台階到山下，應該有四百階之多吧，我好像踏在棉花上，或者走在雲端裡，怎樣走到山下，現在也不復記憶了，但我心中一點懷恨都沒有，發願將來一定要普門大開，歡迎別人來吃飯。

後來在普門寺，真的設了兩桌，每天供給往來，不問姓名的人用飯。在佛光山開山最初的時候，一、二十年中，凡是到佛光山的出家人，除了一宿三餐的供養以外，臨走的時候，還要給五百塊錢紅包作為車費。所以後來貧僧很多的事業都叫「普門」，就由此而來。

倚老賣老 出訪屢遭阻礙

美國的沈家楨居士邀請我擔任「密勒日巴學人獎學金」的審查委員，每次從高雄到台北開會，都有六百塊錢的車馬費。但是有一次，我認為論文的獎金應該要提高，因為重賞鼓勵之下，才有人願意為佛教著書立說，只有三千元，要人寫五萬字的論文，實在微薄，應該要五萬元。

但是主席南亭法師，三番二次的叫其他委員不可以聽我的話，並且怪我不可以有如此的建議。因為同樣的態度欺壓，一而再，再而三，終於讓貧僧那時候年輕氣盛的火，不能忍耐，桌子一拍，就說：「你憑什麼倚老賣老！」便拂袖而去。自己想來，愧對長老，不該忤逆犯上。實在說，青年僧伽通過這許多長老的言論、思想而能夠在佛門生存，實在不容易！正如李敖先生說，中國的老人，不但不肯交棒，還要給青年人當頭一棒。

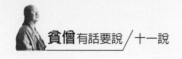

　　再有，白聖法師以中國佛教會理事長之尊，三番五次阻礙我出國訪問的機會。有一次，越南的禪定法師知道台灣的情況，特地專函邀請我到越南，參與他們的社會福利基金發展會議。當然中國佛教會也受他們邀請了。

　　那個時候出國，都有出國前的會議，要由國民黨來隨隊監視，才可以出國，貧僧知道要出國一定要跟隨他們的團體。我從高雄坐夜車，到了台北，正逢他們即將開會，白聖法師一見到我就問：「你來幹什麼的？」我說：「越南也邀請我去開會，我想來參加出國會議啊！」他又對我說：「我們大家都不歡喜你，你回去吧！」

　　我一向很有節制，但那個時候，剎那之間，我實在反應不過來，不過我還是忍耐，跟他說聲謝謝，就回頭了。我走到會場外面，會議中的立法委員莫淡雲女士跑出來說：「你就這樣子回去嗎？」我說：「不這樣回去，我又怎麼辦？」我想她也無能為力，所以就走到火車站，搭火車回到高雄。抵達時都已經是傍晚了。

　　總上所說，貧僧一生所受的苦難、屈辱、傷害、歧視，一言難盡。不過，所幸佛門裡有忍的修行。忍，不但是力量，而且是智慧，六度裡的喜捨、苦行，尤其忍辱，雖不能圓滿，在濫廁僧倫中，貧僧也應該夠條件做一個出家人吧！

十二說

貧僧兩岸往來記

生命的過程，
貧、富不只在金錢、物質上計算，
應該在發心對國家社會的貢獻。

大師出生在仙女鎮。1927 年

記得貧僧還是兒童的時候，在離家不遠的地方，有人問我：「你是哪家的孩子？」我說：「萬福新村的。」我父母的故居就在萬福村。到了揚州，人家又問我：「你是哪裡人？」我告訴他們：「我是仙女鎮的人。」到了南京，出家以後，經常有人問起貧僧哪裡人？我說：「我是揚州江都人。」後來有因緣到了其它省分，每當人們問起貧僧哪裡人？我就回答他說：「我是江蘇人。」

周遊世界 四海皆地球人

四、五十年前，貧僧周遊世界後，人家經常把我們看成韓國人或是日本人，問起：「你是哪一國人？」我說：「我的祖國是在中國，我是中國人。」之後，因為貧僧在台灣住了六十多年，台灣人把我看成是「外省人」，回到大陸故鄉探親，離別數十年的家鄉父老們也不認識我了，都說這是「台灣來的和尚」。我究竟是哪裡人？不得已，貧僧就自嘲說：「我是『地球人』。」

　　自從貧僧做了「地球人」，在世界上旅行，好多移民海外的中華民族炎黃子孫，他們慨嘆自己的身世，不知自己是哪裡人，後來都學習我，說他們都願意做「地球人」。

有緣朋友　彼此沒有界限

　　大陸和台灣通航以後，曾經有十年的時間，因為一些誤解，使得貧僧無法通行大陸；後來獲得當時的全國政協主席李瑞環以及中國佛教協會會長趙樸初二位先生給我的開釋，我才得以再回大陸探親，至今仍然感謝不已。現在，我在兩岸隨意來往，見到兩岸的民眾、佛教徒，彼此語言、飲食、文化，其實都沒有分別；但就是有一些政黨，以為我在台灣建立佛光山，他們說我是國民黨的人；後來我在南部建寺，與余陳月瑛他們余家班、楊秋興、陳菊等地方首長也關係良好，他們又說我是民進黨喜歡的人；現在貧僧往來大陸，許多人又說我是共產黨最喜歡的人。其實，貧僧可以自豪的說，世界上，只要知道的有緣人，都是貧僧喜歡的好朋友。

　　在貧僧的心目之中，沒有什麼地域觀念，沒有什麼種族的分別，同是頂天立地的人類，每一個人都有父母兄弟姊妹，尤其我們都是炎黃子孫，何必要把界限畫得那麼清楚呢？

　　不過，好在貧僧不經營商業、不做買賣。但儘管我有這樣的想法，在台灣，台灣人都說貧僧把錢帶到大陸去了，就是到了大陸，他們也把我當作是境外的台灣人

士，甚至有人經常質疑我，說我把錢財都拿到美國、拿到歐洲、拿到日本去了。實在說，貧僧沒有錢啊！貧僧一生都不積蓄金錢，也從來沒有過存款，哪裡有什麼錢拿到什麼地方去呢？

我倡導本土化，有土地的地方，就有人類，有人類的地方，就有財富，財富分散在地球上任何一個地方。只要勤勞、正直、廣結善緣，還怕沒有錢嗎？

貧僧的老家在江都「萬福新村」，我曾在一九八九年回鄉探親，一般人都說我是衣錦榮歸，算來，實際上也只提供三千美元，給他們修繕房屋。再有，就是鼓勵佛光會慈容法師，捐獻人民幣五百萬建設江都聾啞學校，也鼓勵蕭碧霞師姑，出資十萬美金給地方政府恢復重建仙女廟，只是至今也不知道仙女廟在哪裡了。後來，自己捐了百萬人民幣給母院棲霞山，聊做報答當年在此學習的恩惠。

嘉惠學子 建鑑真圖書館

二〇〇三年，貧僧出席鄉親前輩鑑真大師東渡日本一二二五年的紀念活動。在此之前，中國佛教協會會長趙樸初居士曾經倡議要辦一所國際化的佛教大學，會上他們希望有個現代化的圖書館嘉惠學子。為了效法鑑真大師的精神，貧僧沒有二念，立刻就承諾在家鄉捐建鑑真圖書館了。

二〇〇五年奠基動工，佛光山派遣慈惠法師來回大陸十餘次，興建了現在的鑑真圖書館。二〇〇八年完成

後，已經成為揚州文化的地標。每兩周一次的「揚州講壇」，開壇七、八年來從未間斷，邀請兩岸易中天、馬瑞芳、高希均、于丹、錢文忠、林清玄、余秋雨、閻崇年、莫言、余光中等人開講，每次都是千人以上的聽眾。如今館裡的藏書，聽說也有二十萬冊了。承蒙書記謝正義、市長朱民陽等領導支持，貧僧很少有鄉土觀念，但有這樣的因緣，對所謂的鄉親父老兄弟姊妹們盡一份力量，也總想要滿足大家的願望。

雨花精舍　結緣化解隔閡

數十年來，由於出家、兩岸分離，貧僧對老母也沒有盡孝養之道。直到一九八九年後，為了報答母親的養育之恩，花了五萬美金在南京購買了一間宿舍，定名為

在南京雨花精舍，大師是母親的聽眾。1994 年

「雨花精舍」，讓母親可以在那裡安養，並且請人協助照顧。不過，老奶奶經常對佛光山前去的心平、慈惠、慈莊、慈容等法師說：「這是你們佛光山在南京的『下院』，你們要派人來當家住持啊！」

母親九十五歲高齡在美國逝世以後，「雨花精舍」果真成為佛光山在大陸的下院，許多的徒眾經過南京，都會在那裡落腳掛單，現在由當家妙霖法師為大家服務。也承蒙南京的各界人士、一些黨政領導對我們的照顧，包括省長、書記、市長等人，都曾在那個小小精舍裡聚餐，吃上一碗由蕭碧霞師姑煮的佛光麵。現在想來，也是我和故鄉的一些善緣吧。

此外，南京大學找我多次講演，校長、教授、書記都成為好友。後來他們要建立分校，各界人士多所贊助，我也隨喜捐建了一間以「佛光」為名的佛光大樓。貧僧的意思是，希望中國大陸也可以享受到佛光普照吧。

多年前，香港佛光協會會長陳漢斌夫婦，把他們在上海買的兩間房子送給佛光山。貧僧到了上海以後，一些政治界的朋友都不敢進我們的大門，他們怕與宗教來往，會對他們增加麻煩。可是大家相處日久，時隔一、二十年，包括宗教局長、台辦主任等，都曾在我這小房子裡聚餐、談話，彼此消除了許多誤解隔閡。

現在，這許多小型的房舍經過徒眾和當地信徒的發心，把它擴大，已經成為一棟大樓，定位為佛光山的文教中心，也作為我公益基金會在上海的辦事處所，由滿蓮法師在那裡住持。貧僧雖然很少前去，有聞那裡的信

徒大眾，在佛法裡享受人間佛教的法樂，經常聽到一片
讚美之聲，這也讓貧僧感到欣然告慰了。

　　與上海同時的，最近在北京通州也設立了「光中文
教館」，對於親子教育、藝文展覽、發揚中華文化等，
也獲得很多因緣的肯定。現在由慧寬、慧得法師在那裡
主管負責。

復興祖庭　政府協助建設

　　十多年前，當時的江蘇省宗教局翁振進局長，曾經
和前任國家宗教局葉小文局長，跟我們共同舉辦「恭迎
佛指舍利到台灣」，有數百萬人參與禮拜的行列；後來
也一起組成「中華佛教音樂展演團」到世界各地表演。甚
至邀請貧僧到廈門出席「海峽兩岸暨港澳佛教界——降
伏『非典』（SARS 疫情）國泰民安世界和平祈福法會」。
由於這許多次相處的友誼，有一回，翁局長忽然提到說：
「星雲大師，以後你可以回到大陸來建一間寺廟嘛！」

　　貧僧一聽，問道：「你們認為台灣境外人士可以在
大陸建寺院嗎？」他說：「你當初在大陸出家不是有祖
庭嗎？你可以復興祖庭啊！」由於他的善意，就讓貧僧
在現任國家宗教局王作安局長的故鄉——宜興市，重建
了過去的祖庭白塔山大覺寺。

　　十年來，承蒙宜興市政府蔣洪亮、王中蘇等領導，
以及當初的宗教局長許偉英、所在地西渚鎮委書記蔣德
榮等許多人給我們的關心，劃給我們一塊二千畝的山區
土地，也獲得建設局金新華局長的幫助，為我們種樹、

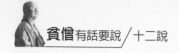

設立停車場，眞是要什麼就有什麼，甚至，要把旁邊一座有萬頃規模的水庫改名爲「星雲湖」。貧僧一再地跟他們推辭，直說不可。幾番往來後，不得已只有說：「用半個名字送你們，就叫做『雲湖』吧。」現在，「雲湖路」、「雲湖賓館」、「雲湖國際會議中心」……紛紛都用起了這個名字來。

　　在大陸感謝他們的盛情，眞是要風有風，要雨有雨。貧僧說一句眞心話，說大陸共產黨不提倡宗教，在貧僧的感覺裡，大覺寺的建設受共產黨的恩惠幫助，比起在台灣和其它的地方建寺廟，又方便了不知多少倍。

　　如今，貧僧的祖庭大覺寺，大雄寶殿在今日的中國大陸，應該也算是數一數二、莊嚴巍峨的寶殿，和基地千坪以上、十五層樓高的白塔，兩相呼應。白天登塔，

江蘇省宜興大覺寺

遠眺雲湖風光，夜晚，在西安劉劍宏居士的協助下，綻
放光明，把白塔妝點得簡直是一座燈樓、一座燈山了。

大覺雲湖　伸向國際名片

因爲貧僧是境外人士，於是邀請我的法子棲霞山住
持隆相和尚前來兼任住持，實際負責建設工作的是都監
妙士法師。他是湖南衡陽人，出生於台灣，留學美國，
獲得宗教學碩士。幾年前，江澤民主席和他見面時，見
他年輕莊嚴，就問他：「你這麼年輕，怎麼會出家做比
丘尼呢？」他回答說：「主席，您選擇改變中國，我選
擇改變自己啊！」這句話，特別獲得江主席的賞識。

妙士法師雖是比丘尼，和工商各界、信徒，甚至黨
政機關領導都交往得宜。有一次，一位領導因爲他的幹

前總書記江澤民先生（左三）至揚州鑑真圖書館，大覺寺都監妙士法師接待。
2009.4.15

練，想說應該要給他個什麼職務名義，當時負責的領導就開玩笑說：「最好請他做我們的統戰部長吧！」現在，寺裡有來自大陸各省市約五十名的四眾弟子，在他的帶領下，已經分擔了文化、教育、社教等弘化工作，大家都能勝任，偶爾也會到台灣本山進修，做短期的訓練。

大覺寺每天和雲湖左右為鄰，湖光山色，也覺得美不勝收。當地政府要貧僧做一首〈雲湖之歌〉，我開頭就說：「向東是百里洋場的上海，向西是六朝繁華的金陵，南有杭城、北有揚州……」描寫這裡的交通便利，四通八達，和這許多城市相互往來，車程都在一、兩小時之間。看起來，將來度眾功能會更增加方便了。

感謝海內外信徒們的擁護，大覺寺辦過兒童夏令營、青年生命禪學營，也舉行佛化婚禮、菩提眷屬祝福禮，召開過幾次的國際學術研討會，以及各種藝術活動等。這裡不收門票，不收停車費，每天歡迎千名、萬名以上的人士來訪、喝茶、欣賞美術展覽，甚至在周六、周日，和這裡的貧僧們一起過堂用齋。特別是三年來舉辦的「宜興素食博覽會」，五天之中，每年二、三十萬的人潮，良好的秩序、零公安事故，提升了人民的生活品質，不但和當地的公安成為好朋友，也獲得媒體多次的好評，市政府已經把白塔山大覺寺，列為是他們伸向國際的一張名片了。

儘管如此，貧僧也感到很慚愧，十年來在那裡開山建寺，可以說破壞山林水土，當地政府自己花了數千萬人民幣，幫助我們擋土護坡、栽花植木，修復那些山林

水土，貧僧怎麼能對他們不感謝呢？

發心貢獻 生命過程富足

　　話說回來，以往大陸稱出家人都叫「貧僧」，現在人家也不認為我是「貧僧」了。因為他們說，我擁有比佛光山土地更廣闊的祖庭大覺寺建設；在上海、北京擁有一整棟的文教會館；最近文化教育公益基金會也在南京成立了，甚至網路刊登貧僧因為出版多部著作，列名十大版稅收入排行榜。一本簡體字版《獻給旅行者365日——中華文化佛教寶典》，北京人民出版社印刷發行上千萬冊，要分送給全國各大飯店、旅館等等。如此一算，現在要叫「貧僧」幾乎是不可能了。

大陸總書記習近平先生在北京釣魚台國賓館會見大師。握手時，習總書記對大師說：
「大師送我的書，我全讀完了。」2014.2.18

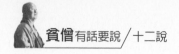

　　不過在我的心裡，仔細想來，生命的過程，貧、富不只在金錢、物質上計算，應該在發心對國家社會的貢獻。像我這種人究竟是貧僧呢？不是貧僧呢？也就不太去計算了。

　　最後，貧僧還有一段意見要說。現在，對於兩岸關係各說紛紜，彼此僵持不下，在我認為，只要去除法執、我執，沒有解決不了的問題。其實，我是認同「九二共識、一中各表」的，因為這是何等美好的兩岸政策，是一種公平、平等的依據。台灣人不能否認自己是中國人，如大陸習近平主席講的「兩岸一家親」，這樣的和平、平等、和諧，對海峽兩岸的人民百姓有什麼不好嗎？

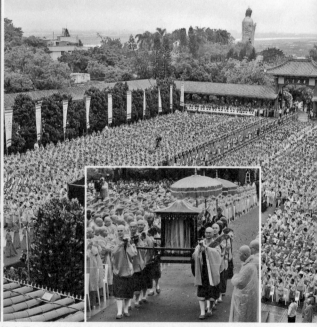

大師與中國文物交流協會勵小捷會長，共同於佛光山大雄寶殿主持「金身合璧・佛光普照—河北幽居寺佛首捐贈儀式」，兩岸共同見證文物回歸。2015.5.23

十三說

我被稱爲「大師」的緣由

「大師」一詞，也有「菩薩」的意思。
菩薩有初發心的菩薩，
要經過十信、十住、十行、十回向、十地，
五十階之後，到等覺、妙覺以上，
才能稱「佛」。

三十年前，大概貧僧六十歲左右，還在佛學院裡擔任院長。當時，許多跟我出家的徒眾，慢慢地因為讀到碩士、博士，回到學院裡教書，因此也被稱為老師、法師。有時候，我人在東山，忽然接到傳話，說西山的學院有找院長的電話。我就必須花四、五分鐘，從東山走到西山，趕忙去接聽。因為那個時候，全山只有一支自動電話。

　　有好幾次，當我氣喘噓噓抵達，拿起話筒說：「您好，我是院長星雲。」對方說：「咦？院長不是女眾嗎？」我跟對方說：「這裡是叢林學院，我是星雲。」對方就回：「哦，我不是找叢林學院的院長，我是找育幼院的院長。」我只有告訴他：「育幼院的院長姓蕭，請您過五分鐘後重打一次，我們從育幼院把她叫來。」

　　因為這樣的問題多次發生，加上經常要找和「星雲」發音相近的某某法師，我聽了電話也不是找我，也不關我的事。「星雲法師」這個稱呼，就在團體裡增加了葛藤。

　　後來，徒眾們就研究，我們現在都稱「法師」，師父也稱「法師」，究竟誰大誰小？如何分辨呢？再者，師父就要退位，難道我們跟即將退位的師父平等，都叫「法師」嗎？如果稱「院長」，我們的養老院、育幼院、都監院、慈善院、文化院等等，有很多的院長，必然又會混淆，怎麼辦呢？這時候，慈容法師就提議：「我們稱師父為『大師』好了。」大家就一致鼓掌通過了。

　　在佛教裡，為人所詬病的，就是出家六十年與出家一日的，都稱作「法師」。為了真正的平等，我們後來

在佛光山爲出家入道者，訂定了序級制度，讓平等中有差別，差別中有層次。

這序級分別是：清淨士六級（每年升一級），學士六級（每二年升一級），修士三級（每四年升一級），開士五級（每五年升一級），再往上就是「大師」。升級不一定依年資爲唯一的標準，主要的考核在學業、事業、道業，有一定的水準才可以升級，大概也要四、五十年左右的經歷，要能正常，對常住、對佛教有所貢獻，才能升爲「大師」。而當時徒眾給我的所謂「大師」，並沒有什麼意義，只是在佛光山內部與徒眾有個職稱分別。他們的職務是「法師」，我的序級就是「大師」。

我的序級既是稱爲「大師」，所以後來佛光山的徒眾在我各處弘法的地方，就稱「星雲大師佛學講座」或「星雲大師佛經講座」或「星雲大師接心開示」等等，就這樣，「大師」成了我的稱呼。

其實，「大師」這個名稱，在社會上極爲通用，凡是專家者，也有人尊他們爲「大師」。如：藝術界有張大千大師、齊白石大師；教育界有蔡元培大師、傅斯年大師；在科學界的丁肇中大師、楊振寧大師；國學界的錢穆大師、唐君毅大師、饒宗頤大師、季羨林大師等。

在大陸叢林裡，稱「大師」一詞，也很普遍，沒有大小，人人都可以稱爲「大師」，也沒有人提出異議。例如，我們見到一位小沙彌，可以問他：「你這位沙彌大師叫什麼名字？」或者見到一位比丘尼，不知如何稱呼，你也可以問：「請問你這位大師上下法名？」這都只是一種尊重。

太虛大師　　　　　弘一大師　　　　　圓瑛大師　　　　　虛雲大師

佛門稱呼　有專精有次第

　　在佛門裡，稱「大師」的也多，如：太虛大師、弘一大師、圓瑛大師、虛雲大師、來果大師、印光大師、法尊大師、法舫大師、敬安大師等，光是近代佛教的大師，不知道就有多少，可以說比比皆是。甚至，在家的居士也可以稱「大師」，從印度佛陀時代的維摩大師、善覺大師，到中國歷史上的善慧大師、龐大師（龐蘊），到晚近的楊仁山大師、歐陽竟無大師等，大師之多，不在少數。

　　除了「大師」，在佛教裡面，對律學有研究的，稱為「律師」，如：道宣律師、僧祐律師；對禪學深入的，稱「禪師」，如：百丈禪師、臨濟禪師；對論藏有貢獻的，稱「論師」，如：龍樹論師、世親論師、無著論師等。另外，在各處傳戒的，稱「戒師」，而一般弘揚佛法、講經說法的，就稱「法師」了。

　　此外，還有稱為「和尚」，和尚就更不容易稱呼了。在叢林寺院裡，可以有很多的大師、法師、師父，但是管你住了三百人、五百人，和尚只有一個，就是在六和

印光大師　　　　法尊大師　　　　法舫大師　　　　楊仁山大師

的僧團裡，他是主席、親教師，等於是校長的意思。其他的出家眾，只能以職務稱之，如：當家師、知客師、糾察師……，好比，一個學校有很多不同專業的老師，但校長只有一個。像在佛光山，我沒有被稱爲「和尚」，但後來的弟子做了住持，如：心平和尚、心定和尚、心培和尚、心保和尚，現在已經到了第九任，他們統統稱「和尚」，就是佛光山以他們爲住持方丈。

　　「大師」一詞，也有「菩薩」的意思。菩薩有初發心的菩薩，要經過十信、十住、十行、十回向、十地，五十階位之後，到等覺、妙覺以上，才能稱「佛」。但在佛教認爲，人人都可以做菩薩。所以我們稱呼大眾爲：各位菩薩、各位初發心菩薩、各位男菩薩、女菩薩、各位老菩薩、小菩薩。大的菩薩是等覺位，快要成佛了；小的菩薩才初發心，正要起步，但不論是大菩薩、小菩薩，統統都可以稱「菩薩」。

　　就等於學生，幼稚園的稱爲「學生」，中學生、大學生，甚至碩士生、博士生都是「學生」。可是，博士生與幼稚園的學生，他們的差距是很多了。所以，「大師」

慈航菩薩

一詞，從沙彌大師到菩薩大師，當然，此中就有很長的距離。

不過，過去的大德，他們自己都不太願意做「論師」或「律師」，而都願意稱「菩薩」。例如，太虛大師都自稱「太虛菩薩」，慈航法師都稱「慈航菩薩」，為什麼？就等於明朝的蕅益大師說，稱他比丘，覺得自己還不夠受持比丘的清淨戒，說他是佛，也還不敢承擔，所以他們都有一句話說：「比丘不是佛未成，但願稱我為菩薩。」因為菩薩是「有學位」，也就等於學生，是慢慢往上升級的。

所以，稱一聲「大師」，無論是小大師或大大師，都沒有什麼好計較。就例如我們中國人經常稱人「先生」，你是教授、學者，我稱呼你王先生、張先生；你是農夫，

甚至你都不識字，我也可以稱呼你陳先生、林先生，但沒有人計較這個先生稱得對與不對。因此，應該在稱「大師」上，也沒有所謂對與不對。如果我們明白「大師」的意義，便知道它只是一個假名，還代表「你」的含意。

然而，無論是社會還是佛教界，對於「大師」這個稱呼的意義，都不夠了解。例如，抗戰期間，太虛大師在重慶的時候，有一次《海潮音》的〈卷首語〉裡，主編福善法師發表一篇一千多字的文章，裡面用了十七個「大師」來稱呼太虛大師。原本這也沒什麼大不了，不料，佛教界譁然，認為太虛大師的弟子，對太虛太過宣揚，因而群起攻之。

合宜稱謂 是尊敬是禮節

在佛門裡，為了這個稱呼，也經常有一些糾紛。就例如，慈航法師都喜歡別人稱他為「老師」，比較親切。「老師」的稱謂也很平常，但是佛教界就批評他，不應該稱做「老師」，甚至不諒解，一聽到青年們稱慈航法師為「老師」就不高興，而把那些青年排拒於門外。其實，國民小學裡的教師也稱老師，幼稚園的教師也稱張老師、陳老師、林老師，為什麼慈航法師不能稱「老師」呢？

又如印順法師，他實在對原始佛教的論典有研究，應該稱他為「論師」；不過，也是因為他的學生弟子很多，就尊他為「導師」。這「導師」也沒有什麼異議，像現在學校裡，也有高一班的導師、高二班的導師、高三班的導師，但印順法師在被稱為「導師」的時候，佛教界

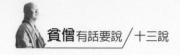

也有很多的批評、議論，甚至反對、不以為然。其實有何不可呢？學生願意以印順法師做導師，為何不能稱「導師」呢？是他不懂？還是疑忌別人受人恭敬呢？

說到受人恭敬，不管什麼稱謂，都不是自己擦粉裝飾，而是要別人願意尊敬你是哪一種稱呼。因此，像在大學裡教書，我們稱他教授、先生或老師，他也不以為忤，只要適合你，稱謂是一個尊敬的意思。而每一個稱呼，都有一個當時的情況，例如一名女士，我們可以稱她為夫人、太太、小姐，無論怎麼稱，應該都是平常的事情。

以上述的這些例子，我就跟佛光山的徒眾講，你們再想另外一個職務來稱呼我，不要稱我大師，這個稱謂會為我招來許多麻煩。但徒眾們想了想，說：「我們不稱你『大師』，不知道該稱呼什麼了？如果稱呼你師父，我們煮飯的有飯頭師父，煮菜的有典座師父，做香燈的有香燈師父，做園藝的有園藝師父……，通通都是師父，又如何分別呢？還是請你慈悲，讓我們稱你『大師』吧！」我就這樣繼續被稱作「大師」了。

以法為師 比大師更重要

其實，你不要稱我大師，你要稱我小師，也沒有什麼不好，表示年輕，我可能還更高興。像年輕的出家人不是都被稱為「小師父」嗎？小也沒有什麼不好，佛教裡有所謂「四小不可輕」，小如一滴水，可以滋潤大地；小如星星之火可以燎原；小如一個小女孩，她將來可以

成為皇后、國母；小如一個小男孩，他將來可以成為國家的棟梁、國家的領導人物。小，有什麼不好呢？實在說，大小圓融、大小無差啊。

有時候，我們也會稱佛陀是我們的大師；但是，佛陀有十種尊號，所謂如來、應供、正遍知、明行足、善逝、世間解、無上士、調御丈夫、天人師，要具足以上這十種能量的人，才能稱為「世尊」。意思是在世間、出世間都是最為尊貴的人，所以我們稱釋迦牟尼佛為「釋迦世尊」。

這多少年來，有人稱我大師，也有人稱我法師，我沒有異議；甚至也有人稱我星雲、星雲師，我也沒有排斥。也有人認為我為什麼要稱「大師」，而不跟別人一樣稱「法師」呢？但這許多稱呼，在我心中，並沒有感到「大師」為大，或「法師」為小；其實，法師者，「以法為師，以法師人」，應該比「大師」更為重要。

然而後來，社會開始有人稱我為「政治和尚」，實在很意外。那個時候，貧僧心中稍有芥蒂，因為我一生不好政治，始終與政治保持距離，我也不要做官，也不向政府要求補助，應該和政治扯不上關係。你不能因為政治人物來對我訪問、談話，或者交個朋友，或者因為我關心社會、關心民眾，因此就稱呼我「政治和尚」，這也太諷刺了吧，在我心中，我不是政治和尚啊。

佛門本來就是「普門大開」，納受一切眾生，關心、往來、給予佛法，哪裡會分男女、身分、職業、大小，只要想來了解的，我們都歡迎他們來佛光山。

心佛眾生 不計名無得失

後來，有一位電影界的導演劉維斌先生，他對我說：「你不要介意，政治和尚，這是人家對你的尊敬；有的人已經做了民意代表，別人還不肯稱他『政治和尚』。稱呼『政治和尚』，表示你很有力量，能為群眾講話，你很能為社會尊重。」從此以後，我對「政治和尚」這四個字也就釋懷了。

但是，這許多人士為什麼只稱呼貧僧「政治和尚」呢？其實，我也講經說法，有一些書籍出版，為什麼不稱我「作家和尚」？我喜好文學，詩歌、小說也有發表，但也沒有人稱我「文學和尚」；我也像信徒一樣發心救濟，為什麼沒有人稱我為「慈悲和尚」？我熱愛教育，辦了許多大學、中學，甚至得到世界各個大學給我幾十個榮譽博士、名譽教授，為什麼不稱我「教育和尚」呢？

不過，到了現在這個階段，有這個稱呼，沒有那個稱呼，貧僧也不介意了，就是成佛，也是一個假名，心、佛、眾生，本來就是三無差別，何必在這個假名裡面去計較得失？有什麼意義呢？

現在，貧僧雲遊世界各地，有人稱「星雲老和尚來了」，有人稱「星雲法師駕到了」，有人說「星雲大師光臨了」，或者說「星雲長老來了」……，不論稱什麼，我也都隨緣，從來沒有過異議。

為什麼？貧僧星雲就是星雲，你們稱的只是形象上的代號。你稱我星雲，我畢竟是星雲；你不稱我星雲，未必我就不是星雲；你稱我大師，我未必是大師；你不

稱我大師，未必我就不是大師。大師、小師，都是別人
稱呼的，不是由我決定的；所以，是也？非也？由人自
斷而已。

　　而今天也是藉由「貧僧有話要說」，把「大師」這
個稱呼的來龍去脈說個清楚罷了。假如你要問我現在最
喜歡的名稱是什麼？那大概就是「貧僧」了。

十四說

我的新佛教改革初步

我從青少年就知道佛教團結的重要，
因為打籃球需要有團隊精神，
不是求個人表現，
必須集體創作。

我革新佛教運動是一生志業，當為一個出家人的完成，就是一切都是「為了佛教」。

其實，我青少年的時期，非常懵懂無知，從小跟隨外婆到庵堂，知道佛教有個觀音老母，連釋迦牟尼佛的名字都沒有聽過。十二歲出家，在棲霞山讀書，寺院裡中間的佛殿也不叫大雄寶殿，而是叫「毘盧寶殿」，中間供奉了毘盧遮那佛。

當然，我追查這尊佛和我們出家人是什麼關係，前輩學長們都說，毘盧遮那佛就是法身佛，另外還有一個報身佛，釋迦牟尼佛只是應現者。他是二千五百年前，出生在印度的應身佛。當時貧僧非常的幼稚，為什麼一尊佛又有法身，又有報身，又有應身，這許多不同名稱，又有什麼分別？實在不容易明瞭究竟。

後來，年齡漸漸成長，知道僧徒不能給社會譏為無業遊民，也不能讓佛教的信徒們感覺出家人寄佛偷生。覺得佛教要從事生產，應該要革新，僧徒要有生活的機能，比丘應該要能做醫師、教師、傳教士等；比丘尼也是要能做教師、護理，要能參與著書立說等弘法利生的行列。

須靠教育 不能只是誦經

我在棲霞山七、八年的歲月，也知道了佛教不能只靠念佛誦經，應該要教育，所謂要五育並進，尤其是體育。沒有健康的身體，一些年輕的僧侶，都是閉目養神，好像老僧入定，這樣子就能復興佛教嗎？

　　我沒有別的能量,那時候因年紀小,雖然也曾做過學院的自治會會長,但也只能想到做體育的倡導者。現在,社會人士都知道貧僧喜好籃球,其實貧僧不是喜愛籃球,只是覺得籃球的運動,適合佛教青年的學習成長,比較容易接受。

　　尤其,我從青少年就知道佛教團結的重要,因為打籃球需要有團隊精神,不是求個人表現,必須集體創作,要替隊友製造機會,彼此相互的同心協力,爭取勝利。打籃球,可以革除佛教僧青年的許多毛病。

　　例如:大家動作緩慢,可是籃球都講究一秒、零點幾秒的時間,要非常迅速,而僧青年精神渙散,不集中精力讀書、工作,透過打球可以激發人類的潛能,非得要積極迅速、勇猛向前不可。

籃球場上,也是大師與徒眾接心的地方。

　　我又感覺到，僧青年都有很多的理由，不肯認錯。在籃球場上，只要教練的哨子一吹，犯錯的人，立刻舉手，還要向對方行禮道歉，這合乎佛教懺悔滅罪的意義。打籃球和佛教的教義，又有什麼違背嗎？就是說投球吧，打籃球並不是完全只靠力道、奮勇，要有心力，所謂境隨心轉，心中動念，籃球進網得分。體育運動，就是我革新佛教運動最初的想法了。

　　及至十八歲到了焦山，更受新思潮的影響，我知道了五四運動，知道了三武一宗的教難，知道了太虛大師「教產革命」、「教理革命」、「教制革命」，三革運動，我覺得要爭取佛教，非此不可。我也知道印光大師的三濫，所謂「濫收徒眾」、「濫傳戒法」、「濫掛海單」，我也很同意，但我認為這還不是革新佛教最緊要的問題。

　　革新佛教，需要為佛教辦幾所大學，為佛教辦幾所醫院，為佛教辦幾家報紙，為佛教辦幾間電台（那時候還沒有電視），甚至於為佛教辦許多的農場、許多的工廠，僧徒要自食其力。當然，更要發心為社會人間服務，那是發心菩薩道不可少的行為。我就想到，要到大街小巷貼許多的標語，喚醒民眾對佛教信仰的注意，我也希望自己雖沒有力量去出版報紙書刊，至少能張貼壁報在重要的車站、人船碼頭，讓民眾了解佛法的真義。

　　太虛大師籌組「中國佛教會會務人員訓練班」時，他曾說過：「佛教要靠我們青年僧伽。」這是我那個時候最欣賞的名言了。可惜，在太虛大師即將被選為中國佛教會會長的前數月，就在上海圓寂了，當時他才六十

歲。我爲此眞是如喪考妣，幾乎數日間，精神恍惚，覺得天地日月無光。這一段時間，好像是我的生命中感到最低潮的時日。

寧華藏寺 成爲革新基地

後來承蒙蔭雲和尙的賞識，他看了《怒濤》月刊，知道我們這許多青年的志願，就把南京華藏寺，交給我們主管，做爲佛教革新的基地。我們青年僧中，最初有智勇法師領頭，從焦山來的能培、敬三、惟春，甚至從普陀山聞訊而來的煮雲法師，都來參加我們的行列，一起爲革新佛教跨進一步。我們提倡「僧伽新生活規約」，寺中一些以經懺爲業的僧眾，對我們敢怒不敢言。

華藏寺位居南京侯家橋，距離現在南京市中心新街口不遠，不到一、兩公里。當時裡面已經有小小一座織布工廠，還有益華文具店、熱水供應站等設施。據說，當初在左近的數條街道土地都是寺方所有，後來住持吃喝玩樂，把它一一的變賣，使得華藏寺蒙受了法門不興的名譽。

我們希望把華藏寺的房地產收回來一部分，尤其是位在清涼山那一塊七公頃的土地。於是特地花了十石米的價碼，請來南京最有名的黃龍律師到法院訴訟。因爲南京市政府強徵了我們的土地，預備做南京市第六中學。我想，要辦教育，我們也可以自己來辦，政府想辦，就去辦政府的學校，佛教辦佛教的學校。於是我們設立了華藏學校，爲佛教來做一些改革運動。

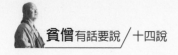

　　可惜，國共戰爭開始，讓所有的美夢都破碎了，不得已，我們這一群青年也各自分散了。煮雲法師先回普陀山；曹敬三也隨軍不知道到哪裡去了；惟春、松風也不知道給國共兩黨哪一方逮捕，生死無法得知；智勇法師要去組織僧侶救護隊救護傷亡，把華藏寺主持交由我承擔。

　　因為朋友、同學都已分散，個人辦事業難成，在為前途徬徨徘徊的時候，智勇法師突然放棄僧侶救護隊，我這個人一向不喜歡退票，他雖是我的同學至交，我也不喜歡他這種臨場退票的性格，於是自告奮勇，繼續未完成的僧侶救護隊工作，把主持交由我在焦山的學長現華法師擔任。

　　那是民國三十七年（一九四八）的冬天，共產黨稱為「淮海戰役」，台灣稱為「徐蚌會戰」的這一場戰爭開戰，兩軍各投入了五十萬的軍人，在沙場廝殺，傷兵死屍難以估算。在臘月寒冬的南京下關鐵道旁，有許多死屍堆。我們想，不能把這許多死屍暴屍在外，應該給予埋葬。但是有人說，這個不合理，這許多死難的居民，假如家人要來收屍，我們把屍體都埋葬了，讓他們的家人都找不到。你們要做救護工作的，應該要組織專業的訓練。

護持信仰　持續投書周刊

　　到哪裡訓練？有人說，到台灣。台灣在哪裡？其實貧僧也不知道，不過有人這樣說，也讓我覺得做救護工

作確實需要訓練。就這樣，在民國三十八年（一九四九）春節新年期間，貧僧來到了台灣。很多人以爲我是從軍來台，事實上我是參加僧侶救護隊來到台灣，我不是軍人，這一生沒有拿過槍，沒有打過一發子彈。後來，共產黨成立了新中國，我因在台灣，變成有國難歸，有家難回，只有在台灣落腳。

我們是在早晨到達基隆港，聽說晚上才會有車子送我們到台南訓練。期間就有人說要到台北一下。我問，台北在哪裡？他們用手一指，我以爲台北大概只有幾百公尺。我說，你們快去快回。哪知道，有近二十人，一去就不回了。

所謂「到台灣訓練」，是因爲貧僧的師父志開上人和孫立人將軍交誼很深，所以稟告了孫將軍。當時他在台灣擔任軍官訓練的工作，交代我們到台南待命等他約見。到了台南，等了一、兩個星期，他只來電話關心一下，後面就沒有消息。我們三十餘人中，大約十餘人不告而別，眼看僧侶救護隊已經沒有辦法成功，貧僧只有跟大家說，大家都各奔西東吧！

貧僧想，在台中寶覺寺，有我的學長大同法師在那裡當監院，他曾跟我通信，說他想要辦三千人的佛學院，邀約我到台灣來教書。我知道他的言詞太過誇大，那時候佛教還沒有條件能辦千人以上的佛教學院，也就沒有跟他回應。這時，因爲前途茫茫，也只有去找他商量未來的去路。到了寶覺寺，才知道他在兩個禮拜前，因爲匪諜嫌疑，已經逃往香港。訪友未遇，在台灣，貧僧就

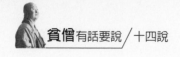

再沒有朋友、熟人了。

後來，貧僧又拜訪好幾家在大陸知名的台灣寺廟，他們都拒絕接受我們掛單。到處碰壁多次以後，承蒙圓光寺妙果長老跟我投緣，大概也由於他的徒眾弟子中，如智道法師幫忙事先說了多少好話，妙果長老一見到我們，就悄悄跟我講，你可以住下來。有人這樣親密盛情邀約，我就這樣掛單在圓光寺裡。

這個時候，台中有一個《覺群》周報，是太虛大師在上海創辦，由大同法師把它帶來台灣，因無人編輯，要我前去幫忙。我只編了一集，聽說就受到安全人員監視。有人跟我警告，我也不敢再前往台中了。不過，為了佛教革新運動，鼓吹佛教走出山門，走向社會，剛巧在台北有一個《自由青年》周刊，我就不斷寫文章投稿。

不久，台灣的治安單位逮捕有匪諜嫌疑的出家人，包括慈航法師等一百餘人，都被囚禁起來。經過多人營救出來之後，我們也不敢替寺方再製造麻煩，只有幫忙寺方做一些苦行工作。一年多後，到民國四十年（一九五一），貧僧到了新竹青草湖擔任教務主任。

提倡體育 學生卻怕碰球

這是因為創辦人大醒法師中風臥床不起，不能語言，住持無上法師是一位頭陀苦行的行者，對教育他也不敢聞問，就全權給我負責。大概有六十名學生，四眾弟子都有，我請心悟、心然兩位法師，一位擔任佛學教師，一位擔任佛教史教師，我教授國文。其它的世俗學科，

皆由當時石油公司研究所幾位科學家,如:李恆鉞《向受過現代教育的人介紹佛教》的作者、程道腴等人教授。

我想革新佛教,須從教育著手,還是開始提倡體育。支援我的信徒,王鄭法蓮居士,從台北送來乒乓球桌、乒乓球和排球等運動器材。記得我拿了排球教學生們打球,所有的學生一個個都往後退,不敢碰球。我想想,真是感慨,當初年輕的時候做學生,想發揚佛教徒要有體育運動,遭受院方開除;現在我做了學院的負責人,提倡體育運動,學生不敢碰球。這個佛教革新,未來的前途又在哪裡呢?後來講習會搬去台北,我也藉此機會離開了。

雖然受警方監視,不過從青草湖開始,貧僧就到街頭講演,從事傳播佛教。民國四十二年(一九五三)新春左右,受到佛教派系的排擠,我才應宜蘭居士們的邀約前往講經。

區分神佛 讓佛堂變單純

當時,每周六舉辦念佛會,我為大家講說《普門品》,本以為也只是一個臨時幾天的過程,還是會要離開的;但是人的因緣,難以料定。講過之後,男女老少都再三挽留,幾乎跪地請求,不要我離開。

可是一個小型的雷音寺,佛殿也不過三、四十坪,一百名的信徒念佛,都要站到殿外的走廊,裡面供奉大小佛像、神像一百多尊。我當然不能忍耐這樣複雜的信仰,既然要弘揚正法,要以禪坐、念佛為宗,我就把雷

音寺裡所有的順風耳、七爺、八爺等神像，以及那許多肅靜、迴避牌子都收藏起來，讓佛堂單純一點，供人禮拜。我主張神佛應該要分清，不要讓人對神佛同等的看法，甚至把貧僧當為神壇的工作人員。

這一個舉動，又驚動了地方另外的一幫人士，他們認為我這種行為大逆不道，幾乎快被雷音寺管理人驅逐離開宜蘭。我為了弘揚正法，你要想趕我離開，我倒反而立志不要離開。不過，那時候宜蘭的佛教徒，尤其李決和、林松年等青年、中年擁護我的人也多，讓我有機會在宜蘭繼續展開了青年學佛運動，和佛教走上社會的弘法。

辦歌詠隊 寺院弦歌不斷

後來，把周六念佛會改為宜蘭念佛會，貧僧也不曾要求擔任什麼名義，為他們建設講堂，將住在寺裡的三家軍眷，請他們搬家離開，還給寺廟一個莊嚴寧靜。宜蘭小鎮雖小，但是大家非常的純真，我也很樂於住在宜蘭。這時候，覺得是一個可以進行革新佛教運動的開始。

最先，貧僧辦了一個文理補習班，接著繼續辦文藝班，後來宜蘭中學、宜蘭農校、蘭陽女中、陸軍通訊兵學校的老師們都來參與我的活動。有了這許多老師的支助，一下有了很多的知識分子，念佛會忽然改觀了。雖然在一個小小寺院裡，甚至借用丹墀戶外的場地，我就辦起歌詠隊、兒童班、學生會、弘法隊，每天幾乎是像個學校一樣，弦歌不斷。

　　那許多的青年學子，我讓他們參與到鄉村傳教，從基隆瑞芳、侯硐、菁桐坑（菁桐）、頂雙溪、福隆，一直到頭城以南，羅東、蘇澳等地，這一條宜蘭縣的鐵道，完全成為我們的道場。那許多神道寺廟也都配合我們，把他們的殿堂借出來給我們使用。尤其，各火車站的站長如謝克華，甚至運務段的段長張文炳，也成為佛教徒。有時候到各處去傳教，買不起火車票，他們認為我們在淨化人心，對社會有益，都從另外一個方便門，讓青年弘法隊員進出，節省了很多的車馬費。

　　前後我在那裡二十餘年，以這樣的基礎，這許多人士，加上為我譜曲、教授音樂的楊勇溥等諸多信徒，散播台灣各地，把念佛會的一些方法傳播開來。例如：馬騰、王普有到了岡山，受到周羅漢的支持成立了念佛會，現在我在岡山的講堂，就是周羅漢的家宅。其它虎尾念佛會、龍岩念佛會、台北念佛會、頭城念佛會、羅東念佛會等，也這樣相繼的成立了。

車隊廣播 宣揚佛教來了

　　由於各地念佛會的幹部，都在宜蘭受過基本的正信佛教訓練，台灣的佛教就慢慢的改觀。雖然受到警察一些干擾，地方人士對我的疑慮，但是當我們的車隊，用三輪車裝上大喇叭出去宣揚：「我們的佛教來了！各位父老兄弟姐妹，我們的佛教來了！我們的佛教來了！」在那個蔣夫人領導的基督教弘揚勢力之下，我們能可以苟延殘喘，把佛教也能逐步的發展，把佛教叫得這麼響

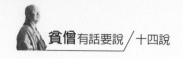

亮，實在說，對於台灣佛教歷史研究的人士們，應該要
注意到這一點。

　　從此之後，台灣的傳戒、大學裡的社團、電台有佛
教之聲等節目；李炳南在台中樹立的佛教蓮社，煮雲法
師在鳳山的弘化，廣慈法師在澎湖的傳教，在台北一些
大陸來的長老們，都能動員講經說法；以及林錦東、林
大賡、外省的周宣德、朱鏡宙、趙恆惕、立法委員董正之，
仗著在政府地位聲望很高的章嘉大師為背景，台灣佛教
的活動一時蓬勃發展，欹歟盛哉！一大事因緣，我感覺
到新佛教運動好像就從台灣開始了。

下鄉弘法的三輪車，宣揚著：「咱的佛教來了！」

十五說

媒體可以救台灣

讓一些有為的媒體記者，

在這一個時代裡，

能以他們的筆桿救國家、救社會、正人心，

做為社會的導師。

多年前，我曾經在《天下》雜誌上，看到一篇題為〈媒體讓台灣往下沉淪〉的文章，這篇文章一直在我心中久久難以釋懷。媒體人都是國家的棟梁，都是社會的精英，爲什麼他們會使台灣往下沉淪呢？我想，是因爲有一些不正派的媒體，他們把優良的媒體本質掩蓋了。這些媒體，總是報壞不報好，報假不報眞，報惡不報善，報非不報是，爲了取悅讀者，不顧國家的前途、社會的風氣，讓「台灣最美的風景」都變得不美了，那是非常不當的事情，也難怪《天下》雜誌要出專刊，慨嘆說媒體讓台灣往下沉淪了。

記得天下文化創辦人高希均教授在《遠見》雜誌上，發表了一篇〈我的台灣夢：出現《更正報》〉，裡頭提到：「有《更正報》，受委屈的人找到了救星。他們終於可以在另一份報紙來辯護。」後來又在〈政客變君子，台灣走出政治霧霾〉一文中，再提到：「透過不實指控，製造對立，造成社會不安，其中以民代、傳媒、動嘴、動筆者爲多。」《聯合報》的元老張作錦先生也說：「媒體不走邪惡之路，是基於對一種價值的信仰，並自願長期、忠誠的護衛。」評論家南方朔先生則說：「當媒體變成一種消費品，而不再是社會的公器，這時候，媒體只會將一個社會拖向平庸和無聊化的深淵。」從這許多文化人的言說裡，讓我們看到了台灣媒體的現狀。

不犯他人 尊重他人自由

新聞媒體有言論的自由，這是不容易讓人來否定的，

但是媒體的自由，還是要有規範，不能侵犯別人的隱私，假造別人說的話，極盡造謠中傷；如果媒體認為這也是自由，那就是錯誤了。

前不久，天主教教宗方濟各訪問菲律賓，其時，也正是我在菲律賓籌建光明大學的會議中，聽聞有記者請問教宗，對於不久前，法國漫畫雜誌《查理》周刊遭受伊斯蘭教恐怖分子射殺的看法？教宗回答說，新聞有言論自由，宗教也有信仰自由，不能以言論的自由來侵犯別人信仰的自由。就像有人毀謗我的母親，他可能也會吃上一拳。

教宗這樣的回答，實在不愧是一位天主教的領袖，

《人間福報》「人間百年筆陣」成立，期以筆的力量提升社會。後排右起黃光國、南方朔、高希均、大師、柴松林、江素惠；前排右起符芝瑛、慈容法師、朱雲鵬、楊朝祥、蔣本基、陳朝平、慈惠法師、張亞中及妙開法師。2012.5.15

四平八穩，彼此顧到，非常公平公正。因為當今此世，許多人都錯解了「自由」的意義，以為只要我喜歡，有什麼不可以？事實上，你歡喜是可以，但不能妨礙別人的自由。

所以，現在許多人濫用了「自由」，以自我認為的自由來侵犯他人的自由，實在不當。今後的世界要和平，社會要和諧，必須要大家先尊重別人的自由。

佛教釋迦牟尼佛制訂了很多的戒律，出家人有出家人的戒律，在家佛弟子有在家佛弟子的戒律，但是很多人都害怕受戒，認為戒是不自由的，受了戒，殺生不可以，偷盜不可以，婚外情不可以，妄語兩舌不可以，太不自由了。

要求媒體 提升人文素養

實際上，在佛教解釋「戒」這一個字，是自由的意思。戒殺，就是要你不侵犯別人的生命，要尊重別人生命的自由；不偷盜，就是要你不侵犯別人的財產，要尊重別人財產的自由；不婚外情，就是要你不侵犯別人的名節，要尊重別人的家庭、身體、名節的自由；不妄語，就是要你不要毀謗傷人，要尊重別人名譽的自由。所以，戒是給別人自由，也是給自己自由。

讓我們到全世界的監獄裡面去做個調查吧，為什麼受刑人被關閉了？國家法律剝奪了他的自由嗎？就是因為他傷害了別人的自由。假如說我們自己不侵犯他人，不妨礙別人的自由，又有誰會來侵犯我們的自由呢？

　　因此，今天的台灣，如果媒體都能公正無私，不侵犯別人的自由，尊重法律上的人權保障，那麼媒體可以救台灣，台灣也就跨進一大步了。

　　不過，要媒體人救台灣，也先要社會提升讀者的人文素養，提升閱讀的品質，不要媒體報導聳人聽聞、揭人隱私、以真報假的新聞，要求真、求善、求美；有好的讀者，自然就會有好的媒體。

　　在台灣，我們經常聽到人說：「今天電視不好看。」為什麼？「立法委員沒有打架！」那麼記者就必須要報導打架的新聞，來取悅觀眾。又有讀者說：「今天的報紙不好看，沒有什麼殺盜奸淫的社會新聞！」那麼報社為了讓它的報紙有銷路，就是沒有殺盜淫亂的新聞，也要儘量地製造出一些事故來。所以，台灣的媒體到了這個程度，民眾也應該負一些責任。

筆正人心　倡新聞真善美

　　據我所知，民國以來，有不少優秀的媒體記者，如：中國《大公報》的張季鸞、王芸生，《庸報》的董顯光、《大晚報》的曾虛白，一直到台灣早期《公論報》的李萬居、《立報》的成舍我、《中央日報》的馬星野、《自立晚報》的吳三連，還有《聯合報》的王惕吾，也提倡正派辦報；就是《中國時報》的余紀忠，對於公益、環保、水利，也熱心護持。可以說，他們都是這個社會真正的中流砥柱，以文字主持公道的「筆陣群」，他們的功績不但流傳在社會，也深入到人心。甚至於世界上也有一

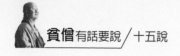

些報紙，如《紐約時報》、《洛杉磯時報》等等，他們的報導客觀，議論持平，對世界深具影響力，如果要頒發「普立茲獎」，這許多的報人，都可以成爲世間的典範了。

貧僧對媒體的尊重，在四十年前，就曾經想要舉辦類似「普立茲獎」的新聞獎，以鼓勵媒體人，但是有人怪說這是我們想要收買記者，所以後來就不敢進行了。

直到前幾年，因爲貧僧老矣，自覺對社會有義務、有責任，所以籌設了「公益信託教育基金」，並且設立了「眞善美新聞傳播獎」。爲了讓媒體都能走上眞善美的境界，我邀請高希均教授、張作錦先生等人做評審委員，給予優秀的記者獎助。現在已經六屆過去了，我從來沒有干涉過一件事，也沒有推薦過一個人，就讓高教授他們那一班委員公平公正地去審核。

爲什麼要設置這個獎項？主要的，是希望讓社會有公義、有公道，讓一些有爲的媒體記者，在這一個時代裡，能以他們的筆桿救國家、救社會、正人心，做爲社會的導師。

媒體重責 實行社會教育

現在台灣的媒體，從過去的社會新聞，到內幕新聞，到隨意報導，顚倒是非，造謠惑眾，這是台灣的命運呢？還是記者太過於要討好閱聽人尋求刺激的心理呢？

二十年前，有一次我跟隨團體到日本去參拜寺院。有一天，其他團員都出去了，我沒有外出，就在飯店裡。

無意間，我打開電視，見到兩位老教授，一位是中村元，另外一位已忘其名，他們正在對談生死問題。節目從八點鐘播放到十一點，中間沒有廣告，也沒有第三人出現在畫面上，就只是兩個人在那裡討論著生死，內容深入專研，讓人不禁動容。那一天，整個上午，不但讓我對於人生的去來有了更進一步的了解，身心的平靜、安詳、自在，更是至今難忘。

這就讓我想到，其實我們台灣的媒體，報導新聞也不需要那麼樣的緊張、那麼樣的急迫、那麼樣的激烈、那麼樣的聳動；反過來，能把這種優閒、安靜的知見，散播給社會，還可以說台灣的媒體不能救台灣嗎？

當然，我們都知道，現今媒體的經營，有它的困難；不過，世界上的媒體也都有國家給予補助，必須要幫助政府推行政令、改善風氣。既然報紙不必自立為生，它就應該和政府緊密合作，像學校教育一樣，對這個社會實行社會的教育。如何實行社會教育呢？報壞事，更要報好事；報壞人，更要報好人；報惡行，更要報善行。

我記得，美國聖地牙哥曾經有一條擱淺的鯨魚要野放，《中國時報》給予全版特寫，溫馨、可愛，至今多少年來，始終讓我難忘；過去台灣的紅葉少棒，震驚天下，《聯合報》的追蹤報導，也讓我感覺到，做一個台灣人真是與有榮焉。

假如說像這一類的新聞能再多一點，每天都有，或者對於小人物的行事，像愛心菜販陳樹菊、青年公益家沈芯菱、世界盃麵包大師賽金牌得主吳寶春等等好人好

大師帶領各媒體負責人於台北大安森林公園，發表「不色情、不暴力、不扭曲」的「三不」媒體淨化宣言。2002.9.1

事，能多給予報導，必然對社會人心的安定，能起到正面的作用。

社會和諧　訂定報導公約

我是國民黨的黨員，這我不否認，但我的想法是超越黨派的，覺得黨派可以為理念、為政見去爭取權利，但是不應該傷害人我的和諧。尤其我們不要讓台灣的媒體，成為政治人物利用的工具。現在每天打開報紙，一眼看去，全篇都是政治人物對他人不負責任的毀謗批評，很少有小民的故事。

實際上，我感覺到，在這一個社會裡，青菜蘿蔔的價格、牛奶麵包的品質，也都是與全民的生活有密切關係。假如媒體能把政治新聞減少到只有一、二成，讓全民的生活所需，在報紙上有廣大的篇幅報導，政治的衝突減少了，社會的和諧也就增加了，這不就是台灣得救的開始嗎？

我自己也知道，「真善美新聞傳播獎」聲音太小，

甚至於連我們國內的記者先生們，不知道有這一個獎項的，可能也大有人在。所以，我很願意讓媒體人自己組織一個公平公正的委員會，由委員會來主持頒發這一個獎項。我想，媒體自我自力自救、自我訂立公約、自我自立期許，也是重要的發展，假如有這樣的活動需要獎勵，貧僧也極願意支持。

像貧僧數十年來許多沒有說過的話，記者都說是我說的；不是這一回事的，也都說成這一回事，如同驢頭不對馬嘴。就舉一個例子說，最近山西運城關公像來到佛光山，我連雕像都還沒有看過，就有人說我因為關公沒有青龍偃月刀，拒絕接受；這個說詞不曉得從何而來？但是，像我們這樣一介小民，對於這許多事情，也只有徒嘆奈何了。

增正能量　發揚人美風景

所以，貧僧今日的微弱呼號，也不光是要記者們救讀者、救社會、救台灣。大陸的人民不是說嗎？「台灣

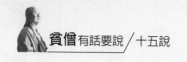

最美的風景是人!」對於台灣這個美麗的風景,我們的媒體又為什麼不藉機來發揚呢?

我曾在書上看過一個文人的小故事,說給大家自勉。故事這麼說:

有一次,閻羅王進行審判。首先,他說:「張三!你過去在人間造橋鋪路,行善積德,讓你再到人間做人!」接著又說:「李四!你過去殺人放火,判你到十二層地獄受苦五年!」「王五!你過去在人間詭計多端,陷人於不義,判你到十四層地獄受苦十年!」排列在最旁邊的是趙六,閻羅王毫不留情地出口就說:「趙六!你到無間地獄去吧!」

趙六聽了很不服氣,就說:「閻羅王,什麼人做了好事,你判他做人倒也罷了,但是那許多殺人放火、陷害於人的,你判他五年、十年,而我只是一個文人,寫寫文章,做做報導,為什麼你要把我打入十八層無間地獄呢?」

這時候,閻羅王就說了:「你身為文人,成天繪聲繪影,造謠生事,很多人就是因為看了你寫的文章,夫妻吵架、家庭不和、朋友絕交……,對今後的社會起了許多看不到的不良影響,所以你的罪過很嚴重,不墮無間地獄不行啊!除非等到你過去寫的文字在這個世間上消滅了,你的罪業才可以減輕。」

總之,我想,媒體要救台灣!台灣人民的心靈如果都能向真、向善、向美,大家不就都升天堂,不會下地獄了嗎?

詳實報導　秉持公平正義

　　佛光山所以今日能成為台灣佛教的重要道場，其中也有台灣媒體幫忙宣揚的助力；今日貧僧能小有名氣，為社會的公益盡一份心力，也是靠著媒體給我的鼓勵，才能成長。但是，不可諱言的，媒體加之於我們的傷害、冤枉也不少。

　　比方說，過去台灣的社會異議人士發動群眾包圍佛光山，在他的說法，是我們把路堵住不給村民行走。事實上，他指的那條路本來就屬佛光山所有。甚至我們為了方便村民通行，還特地開設了另外一條道路。偏偏他還是不認輸，硬是要說我們堵住民眾的去路。不得辦法，最後我們只有把土地所有權狀都拿出來給記者看。

　　萬萬沒想到，第二天報紙一刊登出來，說法竟然和我所說完全相反。我就質問那個記者：「昨天不是跟你講了，也給你看過了嗎？」他說：「我確實是照你所說的去寫啊！我不知道今天發表出來會是這樣。」

　　總說一句，媒體人不知道為社會小民伸張公平正義，民眾沒有獲得國家法律的保障，也沒有獲得社會媒體的護持，都是在委屈不平裡飽受壓力，連呻吟訴苦的機會都沒有。或許，這就是因為台灣到現在還沒有一份《更正報》的原因啊！

　　我對於媒體報導的詳實，有以下兩點建議：

　　第一點，要做雙面調查，不要輕易地給人加上一些罪名，真實的，就要據實報導，凡事一切都要讓它還原。希望媒體不要做「製造業」，要去解決問題，而不是再

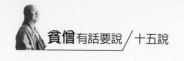

生出問題。

第二點，希望媒體人能多做一些功課、多承受一些辛苦、多培養一些素養，對一則新聞要能深入去了解，不要輕率報導。社會太多的不公不義，連空氣品質都不正常，大家呼吸到的不是新鮮空氣，又怎麼會有健康的身體、健康的社會呢？

我覺得，做一個媒體人，公平正義是基本的道德、條件。回憶起過去多少的報人、多少的記者，他們向權威挑戰，向危險去闖關，向真理去求證，所以到最後他們都成為一個名記者。

記者實錄 媒體能救台灣

在今日社會裡，我們報紙的讀者，文化水平還不夠，人文素養還不夠，記者負有教育的責任，要把每一位讀者都教育成國家優秀的國民。對此，記者們怎麼可以說媒體不能救台灣呢？

現在有不少媒體記者，喜歡站在先入為主的立場，對人做試探性的採訪。像是這一次尼泊爾大地震，有一個記者就來詢問我們佛光會的工作人員：「你們對尼泊爾大地震會怎麼樣救助？」

這個工作人員面對問題，倒也直率有理，反問他說：「這是你們做記者應該去了解的，救災人人有份，為什麼你們不去救濟，而要來問我們呢？假如這一件災情有牽涉到國際，你應該要去請教政府，如內政部，問他們應該要怎麼辦？或者詢問專業救濟單位紅十字會，他們

應該要怎麼辦？我們一個民間的小團體，就是救濟了以後，也會有一些報導批評，說我們什麼帳目不清、舞弊貪污、圖利錢財。做善事反受侮辱，我們也禁不起這種傷害，所以現在我們會自己去救濟，也不希望有什麼報導，我們隨心隨力，能做多少就算多少。因此你問我的話，恕難奉告。不過，社會的好事壞事，政府、媒體人和一些有心人士應該知道，人在做，天在看，你可能不知道，他可能也不知道，但是因果不會不知道。」

總而言之，讓我們對媒體建立起信心，認為媒體是公平的、公正的，讓媒體成為台灣人向真善美邁進的學習目標，這就是「媒體可以救台灣」了。

「媒體環保日」第一場座談會於台北道場舉行。左起柴松林、張作錦、高希均、大師、李艷秋、葉樹姍及林青蓉等與會。

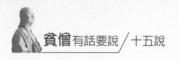

「第 6 屆星雲真善美傳播獎暨第 4 屆全球華文文學星雲獎」贈獎典禮。2014.12.7

真善美傳播獎暨文學星雲獎，大師頒獎給傳播貢獻獎得主李濤（左一）、
柴松林（左二）、柴靜（友人代領）及文學貢獻獎得主西西（友人代領）。2014.12.7

十六說

我主張「問政不干治」

我覺得為政之道，
是要包容、和平、尊重、平等，造福全民；
所謂中華文化中，
「王道」比「霸道」重要啊。

知道貧僧的讀者們，除了知道我有很多的名字以外，我還有一個名字，就是許多人稱貧僧為「政治和尚」。「政治和尚」這個名詞，我也非常不喜歡，因為貧僧從小出家，一生也沒有做過官，也沒有受過政府的津貼，甚至我和政府官員之間，偶爾接受他們的訪問以外，也沒有太多交往，我為什麼要被冠上「政治和尚」這個名詞呢？

政治，不是什麼不好，有名的政治家，像英國的邱吉爾、美國的林肯、羅斯福、德國前總理柯爾，他們為國家服務，為人民謀求福利，功在人間。也有一些政客利用權力，圖私為己，國家、人民都不放在心上，當然就不可以稱道了。

政治和尚　百思不得其解

說我是「政治和尚」，我是政治家呢？還是政客呢？屬於文官？還是武將呢？我有參加過什麼政治運動嗎？我百思不得其解。會有「政治和尚」這一詞，大概由於我曾經是國民黨的黨員；我自己也不知道什麼時候被任命為國民黨的「黨務顧問」，我沒有接過一份聘書，也沒有一個人轉告我是黨務顧問。後來，我又做了國民黨的「評議委員」，我也沒有接到什麼人的通知，也沒有收到聘書，只是在報紙上，看到國民黨人事中央評議委員名單中，有「星雲」兩個字。既是國民黨的黨員，國民黨給我什麼名義，我也不能推辭否認了。

說起了貧僧做國民黨的黨員，在十八歲的那一年，

中日戰爭結束，國民黨和共產黨抗戰勝利，在我們佛學院的講師名單中，有一位講公民課的老師，口才相當，雄辯滔滔，非常受我們同學的敬重。有一次，他叫我們全體同學都參加國民黨，做國民黨的黨員。我也不知道做一個黨員，會有什麼權利、盡一份什麼義務，他只是發給每一個人一張黨員證書。

但當我回到祖庭大覺寺禮祖的時候，有一天，代表師兄到祖庭百里外的一戶人家做功德佛事，走在一片荒野山區，忽然想到，國民黨、共產黨的人士經常在此活動，我身懷國民黨的黨員證書，假如給共產黨知道，小命就不保了啊。於是，就把這張黨員證不放在身邊的口袋裡，而插在鞋子的旁邊；因為要走一百多里路，等到做完佛事回到祖庭，再看看這張黨證，已經磨成麵粉的樣子了。我心裡想，這樣也好，我是出家人，「本來無一物，何必惹塵埃」呢？

當我二十三歲到了台灣，一、兩年後，那時，國民黨有「黨國元老」之稱的李子寬老居士，他曾經和太虛大師、章嘉活佛三個人共同列名抗戰勝利後的「中國佛教會整理委員會」委員，他就對我們說：「你們法師，要想在台灣弘揚佛法，不給政府認同，恐怕難以活動，我勸你們，統統參加國民黨做黨員吧！」

那時候在台灣，因為蔣夫人（蔣宋美齡）是基督教徒，她的教性非常堅強，所有的公務人員，不改信基督教，難以升官，不改信基督教，難有出國訪問的機會。甚至，我們出家人要想在各地傳教，如果不是國民黨的

蔣經國總統於總統府接見大師。1979 年

黨員，警察也不會允許。

在那時候，貧僧非常熱心要弘揚佛法，想到我若不做國民黨的黨員，事實上會有弘法的困難。因為他叫李子寬，我稱呼他「子老」，我就說：「子老，出家人做黨員，也不能去為黨服務，光有一個黨的名義，反而給人見笑，可否讓我們不要參加國民黨的小組會議、不要叫我們繳交黨費，也不要給人知道我們是黨員；至於我們在台灣弘揚佛法，在國民黨政府領導之下，我們就隨政府安排了。」後來一、二十年當中，我也沒有參與什麼會議，偶爾，在鄉村弘法布教，讓警察知道我是國民黨黨員，確實也得到方便不少。

貧僧建言 獻良策給國家

一九八六年，國民黨召開「三中全會」，蔣經國先生做總統，指名要貧僧出席，並且要在會中發表講說，

大師與郝柏村將軍。2010.12.6

我才感覺到有些緊張，不知道要說些什麼才好。記得會議是在台北陽明山中山樓召開，先是由祕書長馬樹禮先生報告政治，後來由國防部長郝柏村先生報告軍事；這時候，有一位先生送來一張紙條給我，「主席（指蔣經國先生）要你下午發表意見。」

既然要貧僧發表意見，我一個出家人不能妄語，不能只是歌功頌德，我應該直接把我的意見說出來，要對當時的國家社會有所貢獻。於是我提出幾點建議：

第一，我希望政府開放，讓台灣的大陸人士能回到大陸去探親。因為我們在台灣這麼多年，有家難歸、有親難投；尤其一些老兵，思鄉情切，我們不能為了兩岸的戰事，使得很多的百姓家不成家、人不成人。

第二，我希望國民黨要開放，不要只有一黨專政（那個時候還沒有民進黨）；對於黨外異議人士，例如高玉樹、邱連輝等，要能給予接納包容。因為黨外人士也有很多

馬樹禮先生（右）與辜振甫先生

有為之士，不予任用，甚為可惜。假如讓他們加入政府的陣容，更可以顯見政府的力量。

第三，我希望讓佛教來辦一所大學。因為在台灣，天主教辦有輔仁大學、靜宜大學，基督教辦有東吳大學、東海大學等；在東南亞，那麼多的佛教徒感覺到台灣沒有一所由佛教辦的大學，實在讓他們心有不公不平之感。

第四，我希望國家要發展體育。因為在國際間，像少棒、青棒為國家帶來多少的榮譽；現在也不是以戰爭為主，兩岸可以從事和平發展，在體育上競賽。現在不少人都提出，以「三民主義」的自由、民主、均富統一中國，那也不必要戰爭。我們把戰爭浩繁的支出，用來發展體育，可以揚名國際……。

至於，還有一些什麼建議，我也記憶不清了。不過，這一段講話，第二天被刊登在《中央日報》第一版。後

來有人告訴我，這段講話的記錄，在國民黨的檔案裡也有存檔。那天郝柏村還對貧僧說：「今天，包括馬樹禮，我們三個揚州人都講得不錯。」其實，我自己對黨政外行，也不是要做官揚名立萬，只是說了心中的感言，希望國家、人民、佛教都有所增益，希望未來更好。

關懷社會 乃佛教徒責任

後來，據聞蔣經國先生有所改變，陸續開放大陸探親、解除戒嚴，並且有人告訴我：「你一個和尚，都希望如此，他當然有所裁決。」我們知道蔣經國先生不容易聽信部下的建議，因為我是一個和尚，不是他的什麼部下、官員；當然，和大陸往來，我不敢居功，也非我個人的能力所及。

之後，國民黨成立了「三民主義統一中國」的組織，我被推為常務委員，記得和前海基會董事長辜振甫先生，還曾經一同開過圓桌會議。後來，對貧僧被譽為「政治和尚」一詞，在報章雜誌上就屢見不鮮了。當然是譽少謗多，批評我的人都說，我是和尚還要參與政治嗎？我對於這句話一直耿耿於懷，不以為然。因為政治我們可以不參與，但是對於社會的關懷、人民的富樂，我們佛教徒不能置之度外。

太虛大師在抗戰勝利初期，據聞蔣介石曾經要求他組黨，他推辭以後，提出一個佛教今後對政治的主張：「問政不干治」。我對太虛大師的高見，舉雙手贊成。因為我們出家人做官，當警察局長、當什麼縣市長，這就不

太虛大師

便了。不過，一些民意代表，如：立法委員、國大代表、監察委員等，這個應該要義不容辭的參與。對治理國家有關人民幸福的事，不能不問，所以這「問政不干治」的理想，大概就在此吧！

甚至後來我到高雄壽山寺的時候，已經民國五十年（一九六一）了。在國民黨高雄市黨部擔任主任委員的季履科先生，曾經要我競選高雄市的立法委員。當時，我已經看出台灣的選舉，不是選賢與能，完全是謾罵。我想到，假如我個人參與選舉，祖宗八代拿出來被人羞辱也還罷了，把我的教主佛陀釋迦牟尼佛，也拿出來被人辱罵，實在是划不來。因此，我就敬謝不敏了。

雖然如此，貧僧這一生，雖不想做官，也不想做民意代表，但對於社會的公平公義，有時候不能不參與意見。

我是一個普愛世人的出家人，不應該對這個世間有

皇帝與僧人
（高爾泰／蒲小雨 繪）

黨派的觀念；我做和尚，終生不悔；我做了國民黨黨員，
也是終生不悔。雖然國民黨對過去政治犯的殘忍屠殺、
對異議分子的冤屈，踐踏人的生命，我是深不以為然；
但是，國民黨對我的寬容，雖有白色恐怖時期，我還能
在那個亂世時代保住小命，也算不容易。

　　但貧僧對於台灣媒體的一些人士，動不動就批評說：
「出家人還要干預社會？還要參與政治？還要表達意
見？」對於他們這種說法，我深表不認同。出家人要當
兵，也繳稅，出家也沒有出國，為什麼不可以關心國事
呢？至少說，我是一個沒有犯法的公民，我不是被褫奪
公權的受刑人，我不能關心國事嗎？我不能對社會人民
的福祉表達意見嗎？那貧僧做為出家人，普愛世人的責
任，究竟在哪裡呢？

　　我想到，我沒有被褫奪公權，我們的媒體和民間的
一些人士，你們就這樣殘忍的剝奪貧僧公民的權利嗎？

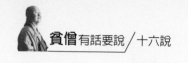

是你們無知，還是你們不懂得民主自由的眞義呢？

不依國主　佛法難以廣傳

想到我們的教主佛陀釋迦牟尼佛，在成道以後，經常受印度的國王問道。例如：印度南方摩竭陀國的頻婆娑羅王、北方憍薩彌羅國的波斯匿王，都經常的向佛陀請問一些治國之道。佛陀對政治，曾經發表過《仁王護國經》，也倡導仁王政治，他並沒有說佛教不可以關心世事。

我在撰寫《釋迦牟尼佛傳》的時候，曾經寫到，雨舍大臣奉阿闍世王的命令，要去向佛陀請問他要討伐越祇國，能否打勝仗呢？雨舍大臣見到佛陀，很難啓口。但佛陀知道他的來意，就跟阿難尊者說：阿難，我有一個問題問你，假如一個國家教育昌明，社會倫理敦厚，父慈子孝，上下和睦，人民重視道德，守法守紀；你說，如果有另外一個國家要去侵略它，會能勝利嗎？

阿難尊者回答說：佛陀，侵犯這樣的國家，是不會勝利的。

雨舍大臣聽了以後立刻起身告辭，他說：佛陀，我了解您的意思了。

佛陀沒有逃避，他也是「問政不干治」。佛陀雖然把佛教護法的責任交給王公大臣，但也是讓政治界保護佛教，佛教擁護人民，擁護社會國家。

佛教傳來中國，當初五胡十六國的石虎、石勒濫殺民眾的時候，不就是靠佛圖澄大師顯現神通，感化他們，

才減少許多殺業嗎？他拯救了多少萬千蒼生，後來二石還禮佛圖澄作老師，時常向他請教國家大事。

東晉道安大師說：「不依國主，則佛法難立。」說明佛教與政治是互惠的，佛教擁護國家，兩相受利。但是到了道安大師的弟子廬山慧遠大師，曾在〈沙門不敬王者論〉裡說過：「袈裟非朝廷之服，缽盂豈廟堂之器？」這也只是說明：宗教要超越政治。

官員一時 和尚則是一生

有一些所謂有修行的聖賢，他們對於世間俗事不願意聞問，所謂「不在三界內，超出五行中」。但是每個時代都有不同的文化，當佛教在衰微危急之秋，如果說不再服務社會、關心時勢，不是要自取滅亡了嗎？

所以，太虛大師不愧是當代新佛教的領導人，他倡導佛教要改革，即「教義改革、教產改革、教制改革」，並且提出「問政不干治」的指導原則；我想全佛教徒都會奉為圭臬，大家多關心國際民生、多關心人民的幸福，而不是去從事治理的工作。我覺得當代有知識的人士，應該尊重佛教徒已經放棄治國的權力，但是不能叫他放棄關心人民的福祉。

貧僧一生中，雖沒有像慧遠大師「沙門不敬王者」，但是，我和王者、政要來往都毫無所求。佛光山當初啟建的時候，因為得罪當時的地方首長，他不給佛光山寺廟登記，一直等到十年以後，他下台了，我才領到佛光山的寺廟登記。我也很自豪的說，你做政府的官員，縱

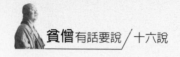

然選舉當選，總有任期，無論四年、八年，你總不能終生擔任官職吧！可是我做和尚是一生的，我以一生的歲月，跟你的政治生命相比，我比較穩操勝算。

佛光山啟建，雖然我們也辦了多少文化、教育、社會福利的事業，但我們沒有求助政府給我一塊錢的補助，為什麼？因為我有我的人格，我有我的想法。所謂「大丈夫達則兼善天下，不達則獨善其身」，我抱著這樣的原則，等於佛陀「有緣佛出世，無緣佛入滅；來為眾生來，去為眾生去」，我既是佛門弟子，有什麼不能效法佛陀的行為呢？

一生不變　說我是中國人

台灣，從專制的時代，到現在實施自由民主的制度，這是很可貴的；可惜，制度雖好，思想觀念不改變，削足適履的自由民主，總有一些不合時宜。例如，貧僧初到台灣，就參與了台灣的民主選舉，最初五、六十年前，還會喊出「選賢與能」的口號，頗有堯舜的謙讓精神；後來每況愈下，就經常傳出選舉賄賂、買票的情況，醜化對手的言論。

記得有一次，陳武璋參選高雄市長選舉之後，他的總幹事洪地利議員，送了競選後剩餘的經費，說要捐給壽山寺，我也不肯接受。我一生沒有給政治人物捐款，也沒有收過買票，當然也不接受政治人物給我的捐助。洪先生就說：「這是選舉剩餘的錢，你接受，應該沒有關係。」我說：「洪議員，你知道，這個錢如果收下來

一次，是關係我一生理念和名譽的關鍵啊！」他終於才把錢收回去。那就是貧僧做人的準則。

至於有人說在美國有所謂「政治獻金」事件，在美國，政治獻金是合法的，每一次選舉，政府允許人民可以在有限的範圍捐獻一些金額。我們要在美國生存，要弘法利生，有什麼不能跟美國人平等行事呢？

我們佛教徒也是社會的一分子，雖然只是一個平民百姓，既然是民主社會，當然也具有神聖一票的權利；但是，每當選舉，出家人去投票，總要受到媒體的冷嘲熱諷，這種歧視宗教的行為，是不懂得民主的真義呢？還是自由民主的墮落呢？這實在是今日台灣的政治人物和全民都應該深思的地方。

現在，台灣的國民黨承認「中華民國」，民進黨不承認「中華民國」，但是他每次又要參與選總統，究竟他參選的是哪一個國的總統呢？我曾坦誠的說，我是中國人。因為我是哪裡人是改不了的，但每當我說我是中國人，總有人批評我不對。那麼，我不是中國人，我是哪一國人呢？我是日本人嗎？我是美國人嗎？難道要讓我做一個無國籍的世界難民嗎？

我覺得為政之道，是要包容、和平、尊重、平等，造福全民；所謂中華文化中，「王道」比「霸道」重要啊。

總說一句，我是一個和尚，我做過國民黨的黨員，我是中國人，這是貧僧一生不能改變的。這也是我的理念和信念吧。

佛光山佛陀紀念館佛陀行化圖，佛陀為雨舍大臣說治國七法。

十七說

神明朝山聯誼會

你歡喜的、你信仰的，
　他就是最偉大。
宗教只要「同中存異」，
　不必「異中求同」。

貧僧是佛教徒，但我並不排斥其它的宗教，因為不管什麼宗教，所謂信仰都是代表自己的心，儘管人不同，信仰的對象不同。其實，人心要有信仰，這是都一樣的，你相信土地公，你的心就是土地公；你相信城隍爺，你的心就是城隍爺；你信仰耶穌，你的心就是耶穌；你信仰媽祖，你的心就是媽祖；你相信佛祖，你的心就是佛祖。

記得二○○○年的時候，貧僧到澳洲弘法，有一位參議員羅斯先生（Ross Cameron）問我：「你覺得世界上哪一個宗教最偉大？」我說：「你歡喜的、你信仰的，他就是最偉大。」他一聽哈哈大笑，豎起大拇指，認為我說得很對。信仰，不必輕視別人，你尊重別人的信仰，別人也尊重你的信仰，各信各的，不必要統一。

在一九八九年，《聯合報》邀請我和羅光主教在台北舉辦一場「跨越宇宙的心靈」座談辯論會。其時，羅光主教和我相識已久，雖然彼此信仰不同，我們從沒有為宗教辯論過。記得有一次他到佛光山來，那時候佛光山才剛開山不久，連客廳都沒有，我就和他在香光亭邊上，一談就是幾個小時。

各說各的 天主佛陀各表

在這活動開始前，我就問他：「主教，我們等會兒怎麼辯論呢？」他還是比我經驗老到，回答說：「各說各的。」我覺得他這句話回答得真妙。實在說，宗教就是各說各的。

大師與羅光主教

　　不過當然宗教也有不同。有一次，天主教在台北公署召開宗教聯誼團拜，參與者大約三百餘人。因為都是各宗教界的領袖與會，為表示友好，大家都講「三教一家」、「五教同源」。那一天，剛好羅光主教擔任主席，要我做主講，我就悄悄的問他說：「假如說一個神壇上面，有城隍、有媽祖、有觀音、有耶穌，你拜得下去嗎？」他說：「我拜不下去。」

　　建立宗教的條件有三寶：教主、教義和教徒。宗教的教主不要把他同放在一起，好比你有你的爸爸，他有他的爸爸，各有各的爸爸不同，何必要把爸爸都放在一起，讓你的爸爸和我的爸爸都分不清楚呢？可見得，所有宗教只要「同中存異」，不必「異中求同」。

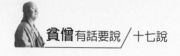

宗教的教義也不同。像基督教都教人「信得永生，才能得救」，佛教禪門教人「起疑」才能開悟。所以，宗教的教義各有主張不同，也不必彼此計較。但宗教的教徒可以相互來往，這應該是很正常的。

天龍聞法　眾生皆有佛性

佛教的教主釋迦牟尼佛，他是人，不是神。神權是要講究權威的，風神、雨神、雷神、電神、山神、水神，各有祂的特性。世界上的神仙，正直者爲神，否則就爲鬼，鬼就等而其次了。但是在台灣拜神，也拜好兄弟（鬼）。在佛教裡講六道輪迴，天神比人高，人比其他的地獄、餓鬼、畜生要好。但是天人之上，還有天人師，那就是菩薩和佛祖了。因爲他超越神仙六道，他斷除煩惱、了脫生死，已經不在六道之內，所謂「超出三界外，不在五行中」。

佛陀也不排斥神明，過去每次講經的時候，都有八部大眾：天、龍、夜叉、乾闥婆、阿修羅、迦樓羅、緊那羅、摩睺羅伽都一起出現，可見佛陀眞正是在倡導眾生平等，一切眾生皆有佛性。

在我們中國古老的傳說，神比仙高。所謂神仙世界，神仙以外，就是妖魔鬼怪，那應該就不在信仰之列了。

貧僧和天主教的樞機主教單國璽，有四十多年的交誼，他在罹患癌症之後，寫了一本書叫《生命告別之旅》，在台北舉行新書發表會時邀我前往參加。我出席的時候說，因爲單國璽樞機主教是河北人，是黃河的水，滋養

他成爲天主教的樞機主教；我是江蘇人，揚子江的水，也滋養我成爲現在佛教的僧侶。我希望樞機主教來生還是做天主教的樞機，我還是做佛教的和尚，應該都沒有衝突。

聯合祈福　益顯信仰善美

又如美國的丁松筠神父也曾對貧僧說：「星雲大師，假如你出生在美國，可能就是我們美國一個優秀的神父；假如我生在中國，也可能是中國一個發心的和尚。」我覺得這許多宗教人士的開明，實在是很可喜的現象。

陳水扁擔任總統後，台灣一共有十七、八個宗教，他邀我擔任宗教委員會的主任委員，我就請簡志忠先生擔任祕書長。好多年來，我們各宗教代表在台北國父紀念館、板橋縣政府大禮堂等，元旦新年都會舉行「音樂祈福大會」，爲國家人民祈福。這眞是很美好的人我關係和宗教聯誼。

二○○一年美國「九一一事件」中，恐怖分子撞毀了紐約的雙子星大樓，當時紐約人士希望佛教界也在那裡爲死難者祈福超度。貧僧在祈願的時候就說：「今天，在這裡受難的人民，有天主的信徒，有耶穌的信徒，有佛教的信徒，有穆罕默德的信徒，甚至還有好多宗教的信徒，希望佛陀、上帝、耶穌、穆罕默德，您們要各自加被信仰您們的子弟，讓他們能可以得到您們的加持，獲得冥福。雖然死於災難，卻能獲得一個幸福的未來、美滿的歸宿。」

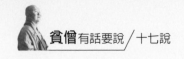

尊重為先　泯除分別對立

　　貧僧在台灣六十多年，我最感謝的是宮廟的一些負責人，讓我在城隍廟、王爺廟的廣場上弘法傳教，大家也不以為忤。可見得他們都是認同佛教，彼此一家親。在北港媽祖宮前的宗聖台上，媽祖宮的主持人也多次邀請我在那裡宣講佛法，理事長郭慶文在四、五十年前，要我為媽祖做一首歌。後來他雖然逝世了，我還是把〈媽祖紀念歌〉完成，以對朋友表示對承諾的負責，也告慰他的在天之靈。

　　此外，對於每一間媽祖廟的後殿都供奉觀世音菩薩，我覺得那是信仰媽祖的信徒對觀音菩薩的尊重，也顯得媽祖對他過去信仰的觀世音，沒有忘本之義。

　　貧僧還在佛學院的時候，每次做早課念到「三世一切佛，阿彌陀第一」，就深不以為然。阿彌陀佛第一，難道是釋迦牟尼佛第二，還有什麼佛第三、第四嗎？後來才知道，在阿彌陀佛的地方——念佛堂，當然講阿彌陀佛第一，在大雄寶殿裡就是釋迦牟尼佛第一。同樣的，在教堂裡，就是耶穌第一，在城隍廟裡，就是城隍爺第一，所有我們信仰的對象，都應該尊重他第一。就例如，一盞燈光亮起來了，你再點一盞，也不相妨礙。所以，在經典裡又說「佛佛道同，光光無礙」，我們信仰的對象，應該他們是沒有爭執的，我們信徒何必要自設立場相互對立呢？

　　五十年前，開始建佛光山，就有一些信徒抬著他們的神明，到佛光山大雄寶殿來拜佛，他們說，這是神明

叫他們來拜的。有的白天來，但有的半夜來，他們很計較這個時間。神明來大雄寶殿的時候，他們的神轎都會上下搖晃起舞。我記得那時候的香燈師依靜法師來跟我投訴，他們的樣子實在難看，應該不要准許他們進入大雄寶殿。

貧僧就責怪他，人都可以拜佛，神明為什麼不可以拜佛呢？神明拜佛就是抬轎的人起舞，這有什麼奇怪？其實，人拜佛，有人拜佛的樣子，神拜佛，也有神拜佛的樣子，你何必要那麼計較呢？所以，佛光山我們代表佛教，也包容神明，成為一家。

神佛友好 聖嬰同來赴會

佛陀紀念館於二○一一年落成以後，就不斷的有神明來參拜，因為佛光大佛坐像高度有四十八米，連基座佛光樓，高度共一○八米，可以說是世界上最高的銅佛坐像。所以，那許多神道教信徒，抬著神明來朝山的時候都說：「我們來拜老大了。」這許多神明的信徒也真可愛，從他們的口中說，禮拜佛陀叫做「拜老大」，雖是江湖口吻，但鄉土的氣味非常濃厚，也顯得親切。

確實也不錯，過去這許多神明，如：仙公呂祖就是拜黃龍禪師為師，關雲長曾在呂蒙旗下遇難之後，神魂不散，天天叫著：「還我頭來！還我頭來！」後來遇見天台山智者大師跟他說：「你過去斬顏良、誅文醜，他們的頭你又怎麼還呢？」關雲長因此覺悟，就皈依了智者大師。像媽祖林默娘就是觀世音菩薩的信者，民間有

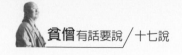

名的清水祖師也是一位出家人；北港媽祖的聖像，還是樹壁禪師從福建背到台灣來的。

因此，貧僧曾和這許多神道教的信徒說，佛道自古以來好像兄弟，雖有吵吵鬧鬧，大家還是相親相愛。這許多神明最初來朝山的時候，貧僧還給他們一個紅包結緣，或者一片薄薄像紙一樣的金牌，表示歡迎的意思。

後來，神明愈來愈多，這兩、三年，上千尊的神明相約在每年十二月二十五日行憲紀念日當天，也是耶穌教的耶誕節，來佛光山朝拜佛陀，作為各神明聯誼的日子，連菲律賓天主教的聖嬰、湄洲的媽祖、上海的城隍爺都來參加熱鬧。那一天，千位神明為萬千的信徒圍繞，在佛陀紀念館大覺堂和菩提廣場，或翩翩起舞、或者歡

喜歌唱，眞是不亦樂乎。讓人讚歎宗教界的團結和諧，猗歟盛哉，多麼美麗的台灣！

　　因此，就有聞現在聯合國發出聲音說，台灣宗教這麼多，都沒有鬥爭，相互來往，眞是一個民主先進的地方。台灣「美麗寶島」的稱謂，也不是浪得虛名，從宗教聯誼上，可以昭告世界，在我們的台灣，大家在宗教裡團結，友誼交流，眞是可以成爲世界的範本。

傳統宗教　聯合成立總會

　　有感這樣的情況，貧僧就提議不如聯合成立「中華傳統宗教總會」吧！希望藉著總會組織，和正信宮廟及信徒往來，達到宗教融和、社會和諧的功能。於是，在

中華傳統宗教總會籌備會，王金平（前排右起六）出任總會長。2014.12.24

二〇一四年十二月二十四日，於佛光山雲居樓先召開籌備會。承蒙立法院院長王金平前來主持，和數百位宮主、董事長等都來參加，雖然還沒有正式成立，大家就一致響應，並推選王金平院長擔任總會長，副總會長由心保和尚、立法委員許添財、北港朝天宮董事長蔡咏鍀、行政院政務委員楊秋興擔任。

後來又邀請高雄市長陳菊做首席顧問，慈容法師擔任監事長，陳嘉隆擔任祕書長等。經如常法師向內政部申請，現已通過立案，將在今年六月初舉行成立大會。

日前，聽徒眾告訴我說，高雄內門兩百多年「羅漢門迎佛祖」遶境活動，被選為國家重要民俗，我們也期待一年一度佛陀紀念館的神明朝山聯誼會，一起為我們國家社會展現多元文化、宗教融和的寶貴資產。

過去，佛教原本就有護法伽藍、韋馱天將二位護法，都是武將。現在，在佛陀紀念館有山東曲阜的至聖先師孔子，和山西運城的關聖帝君關雲長，我們也特地建了「文殿」、「武殿」供奉，表示四塔的四大菩薩與文武聖者，大家聯合共存。

在佛陀紀念館菩提廣場上，還有八宗祖師，一邊是行門：禪、淨、律、密的祖師；一邊是解門：華嚴、天台、三論、唯識的祖師。此外，貧僧為佛教倡導男女平等，也在十八羅漢裡，羅列了三尊女羅漢。

佛陀在悟道時發出的第一句宣言是：「大地眾生皆有佛性。」一切眾生都是平等，互相尊重，互相包容，互不侵犯，那才能達到世界和平哦。

佛陀紀念館武殿伽藍尊者－關聖帝君

佛陀紀念館文殿至聖先師－孔子

佛光山佛陀紀念館世界神明朝山聯誼會。2014.12.25

十八說

我的小小動物緣

「無緣大慈，同體大悲」的根本教義，
就是佛教尊重眾生，
重視生權的最佳詮釋。

人，是動物，但是與其他動物又不同。人，頭朝天、腳朝地，所謂頂天立地，在有情眾生的世界中，只有人具備這個條件；其他的豬馬牛羊、魚蝦貝類，甚至鳥雀飛禽，都沒有頭朝天、只有背朝天，可見人是萬物之靈。所以人有智慧、有信仰、有文化，有慈悲博愛、有文學哲學，因而發展出人類最高的文明。但是最高的人類，也不能脫離眾生萬物，獨立存活。

　　佛教對於生命界規劃為「四生九有」。這四生當中，有兩隻腳、四隻腳、多隻腳的；有的居住平地，有的居住山林，有的居住海洋。然而，眾生不只胎、卵、濕、化而已，佛法所談的一切眾生，範圍極廣，此處就不去談它，只談與我們接觸最多的胎、卵、濕生，也就是一般我們常見的動物們。

慈悲呵護　缺嘴雞能生蛋

　　一般而言，有人喜歡養狗，有人喜歡養貓，有人喜歡飛禽，有人喜歡魚蝦，不過這些動物能成為人類的寵

　佛光山佛陀紀念館的五色鳥　　　　　　　　　　　佛光山護生園區的琉璃金剛鸚鵡

物，必定在性格上與人有所交流相通，所以人類才會喜歡牠們。

我們在報章雜誌上看到，歐美地區有很多大富豪，離世的時候，他請律師將自己幾千萬的遺產，交給他所養的寵物，譬如豬馬牛羊，他想供養豬馬牛羊，使其有快樂的一生。這讓我想到，佛教裡有個「福慧雙修」的故事，說到一個修行人，只修智慧，後來證得阿羅漢，卻沒有人供養他的生活；他的師弟，只重修福，轉世為一頭大象，在皇宮裡吃好穿好，披金戴銀，這個阿羅漢見到了，就感慨說：「修慧不修福，羅漢應供薄；修福不修慧，大象披瓔珞。」可見得這世間的眾生，是各有福德因緣。在此，我也把我有生以來的動物朋友，敘述一下，以茲紀念。

我父母生養我，讓我一直最感念的，就是他們培養我有愛心、有慈悲的觀念。從小，我就愛護小動物，例如蚊子咬我，我會捏住牠的腳，一分鐘後放了走，以此當作處分，不像別的兒童一巴掌就將牠打死，我覺得蚊

蝴蝶　　　　　　　　佛光山素食動物園的白孔雀　　243

子吸你一點血，你卻要牠一條命，刑罰太嚴，牠罪不至死啊。

記得在我五、六歲的時候，用節省下來的壓歲錢，買了一、兩隻小雞小鴨，自己養育牠們。曾經有隻小雞，在雨水裡淋濕了羽毛，我於心不忍，就把牠放到灶門口，想將牠的羽毛烘乾，想不到牠可能因為受到驚嚇，竟然往火裡跑，我也不顧危險，把手伸進火堆裡將牠抓出來，奈何牠的腳爪已經燒壞，嘴也只剩上喙，下喙全燒掉了。

那一次我也受了皮肉之傷，一直到今天，我的右手指甲還留下燒扁的痕跡。嚴格來講，這個小生命無法存活了，因為牠只剩半個喙，沒法吃東西，但我不肯放棄，就用茶杯裝滿小米，每天一口一口耐心地餵牠。當然，這需要很多時間，很大的愛心才能做到。記得一、兩年後，這隻不到一斤重的殘障小雞，竟能生蛋了，雖然只有鴿蛋一般大小，但我覺得很有成就感，可說是慈悲愛心的成就。

為鴿贖身 傷心淚落江邊

當時，在我們貧苦的家庭裡，狗兒只准許吃晚上一餐，早上中午都不給吃，但是我幼小的心靈裡，認為人吃三餐，狗為何只吃一餐，難道牠們不餓嗎？我認為既然養了牠就要愛牠，人肚子餓了會講話，但狗不會講話，必須靠我們用心去體貼牠們。但每次我想弄飯菜給狗吃的時候，家裡的大人都責怪我：「人都不得吃了，你還要給狗吃！」被人責怪後，我也不敢在大人面前肆無忌

憚做我想做的事，只有在吃飯的時候，把我的飯碗端起來，往外走開，狗都知道跟隨我，到了外面，我就把飯倒在地底下給狗吃，讓家人以為是我吃的，與狗無關，以減少他們對養狗的責備。

我慢慢到了八、九歲後，養小雞小鴨已覺得趣味不高，只想養鴿子，因為鴿子可以在天空翱翔，把牠放得很遠，牠會再飛回來，就好像自己的人生也在空中飛翔，何等逍遙自在。

但有一次，有隻鴿子被人家的鴿子拐去了，我知道就在距離家裡不遠的地方，就去跟對方相討，但討不回來，對方一定要我出錢跟他買，那時我哪有多餘的錢可以買鴿子？記得我就跟母親哭訴，請她給我三十幾個銅板，讓我把鴿子買回來。母親當然不肯，一隻鴿子要花我那麼多錢，她無法答應。當時我心裡著急，就不願活下去，跑去投水自殺。

不過我因為從小出生在揚子江邊，三、四歲就在水裡玩耍，水性很好，從此邊跳下去，又從那邊爬起來，當然水沒有淹死我，只有爬上對岸，坐在岸邊哭泣，一邊喊著：「我的鴿子啊，我的鴿子啊……。」

這些往事，就是說我在童年時，對動物有一點愛心。例如：一隻蜻蜓、一隻蝴蝶、一隻蟬，別的兒童都用線把牠的腿扣起來，在嬉鬧中將牠玩弄至死。但我不會，我也喜愛牠們，但不會虐待牠們，一般我會把牠們放在盒子裡，想辦法餵牠、養牠，如果牠不肯吃我的東西，只有把牠放了。我只覺得既然愛護牠，就不能讓牠受苦

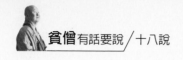

受委屈。好比一條蚯蚓在路上,我一定把牠弄到草地上,不讓牠給人踏死;一隻蝸牛在路中,我也會把牠移至邊緣地帶,避免牠無端給人踩踏。

猴子逃跑 真情呼喚回籠

我從小對動物都不是寵愛,但就是懂得愛惜生命、保護生命。在這樣仁愛的性格中,我慢慢的成長。當然出了家以後,我自然地也懂得愛人、愛眾、愛團體、愛國家,可是我漸漸知道,佛門裡反對談情說愛。其實,愛有污染的,也有清淨的,我對於男女愛情,有些到最後因愛生恨而置人於死,不免感到可惜。既是愛,就應該犧牲奉獻,不應該強制占有對方的生命。我覺得諸佛菩薩便是以「慈悲」來愛護眾生,因此我把慈悲當作愛的昇華、愛的擴展,還曾發表〈佛教的慈悲主義〉,說明慈悲是不要報酬、不要回饋,只是盡我的心力為你服務。它集合了愛心、智慧、願力、布施,是成就對方的一種願心,所以說慈悲沒有敵人。

從大陸到台灣後,有幾年因為落腳在人煙稠密的地方,例如:新竹、宜蘭,當時的條件,人都不得地方住,就更談不上動物的豢養了。有時,走在河邊看到魚躍,或到郊外見到空中飛鳥,心裡總想:假如我是水裡的魚,我要游遍五湖四海;假如我是空中的飛鳥,我要飛遍世界五大洲。我覺得魚鳥有牠們寬廣的世界,從某些地方看起來,人類並不如牠們自由自在。

後來在宜蘭辦了幼稚園,有人送我一隻小猴子,想

藉此吸引兒童注意，減少兒童哭鬧的情況。贈送我猴子的人，一再警告我不可以給猴子喝水，否則牠會長大。我覺得不給水喝實在是虐待動物，因此決定還是給牠水喝。

不料，牠真的長成龐然大物。有一天我正在打佛七，帶領幾百人在佛堂念佛，慈惠法師當時是幼稚園園長，他忽然在外面大叫：「不得了囉，猴子跑囉，跑到對街房子的屋頂了！」因為這隻猴子長大之後變得很凶猛，對人有攻擊性，我就很掛念牠傷害到路人。

那時我與牠已很久沒有來往，但在那個緊急狀況，不得辦法下，我站在這頭路邊，對著高樓上的牠大叫：「下來！」

其實，我心裡也沒有十分的把握，但牠聽到我這一聲，竟然垂頭喪氣下樓來，我看住牠，牠也真的乖乖地回到籠子裡。牠這個動作，讓我感覺到動物的靈性，雖然那陣子牠已轉由別人照顧，就因為有一點從小養牠的因緣，也算是給足我面子了。

狗送他寺 多年相見熟稔

之後，我到佛光山開山，育幼院養了一條叫黑虎的土狗，因為叫聲大、又會咬人，佛光精舍的老人聽到狗叫而影響睡眠，一定要我把狗送走，我說這是育幼院小孩喜歡的狗，送走了小孩會捨不得，他們說如果不把狗送走，就要到法院告我，說我們用狗吠聲虐待老人。

這隻黑虎確實凶猛，我也擔心山上人來客去，牠會

大師與小松鼠

傷人，不得已，只好和美濃朝元寺當家師慧定法師商量，我說：「我有一條好狗送給你，只因爲牠太顧家了，吠叫的聲音，不容易被佛光精舍的老人接受。」慧定法師一聽，欣然接受了。當時我眞是含著眼淚，痛苦的把盡責的黑虎帶到百里之外的朝元寺去，還在那邊陪牠玩了一段時間，等牠習慣環境了我才離開。

六、七年後，有一次我又到了朝元寺，以爲這一隻黑虎應該不認得我了；哪裡知道，我才到的時候，黑虎對我萬般親熱，牠一再跟隨著我，前腳扒著我、抱著我、黏著我，怎麼也不肯離開我。我一再感動，對牠也感到抱歉，甚至覺得我實在不如狗子，狗子勝過我，牠這麼

有情有義，我實在對牠不起。

我與動物，就是有這樣奇妙的因緣。

飛鳥滿天 松鼠稱為滿地

但更有奇妙的緣分。在山上，偶爾遇到掉在地下的松鼠，眼睛都沒有開，我只有把牠撿起來，用牛奶餵牠，慢慢把牠養大；或者風雨之後，總有幾隻自樹梢跌落的小鳥，我也會帶回法堂，細心照顧，直到牠們能夠飛翔。所以在我住的地方，松鼠跑來跑去，鳥燕飛來飛去，牠們也不畏懼人。

在法堂服務的弟子就要我替牠們起個名字，當時正是出家弟子以「滿」字輩命名的時候，我就說，小鳥就叫「滿天」，松鼠就叫「滿地」。開山寮裡，飛鳥松鼠真是滿天滿地。

後來我主張野放，不讓牠們失去求生的能力，況且佛光山四周都有果樹，應該能夠生活無憂。可是這些動物，就算你野放牠，牠還是回來，因為牠從小養成習慣，有了與人親近的根性。所以有時候難免感慨，感動人不容易，小動物的情感反而更深刻。

在佛光山這許多動物，因為和我們相處久了，可說已能通達人性，例如：齋堂的板聲一響，麻雀、松鼠就來了，甚至連後山的猿猴，也跑來齋堂要飯吃。尤其，我們山上的永會、慧延法師，也和我一樣愛護這些小動物，他們救活過許多殘障、瀕死邊緣的松鼠、飛鳥，對動物的愛心、耐心，真可當動物園的園主了。

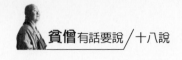

澳洲弘法 魚鳥也來親近

　　另外，我到世界各地弘法時，也有一些奇妙的動物緣分。舉澳洲來說，在黃金海岸我屋外的樹上，每天黃昏四、五點的時候，必定有一群飛鳥在那裡準時開會，吱吱喳喳，此起彼落，好不熱鬧。我到屋外的海邊散步，一條身長一、二尺的大魚竟然朝我游來，把嘴伸出水面，跟我索取食物。

　　位在山區的南天寺，我偶然看到空中有海鷗，就用麵包餵牠們，想不到每到下午四、五點，牠們竟成群結隊，幾百幾千的聚集在寺裡。後來南天寺的人就跟我求情，說：「師父，實在供應不起啊。」我就教他們，把客人吃剩的飯，放點油鹽做成炒飯，或者炒些米粉，這些花費不是很多，但能供給牠們。後來大家就稱這些南天寺的海鷗為「山鷗」。

　　這些海鷗當中，也有一些可憐的弱勢，大概曾經誤闖烤肉區，被火熱的鐵架燙傷，以致無法行走。我對這些弱勢傷殘的海鷗，都特別保護，讓牠們優先飽餐，不必與同伴爭食。有時我在吃早餐，鳥雀飛來，我們彼此對視，一會兒之後再把我的麵包銜走。

　　有一次，我到澳洲的一處山林，那兒有許多彩色的鸚鵡、各種的鳥類，一點也不怕人，甚至還一股腦兒全部棲息在我身上，算一算也有十來隻。其中一隻鸚鵡還站在我頭頂，牠的爪子抓著我的頭，雖然很疼痛，我動也不敢一動，深怕牠受到驚嚇了。

　　貧僧是一個出家人，好在我無兒無女，徒眾雖多，

但多在成年後才投入僧團，因而省卻許多憂慮掛念；反倒是這些可愛的動物們，真如我的小兒小女，牠們全然的信賴依託，讓我體會到父母子女間，濡沫相依的自然之情。其中讓全山大眾印象最深刻的，應該就屬「來發」了。

小狗來發　身影相隨不離

一九七四年八月，世界青棒錦標賽在美國開打，中華隊球員李來發打了一支二壘安打，正當大家在電視機前歡喜狂歡、鼓掌的時候，一位鄭碧雲小姐抱來一隻兩個月大的小狗，對我說：「請師父替這隻小狗起個名字。」

我本來有個規定，佛光山不許養動物，因為動物跟人有了感情，彼此容易牽掛。那時候，大家看轉播看得正投入，我是熱愛體育之人，當然也是聚精會神，忽然聽她這麼一說，為了慶祝李來發的二壘安打，就漫不經心的說：「那就叫『來發』吧。」

從此以後，近六年，這條狗不肯離開貧僧了。來發是隻白色的獅子狗，長得十分可愛，大家都歡喜牠，而我忙於開山、辦學，難得有時間關心牠，奇怪的是，不論別人怎麼對牠好，牠就是對我寸步不離。我也不給牠吃，牠吃飯是找別人，吃過了就來找我。那幾年，你來佛光山，找我找不到，只要找到來發，就能找到我。

我上課，牠蹲在下面；我拜佛，牠跟著我拜佛；我主持皈依，人家跪地禮拜，牠就在每個人頭頂聞一聞，我在台上一面主持，一面還要掛念牠會不會對人撒下尿來。平時我會客，牠也一定要坐在我旁邊，趕也趕不走，

讓我真是苦不堪言，因為給別人看到了，會覺得我們出家人宛如飛鷹走狗之徒。我覺得不妥，想叫人把牠送走，哪裡想到，牠知道後竟然數日不吃不喝，為了安慰牠，不得已，只得讓牠再留了下來。

尤其來發好跟車，每次我要到台北弘法，牠不知道從哪裡知道，總會偷偷先上車，躲在車子座位底下，等到車子開到半途才冒出來。加上牠會暈車，同行的人，經常得為牠開一扇窗讓牠呼吸新鮮空氣，弄得我還得請人照顧牠，所以有時我對牠也很生氣。但徒眾因為牠對我的忠誠，就非常的保護牠，實在說，那幾年，來發給我帶來不少麻煩。尤其我若不在家，牠飯也不肯吃，難免讓人掛念。有一天，牠忽然不見了，我當然也覺得遺憾，但另一方面又覺得太好了，終於解脫了。

這樣過了不到半年，山下一位村民來順，他的媽媽抱了一隻小狗上山說：「聽說大師的狗沒有了，我這裡有一隻狗，送給大師。」我跟這一位老太太語言不通，講也講不清，她留下小狗，人就走了。說也奇怪，這一隻小狗慢慢長大，樣子、顏色、動作、習性、神態，全部跟第一代的來發一模一樣，連慈莊法師從美國回來，都以為牠就是來發，我就乾脆為牠起名字叫「來發二世」。

同樣的，牠吃過飯就來，怎麼也不肯離開我。不過，那時我常出國，一出國就幾個月，每次我回去，牠就圍著我轉，牠跟我就像有個感應，只要我動，牠就動，心意相通，如同觸電一樣。牠也非常聽話，有時候我會客，要牠出去，牠會低著頭，顯得很可憐、很無奈的樣子，

慢慢的出去，一下子之後，牠會偷看一下，然後再悄悄進來。你說在這種情況下，你能不愛護牠嗎？

有一回我在美國，弟子依空來電話說，來發二世往生了，一百多個法師幫牠誦經，還燒出好多舍利子。我趕緊說：「依空啊，這事你不能發表哦，如果發表了，佛光山的狗都有舍利，以後佛光山的人還得了嗎？」就這樣，我才把這個事情掩蓋住。主要因為這隻狗，牠有佛性，幾年之間，我們早晚課誦、念佛、過堂，都跟隨我們一起，平日我上香念佛，牠都是跟在蒲團旁邊，不曾離開。這事全佛光山的人都知道。

或許因為我跟動物之間的奇妙緣分，後來佛光山有了鳥園、素食動物園，尤其是藍毘尼園魚池旁的九官鳥、金剛鸚鵡，牠們都會講話如：「阿彌陀佛」、「您好」、「喝茶」、「拜拜」，有時候把經過的遊客都嚇了一跳，有幾隻還會唱我們早晚課的〈三皈依〉，甚至是〈三寶頌〉。

後來，佛光山的素食動物園裡，有了馬、羊、駱駝、駝鳥、孔雀、山雞……，以及千百隻各種飛禽，讓來到這裡的大、小朋友歡喜不已，學習了一門生命教育的課程。但問題是，這些動物多了，會有氣味，別人就不歡喜，加上台灣人常說動物有傳染病，不免對歡喜動物的人，像永會、慧延法師，有所怨怪。我雖也幾番保護他們，但大眾的意見難違，所以只有跟慧延商量，把園中的動物，像駱駝、駝鳥、鹿、猴子、各種鳥類，甚至金剛鸚鵡也通通送了給人。

正感到解脫的時候，據聞從西伯利亞飛來了三隻綠

佛光山佛陀紀念館雙閣樓一景

佛陀紀念館的綠頭鴨

頭鴨，在佛陀紀念館的雙閣樓生態池築了巢，幾天之間，就生了三顆蛋。我於是叮嚀負責雙閣樓的覺紀法師，要他好好愛護牠們，爲牠們準備食物。現在，三隻小鴨子已破殼而出，長得健康可愛，聽說池子旁目前還有三十幾顆蛋呢。

　　我還告訴這些綠頭鴨，你們只要能跟高屏溪的白鷺鷥和平相處，不去侵犯別人、污染水源，大家相安無事，你們就可以安全的在這裡生存了。在我認爲，世間上所有的動物，就等於人我之間，你不犯我，我也不犯你，各守自己的疆界，能和平共存最好。

衆生平等　慈悲尊重愛護

　　由於台灣民間有放生的傳統，因此幾十年來，我在弘法過程中，信徒最爲關心的就是「放生」的問題。放生是件功德好事，但總是難盡如法。好比，我聽過一位

佛光山上的紅嘴黑鵯　　　　　　　高屏溪飛來的鷺鷥鳥

　　老人家對捕魚的說：「你明天多捕一些魚，我要放生。」
爲了你要放生，他就要多捕一些魚，但魚在魚籠裡關太
久，等到要放生時，已經死了一半。

　　我也聽過有老人家對捕鳥的說：「你多捕一些小鳥，
我明天慶祝七十歲壽誕要放生。」這許多小鳥被關了那
麼長的時間，等到你開籠子時，能飛出籠外的鳥，也所
剩不多了。

　　又好比，有人將好吃魚蝦的烏龜，投入了佛光山的
放生池，那麼池中原本悠游的魚族，還能安然生存嗎？
甚至有人將毒蛇放到了太子龍亭，那些在亭中歇息的遊
客，不就陷入了危險之中？

　　其實，像這樣子不當的放生方式，只爲自己求功德，
反而害了這許多生命。除了毒蛇、食人魚，甚至還有人
買畫眉鳥放生。實在說，這些都不是放生而是放死；你
放生之後，牠們又該如何生存呢？在我的理念是：與其

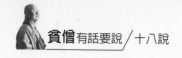

放生，不如多護生。

人為萬物之靈，對於動物，我們應該保護牠的生命，讓牠在安全的環境中頤養天年，這就是所謂的「上天有好生之德」。我對於宋朝黃庭堅有一首描寫生命的詩最為感動，這首詩說：

　　「我肉眾生肉，名殊體不殊，

　　　原同一種性，只為別形軀；

　　　苦惱從他受，甘肥任我需，

　　　莫教閻老斷，自揣應如何。」

人和動物，原是一樣的生命，雖然身體形狀不同，但都是非常可愛的，都是值得尊重的。因此人和動物之間，在感情上是可以交流溝通的，只要慈悲、關懷、平等，老虎、獅子也可以做朋友。

記得有一則很溫馨的故事。故事說張桐與趙富因為拜在同一個中醫師門下當學徒，所以從小就是好朋友，長大以後，兩人雖然各自在不同的村莊懸壺濟世，但是仍然維持友誼，經常互相拜訪敘舊，兩家也因此成為通家之好，不但妻子、兒女彼此之間的交情十分密切，連兩家所豢養的狗子也相親相愛，互有往來。

可是有一天，因為一點小小的誤會，兩家從爭執到吵架，終於反目成仇，割席絕交。兩年過去了，大家礙於面子，誰也不肯先認錯，但是他們的狗子卻依然保持過去的情義，照樣有來有去，有去有來，一起嬉戲玩耍，好像不曾發生過什麼事一樣。

一個蕭瑟的隆冬傍晚，趙家的狗子「小白」又來到

張家作客，看到張家的狗子「小黑」趾爪皮破血流，連忙用舌頭不停舔拭，一副無限愛憐的樣子，張桐看了十分感動，立即召集全家人，說道：「我們真是太慚愧了，你們看，連狗子都講究義氣，不嫌棄彼此的缺點，而我們人卻見利忘義，因為計較眼前一點的不順意，把幾十年的交情道義全都一筆勾消了！我們真是連狗都不如啊！」第二天，張桐率領全家大小拜訪趙家，從此兩家盡棄前嫌，重修舊好。

佛陀當初在菩提樹下證悟，就說：「大地眾生皆具如來智慧德相。」說明一切眾生佛性平等，有時候，動物的情義更勝於人類，綿長而雋永。

自古以來，我們從神權、君權，發展到人權，講求人人平等，現在更應強調「生權」，倡導「生權平等」已是這個時代的使命。所謂「心、佛、眾生，三無差別」，一切眾生不論男女老少、賢愚貧富，乃至畜生、鬼類等皆有佛性。「無緣大慈，同體大悲」的根本教義，就是佛教尊重眾生，重視生權的最佳詮釋。

唯願讓一切眾生的生存權利都受到保障，才是究竟的生態保育，祝願人人有此共識，共同重視生權的提升，共同保護所有可愛而美好的生命，彼此共生吉祥，幸福安樂。

好比十多年前，有一位鳥類專家吳森雄博士，他也是佛光會的督導，他告訴我，佛光山的自然生態中，有百種以上的鳥類，像《阿彌陀經》裡面提到的，大概除了共命之鳥以外，其他都有了。甚至，也可以看到一些

珍奇少見的禽鳥，例如：五色鳥、黑冠麻鷺、紅嘴黑鵯、翠玉鳩、白鶖鴿、鷺鷥鳥等，可以說是一個生態的樂園。

那個時候，山上也有好幾隻樹鵲，經常吃一些才出生的小鳥，讓這許多幼小的鳥類不能安心。我想，這種鳥類的殺手，不能任憑牠們這樣傷害無辜，侵犯其他生物的生權，必須把牠們驅逐出境。後來，有人說要提供獵槍給我們，但我覺得也不必用那麼強而有力的武器對付，只要能把牠們嚇跑，比方說用炮竹的聲音，或者是用彈弓，至少能嚇阻牠們。

但這也都只是短暫的效果，正在不得辦法時，我向吳博士請教如何是好？他說，唯一的方式就是請來老鷹，因為牠是樹鵲的天敵。但又不能真正養一隻凶猛的老鷹，於是他找人錄了一段老鷹的叫聲，在藍毘尼園裡播放，後來山上的樹鵲果真就沒有了。我這才為鳥兒們可以繼續在佛光山樂園內，安居身心、自由自在，而感到幾分欣慰。

沒想到，樹鵲走了，這段老鷹叫聲的錄音，卻引來了真正的老鷹。現在，我們在佛光山、佛陀紀念館的空中，常常可以看到三、四隻的老鷹在盤旋。好在，也沒有聽到有人投訴牠們在山上有什麼惡劣的行為，反而成為佛陀紀念館的金剛護法似的，經常在這個區域範圍內巡邏，不讓凶猛性的動物出現，並且與空中和地上的生物，彼此相互尊重，平安無事。徒眾還告訴我，曾經看到一隻老鷹被一群麻雀包圍戲謔，怎麼也甩不開，最後只有落荒而逃，直笑說，真是「鷹落平陽被鳥欺」了。

　　其實，動物的世界是屬於「弱肉強食」，再說，這許多肉食的動物，必須靠殘殺才能生存，假如牠們不能以殘殺取食，生命也不能存在。只是，這是大自然的生態平衡、生物鏈的循環，貧僧個人也無能為力，但至少在我管轄的範圍內，我們保護這個區域內的生命，讓牠們平安、自在，我感到這是我義不容辭的責任。

　　想起佛光山開山時的一片荒地，滿山刺竹、深谷溝壑，花不開，鳥不來，白天蟲蛇出沒，晚上四野寂寂，只聽到各處傳來種種動物的鳴叫聲。我心中有佛，並不感到孤單可怕，只覺得牠們都是法侶同伴。經過五十年的光陰，我們在這裡水土保持、植樹造林，現在有百花齊放、蝴蝶飛舞、群鳥翱翔，各類的動物各自安居。

　　記得名教授、藝術家蔣勳先生曾經來山講學小住一晚，他說，在都市裡，早上是被鬧鐘吵醒；而在佛光山，清晨是被鳥聲叫醒的。也曾經遇到一對來自洛杉磯的信徒夫婦，他們說，每年一定都要回來佛光山巡禮，也特別來聽聽大雄寶殿旁的牛蛙叫得像支交響樂的協奏曲。

　　是的，貧僧是想，只要我們有建立世間的因緣條件，尊重生命、愛護生命，一切有緣眾生，都會匯聚到佛光山來的。而來山信眾遊客們，你們有欣賞到這許多與我們共命的動、植物嗎？

澳洲南天寺山鷗每年來拜訪

十九說

青年應有的愛情觀

要成為一個美好的婚姻，
要有真正的認知、信賴、緣分、寬諒。

做一個出家人是很不容易的，甚至於成佛更加不容易。例如我們說，釋迦牟尼佛是「三界導師」、「四生慈父」，他對於三界、四生種種的情況，不但要了解，還要加持他們、解決他們的問題。那麼現在做一個出家人呢，要弘揚佛教、行菩薩道、救苦救難。在芸芸眾生中，苦難隨時隨處，層出不窮，一般人都說人很難做，其實，出家為僧也很難做啊！

師父之責 指引人生方向

承蒙社會稱出家人為一句「師父」，「師父」的責任要做些什麼呢？

像我，本來是貧僧，並沒有什麼特殊的條件，但是老人家要來找我，問我說：「怎麼樣子減少和兒女間的代溝？」、「我想要到寺院裡面來安養修行。」中年的夫妻，也常常為一些感情糾紛、家庭事務的煩惱來找我。做一個出家人都沒有這許多的經驗，但也得要幫助他們解決。

尤其現在，青年學佛的弟子很多，他們對於人生社會的道路，往往感到前途茫然，有時候也會需要我們幫助他們做一些指引。像是有的要找工作，有的要出國留學，有的需要一些獎助等等。這當中，最困難解決的，就是青年男女的感情糾葛。佛教要靠青年，你又怎麼能不顧念青年朋友全盤的問題呢？

所以，過去數十年來，經常有一些青年弟子，如果是男生，就來告訴我他的女朋友如何，要我幫他做個決

定；有時候女生也會來說，她最近有了新的男友，希望
我代她看一看，做個指導。

　　本來這許多事情，他們都應該跟家長、父母商量的，
可是父母的執著、成見，都不容易跟他們契合。他想到
佛教的師父比較客觀，所謂「旁觀者清」，能為他們做
個顧問、做個指引，就來找我們了。我就這樣，關心起
青年的問題，對青年最重大的人生過程、愛情之路，也
不能不給他們一點意見、一些指導。

三皈五戒　一生奉行受用

　　我對現在這個社會的男女，所謂「一見鍾情」的情
況，非常的掛念。現在的男女往來太過自由；但是青年
時期，思想還沒有成熟，對人生交往的關係不能深入了

大馬青年獻唱佛教靠我。2013.11

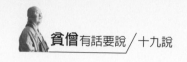

解，許多男女常「因不了解而結合，因了解而分開」，實在很為可惜。

　　佛教本來就分有出家和在家的，信仰可以一樣，但是出家和在家的生活就迥然不同了。出家也不是沒有感情，出家的感情是所謂「無私的大愛」，不是為個人的占有、欲望，是要犧牲奉獻，也就是所謂「愛一切眾生」。但在家人士，他只要對佛教有真誠的信仰，能奉行佛教的基本教義「三皈五戒」，就應該是一個佛弟子，也就夠他一生信受奉行，獲得受用了。

　　我在過去曾經想要設立一間就業中心，把某一個寺廟改良。作為出家和在家的一個中途站。比方說，從鄉村走入到都市的青年男女，一下子要面對彩色繽紛、花樣百出的都市生活，常常會感到迷惘。雖然社會上也有職業介紹所，但往往也不負責任，甚至於讓這許多鄉村純潔的男女，走上了不正派的道路。

　　所以，我就想，如果能讓這許多男眾的、女眾的青年，暫時在我的寺院團體裡安住，要他們到補習班去補習，要他們到圖書館去讀書，要他們參觀各個美術館、博物館，要他們到各個公司、工廠去參觀、聽簡報，讓他們到一些養老育幼的地方做短期義工；日後或者升學、或者就業，再做決定就好，免得初到都市因為吃住困難，就這樣輕易地給外力引誘，喪失了人生美好的志願。

男女相處　團聚相識互重

　　貧僧這一個理想，雖然沒有完全實現，但是我對我

們的佛光青年會、青年團、學生會，都有專人爲他們服務。只是說，這許多年輕的人，對男女交往都以神祕的作風看待，也不肯對人言。一個人在芸芸眾生中，對於感情問題，奇遇當然好壞皆有，但也很少是經過智慧的抉擇。事實上，初交相識，應該要保持一段觀察的時日。

在數十年前的社會，還有「先友後婚」的主張，但是現在幾乎「朋友」的這個階段都沒有了，也少有終身之交的遠觀，只要我歡喜，就可以成雙成對。這麼一來，太容易的結合，也就很容易的分開。我經常也爲這許多年輕的人擔心。

對於過去中國傳統的道德，所謂「男婚女嫁」，要受父母之命、要聽媒妁之言，當然，不是自己設身處地去了解的感情婚姻，圓滿收場的情況必然很少；但是，像遊戲般的愛情，又如何能夠長久呢？

有一句話比喻說：「哪個少男不多情？哪個少女無愛意？」男青年涉世未深，遇到一個異性，或者看了兩眼，就覺得很順眼；或者交談了幾句話，覺得很相契，就已經認爲這是理想的對象。當然，他後來的時日，再見到另外一個女性，覺得比這個更好，也就要更換了。所以，像遊戲、捉迷藏一樣的愛情，哪裡會有好結果呢？

家境好的女生，她交往的對象，可能都是社會層次比較高一些的男生，但是一般的少女，她可能也結交不上真正有爲、有守的對象，最後就胡亂結合，當然都難有好的結果了。

但是，我們在社會上旁觀男女青年，總覺得他們應

該彼此尊重，男女之間還是要保持一定的距離。要經常在團體裡面聚會，在團體中，去慢慢認識對方的人格、思想、行為、正派與否等等，不可以馬上就一對一的相處；因為一對一的相處沒有選擇，到最後，遇到了有選擇的機會，他就毫不顧慮地拋棄對方，造成情感上的混亂、不忠。這是個人的損失，也是社會風氣的敗壞。

男女交往　實際相處為要

有人說，西方人的婚姻是鬧劇，東方人的男女結合是醜劇。所以，對於今日青年男女的交往，我們就從旁觀的立場，作一些意見。

第一點，普通的朋友來往，不用去作身家調查，大家都是「君子之交，其淡如水」，平淡是安穩之道。假如說有心交友，就必須先對他的家庭背景有些認識，對他往日的交友情況要作一些了解，對於對方的生活能力要知道，因為今後兩人共處，必定都要有生活的能力。最重要的是，要有共同的信仰、共同的語言、共同的性格、共同的生活習慣。

甚至於不可以相處太過親密，例如同學、同事之間，或者同一個社團裡，同時有三、五個人在交往。要很冷靜，要深思未來，最重要的是，你要能不後悔，到達心甘情願，才可以做深入的感情上的來往。

第二點，過去的男女婚嫁，都重視要「門當戶對」。其實，也不必都要門當戶對，但是男女雙方的結合，未來要共同生活，人的一生也不過數十年的歲月，不能相

大師為李奇茂先生與張光正小姐福證。1960 年

互了解、不能相互體諒、不能相互信任，必定是非常的危險。所以，男女之間的來往，對彼此的性格以及互相的信賴、包容，都得很認眞地深思，才能決定終身大事。

第三點，在中國社會裡，男性在感情上有許多的空間，女性的感情則是比較狹小的道路。當今社會的女性，雖然不必像過去貞潔婦女那樣，要有「樹立貞節牌坊」的觀念，但是也不能隨便、不經意地和男性來往，這對自己未來的一生，會造成重大的遺憾。所謂「前事不忘，後事之師」，不妨把過去一些人的經驗教訓，作為自己的借鑒。

　　總之，對未來沒有理想，對責任不肯負擔，對感情非常隨便，對經濟任意揮霍，輕諾寡信，無論是男方或是女方，都是結合的嚴重障礙。只靠情書，甚至當今社會流行的 email、簡訊來往，這是非常危險的事情，就是寫得再好，也不能表現一個人眞實人生的性格。光靠網路，不能認識彼此眞實的性格，還是要有一段實際的相處才好。

　　我們也常看到新聞上的報導，原本男女雙方情投意合，但是結婚以後，爲了衣服的顏色、爲了牙膏牙刷的使用、爲了吃茶吃飯，因爲習慣不同、時間不同又再分離，實在可惜。

好聚好散　真誠獻上祝福

　　假如男士有大男人主義，或者暴力傾向，女生必定不能遷就。女士逢人撒嬌，或者講話嘮叨，太過吹毛求疵，男生也不能不卻步。在還沒有結婚前，要用兩個眼睛看清楚對方；要想結合了，就要用一隻眼睛看，像木匠吊線一樣，把對方的品格曲直更加的看清楚；因爲結婚之後，也就不需要再看了。

　　男女在婚嫁的邊緣，都有多次往來的經歷，不管男女，如果感覺到對方性格不合，要及早煞車，所謂「君子絕交不出惡聲」、「好聚好散」。甚至於離開以後，還要爲對方祝福，這是最美的分離。

　　對於一些爲失戀而痛苦的男女，過去我也爲他們做過一首小詩：

「天上的星星千萬顆，
　地上的人兒比星多，
　真傻瓜，
　為什麼痛苦煩惱只為他一個？」

在我們當今的社會，男人結婚、離婚、再結婚，都視為平常，但是女性比較吃虧，應該只有一次的機會。一般女方看男方，都是先看他長得是否很帥，男方看女方，也都是先看她是不是生得美麗，這都是錯誤的，因為男女結合以後，或帥、或美都不重要，要能彼此共同生活才是重要。

兩人要共同生活，男人就要對家庭負責，女人要對家務負責，各有所長，彼此要合作、包容、諒解。尤其，情欲是一時的，情愛是一生的，要結婚的男女，彼此對感情要忠貞，這是第一要素。

青年男女戀愛、結婚、離婚、再婚，只要合法，佛教都可以承認，但是邪淫、婚外情，則是佛教所不能同意的。所以，信仰佛教的男女，應該要共同遵守三皈五戒，彼此都能信守信仰，在感情上，也比較真誠穩固。

我有一個信徒，擁有一對漂亮的兒女，我經常讚歎他們是「金童玉女」，但是三十多歲了，都還沒有結婚。我就對他的家長說：「怎麼不給他們結婚呢？」他說：「師父，你不知道啊！現在俊男美女很難找到對象。」我初聽，感到很訝異，後來一想，確實也不錯，現在的社會，要跟俊男美女結婚，得承擔多少的風險、負責多少的代價啊。

　　也有很多的女孩子，讀書讀到碩士、博士了，但結婚也困難了，因為學究型的女性，男人大多不喜歡，男人歡喜的女人是一個伴侶，不是老師、學者。同樣的，女性歡喜的則是一個男人，是一個兄長，不是再找一個如嚴父一般的男性來管教。

美好家庭　彼此尊重有愛

　　曾經，有一個母親對年屆三十的女兒不肯結婚，非常掛念，就來找我。這個母親說：「師父，既然她不肯結婚，你就勸她出家吧。」我說：「出家不是勸的，要有出家的性格才能出家啊！」

　　後來，我見到了這一位芳年三十的小姐，就跟她直話直說：「男大當婚，女大當嫁，你怎麼不結婚呢？」她回答我說：「現在的男人都沒有幽默感。」

　　這句話讓我也增加了一個認識。過去的女孩子要嫁人，都是看對方的體格、家世、財務、職業……種種的條件；但現在不是了，現在的女人要求男人要有幽默感。確實不錯！一個家庭裡，夫婦雙方要能共同製造家庭的和樂，總不能每天板著面孔，視如路人，這個婚姻就難保善終了。

　　真正要成為夫妻的人，如果你是一個女生，要知道男方看女人，最初是看美麗，之後就是要你賢慧、要你會讚美、要會家務、要會孝親、要會招呼客人、要會幫助丈夫撐持事業……有這樣的層次。所以，作為一個女人，不能不了解婚姻的階段性。如果你是一個男生，女

方會要求你要有家庭觀念、要有家庭責任，不只是會賺錢，還要會幫忙家務……。

　　家庭裡面，夫妻、兒女，大家都要平等、和平相處，沒有誰大誰小。倫理次序固然應該遵守，但是要用權威、舊有的觀念來對待家中的分子，那也不能創造美好的家庭啊！

　　最近有個報導，據聞有一對九十多歲的老夫妻，他們已經攜手度過七十年的婚姻生活，舉行一個鑽石婚姻慶祝會。有記者訪問這個老太太：「你是怎麼和他廝守七十年的？男方他有缺點嗎？」女士說：「我丈夫的缺點比天上的星星還多啊！」記者一聽，很為驚訝：「既然那麼多缺點，你們為什麼又能共處七十年呢？」這位

新人於佛光山佛陀紀念館五和塔舉行佛化婚禮

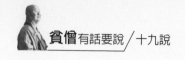

老太太說：「但是他愛家、愛人、負責任，他像太陽一樣，當太陽出來的時候，如星星多的缺點就都沒有了。」所以，男人要愛家，「愛」是家庭幸福主要的泉源。

佛光山佛陀紀念館的五和塔，經常為人舉行佛化婚禮。我寫了一副對聯：「你我有緣成眷屬，福慧共修慶家園」，其實，男女的婚姻沒有教條，甚至法律都不能約束，完全是靠相互的尊重和愛心，來維持感情。

對於世界，大家要有「普愛」的觀念，對於家庭的妻兒，要有個別的愛護。所謂「大愛」、「小愛」，都要每個人心中的一把秤來等量，適當最為重要。

歷史上，多少的男女因為感情不會處理，而為愛犧牲。其實，司馬相如和卓文君的愛情，不也是成為現代人的美談嗎？也有的女性，像楊惠姍在電影《我就這樣過了一生》裡面飾演的角色，她甘願為男人撫養前妻所遺留下來的兒女，即使到最後自己也有了兒女，但仍然平等看待。

總之，男女都需要有偉大的情操，都要為對方設想，我愛你，就不能害你；我和你結婚，就是奉獻，就是犧牲，就是心甘情願，夫妻彼此都要有同等的觀念，才能有未來美好的家庭。

說到青年的感情交往，天下的父母也沒有不關心的。不過，我想可以關心兒女的感情處理，也可以引導他向正當的途徑行走，但不要太過分的壓制、干涉，因為青年男女相愛結婚，畢竟不是父母能了解、能去認可的。所以，父母還是要帶著尊重的態度。

　　有一個信徒的女兒從美國留學回來，我說：「你的小姐已經從美國大學畢業回來了，可以給她結婚了。」她說：「師父，才二十二歲，懂得什麼愛情？懂得什麼結婚？懂得什麼夫妻相處？隨她去！等她到了二十八歲的時候，我再來問她結婚的事情。」要給女兒那麼長的時間，讓她對社會、對愛情有深刻的了解，才會知道如何找一個終身的伴侶。我覺得這樣的母親不但開明，也真是很有雅量的。

　　像有的中國女性，嫁給非洲的黑人男士，也有中國的男性，討了黑人小姐為妻，只要他們幸福，父母也不必為了家門裡面多了一個不同種族的親人，而認為這是大不了的事情。現在的世界，什麼都是平行的，你可以坐飛機旅行世界各國，世界各國的人士為什麼就不可以情投意合呢？這也是我的一個感想。

　　我們都希望天下有情人成為美好的眷屬，但是一段美好的愛情，要成為一個美好的婚姻，要有真正的認知、信賴、緣分、寬諒；一個美好的家庭，需要有很多的因緣來幫助成就，才有祥和圓滿的幸福。

夫妻有共同信仰，家庭更融洽。

二十說

夫妻相處之道

人間佛教對於夫妻之間的和諧、尊重、相處，
一定要有
共同的信念、共同的語言、共同的生活，
這對家庭就多了一層保障。

大師於佛陀紀念館大覺堂主持 2014 年「幸福與安樂」佛化婚禮暨菩提眷屬祝福禮。

在我的信徒中，青少年不少，老年人也很多，但中年的夫妻爲數更多。說到夫妻，過去的夫妻大多廝守一生，現在的夫妻則離婚率不斷增加。記得有一首歌，描寫夫妻彼此的關係，先說妻子唱：

> 自從嫁了你呀！幸福都送完。
> 沒有好的穿呀，好的吃。
> 沒有股票呀，沒有田地房產；
> 沒有金條，也沒有金剛鑽。
> 住的也不寬，用的也不全，
> 哪一件教我過得慣？
> 這樣的家庭，簡直是殯儀館；
> 這樣的家庭，簡直是殯儀館。

丈夫也跟她唱：

　　自從娶了妳呀！每天聽妳煩。
　　妳說投機商呀，我不幹。
　　妳說囤積戶呀，我是更不願；
　　不做貪官，哪裡來金剛鑽。
　　良心妳不管，名譽妳不關，
　　難道妳要我做盜犯？
　　這樣的女人，簡直是原子彈；
　　這樣的女人，簡直是原子彈。

共同信仰　家庭相處融洽

　　對於夫妻之間的問題，在信徒中，找我協助處理的，也為數不少。例如：丈夫跑來跟我說，太太嘮叨，廢話很多，嫉妒心太重，懷疑心太強烈，對家族都不友善，實在難以再忍受……。太太也來跟我講，嫁給這個丈夫，她不勝懊悔，不負責任，吃喝玩樂，搞婚外情，甚至家庭暴力，最好能離婚……。可以說，家家有本難念的經。

　　對於家庭裡的這許多事情，實在講，我們一個出家人，也沒有經歷過這許多事故，很難幫他們調解。不過是信徒的家庭，也等於是我們團體中的一分子，總要給予一些關心、分析意見。

　　像有的先生跟我說，師父，請你幫忙我教訓、教訓我的太太。可是師父不是學校的老師，太太們也不是學生，不能像老師管教學生一樣的方式。有的太太跑來說，

師父，先生如何、如何不顧家，請你幫我們來管管我的先生。你說那許多男士，有的年齡、學歷、事業，什麼都超過我，我不能因為我做一個出家人，有一個師父之名，就教育那許多男士們。總之一句，我說過的，我是一個垃圾桶，好事都不會告訴我，都是糾紛、吵架，都是難解的問題才來找上我。

夫妻沒有共同的信仰，這個家庭相處就不容易融洽。記得我在澳洲遇到一對台灣移民過去的夫婦，生活不成問題，但澳洲社會，除了大自然的風景之外，是一個人民生活很悠閒的地方，人事上都很逍遙自在。

兩個人因為退休了，也不得地方去，夫妻天天待在家庭裡，時間久了，慢慢的，你看我不慣，我看你不慣，就有意見產生。最初是語言不合，到最後生起氣來，甚至拍桌摜凳，摔壞東西。

後來我們在當地設立了南天寺，他們因為在台灣就有信佛的因緣，參加佛光山的活動，夫妻倆就來寺裡幫忙。之後，夫妻回家都互相分享在寺院服務的心得，怎樣接待、怎麼供應客人茶水、怎麼禮佛禪坐、怎麼煮飯揀菜……，話題多了，歡笑聲不斷。自此以後，家庭氣氛變了，夫妻也不再吵架，每天相親相愛。

有一天兩個人就談到，我們怎麼能友愛、和好呢？原來是因為有共同的語言、共同的信仰，有佛教的道場可以服務奉獻。所以，我們成立佛光會以後，都主張先生來參加，要帶太太一起來；太太來參加，要帶先生出席。因此，人間佛教對於夫妻之間的和諧、尊重、相處，

一定要有共同的信念、共同的語言、共同的生活,這對
家庭就多了一層保障。

　　人間佛教不像過去的傳統寺廟,比方夫妻到寺院裡
來,本來是雙雙對對,就有人來把丈夫帶到東方,把太
太帶到西邊,合法的夫妻在一起,這在佛陀的制度裡,
是被允許的天經地義倫理,為什麼一定要把他們分開呢?

相互讚歎 用愛能贏得愛

　　有一對夫妻,兩個人是自由戀愛結婚的,結婚以後,
因為雙方家庭都很有教養,所以沒有吵過架,不過夫妻
彼此不講話,相互冷戰。這不講話很麻煩的,男人心裡
想,太太妳應該先跟我講話;女人心裡也想,丈夫應該
先和我說話,誰也不肯先開口。平時你吃你的飯,我做
我的事,家庭顯得很沉悶。

　　先生是一位音樂家,愛好音樂,很顧家庭,性格也
溫和,從沒有疾言遽色;太太則是賢妻良母,把家庭打
理非常好,打掃得一塵不染。十多歲的女兒在旁觀看,
爸爸媽媽都這麼好,為什麼他們不親愛呢?做小孩子的
也不懂。

　　有一天,太太在擦地板,先生在彈吉他,太太忽然
把抹布放下來,說:「這一段很好聽耶。」先生一聽很
驚訝的說:「妳真的有聽我在彈琴嗎?」「怎麼沒有聽
你彈,我天天都在聽你彈啊。」「妳怎麼都沒有告訴我
呢?」兩個人就想,好久以來,彼此誤會,冷戰這麼長
的時間太不值得了。「我們從明天起,再回復談戀愛的

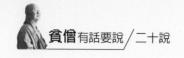

時候，每天到公園散步十分鐘。」

其實夫妻平時要多溝通、讚美對方，常講我愛你，你愛我，這就能促進兩人之間的感情。現在有一些丈夫要上班去，說：「太太，再見！講一聲妳愛我好嗎？」太太不肯講。「講嘛。」這個先生覺得很尷尬，還是說：「妳講嘛！」「講什麼『我愛你』、『我愛你』，到了現在有什麼愛不愛！」其實，夫妻之間，愛是沒有時間的，愛是永恆的。

後來這對夫妻的女兒長大了，也有同母親一樣的性格，嫁給一個很好的男人，同樣的，彼此冷戰，互不講話。所以，男女雙方希望「對方要先對我好」，這一個觀念要修正。用愛才能贏得愛，就好比投資，你不投資哪裡有回本呢？

我曾遇過幾次，從台北那麼遠來到佛光山的婦女，一把眼淚一把鼻涕、氣憤、心情低落，說她要落髮出家。我們一看，就知道這必定是家庭有了問題，當然問她，她也不肯直說。

妳要出家，總要對妳的家世做一些了解，妳填一張表格，叫什麼名字、住在哪裡、家裡的電話、家裡還有什麼人？因為妳要出家，總要直說，她把一切的資料都訴說了，但對於夫妻吵架，家庭糾紛還是不肯講，只是說家庭不好。

有了資料，我們另外打電話到她台北的住處。她的先生正在著急的時候，聽到我們告訴他太太的消息，非常興奮的問：「我太太在哪裡？我太太在哪裡？」我們

就跟他說：「先生，太太是在我們這裡，但是你要愛她，她才能回家；你不愛她，她就在我們這裡出家了，我們是個寺廟啊。」

先生就趕快說：「請你們不能讓她出家！今天太遲了，我明天就來，我明天就來。」第二天，先生來了以後，讓他們夫妻談話，不要一個小時，夫妻雙雙笑逐顏開，手牽手回台北去了。像這樣的故事，在佛光山經常有之。

也因這樣的因緣，我們就在台北設立一個「觀音線」，由朱唐妹、李虹慧等人主持，讓一些因一時氣憤的夫妻們，有個申訴的時間、窗口，給他們一些建議，減少夫妻對立的情況。

過去我常常講一個笑話：先生下班回家吃飯，太太煮了一道清蒸板鴨，先生一看，鴨子怎麼只剩一條腿，就問太太：「怎麼妳煮的清蒸板鴨只有一條腿呢？」

太太就說了：「我們家的鴨子都只有一條腿！」「亂說，我們家的鴨子怎麼可能只有一條腿？」太太說：「你不信，我帶你到我們家後院的池塘去看。」因為是正中午，鴨子正在休息。大家都知道，鴨子休息的時候，都把另外一條腿蜷起來，太太就說：「你看、你看，我們的鴨子不都一條腿嗎？」

但先生也不是那麼簡單就被矇騙過去，他兩隻手鼓掌，掌聲一起，鴨子受了聲音的振動，伸出另一條腿，即刻划了水離開。先生笑著說：「太太，你看、你看，我們的鴨子不是也兩條腿嗎？」

太太沉著臉：「先生，你不知道嗎？因為你有掌聲，

牠才有兩條腿的啊!」意思是說,我天天煮來給你吃,你一句讚美都沒有,就讓你只吃鴨子一條腿,如果你早一點給我一些掌聲,我就讓你有兩條腿吃了。

所以,夫妻相互讚美,偶爾先生買一點小紀念品送給太太,太太偶爾要讚美先生。讚歎也是佛教修行的法門。父母讚歎兒女,鼓勵比打罵有用;夫妻相互讚美,相敬如賓,自然感情增進;不開口的夫妻,必定都會出問題的。

智言橋梁 婆媳關愛歡喜

其實,一個家庭裡也不只夫妻之間有問題,還有婆媳相處問題。尤其婆媳不合,讓一個男人夾在媽媽和妻子之間,實在難做人,一邊要盡孝,一邊要有情義,很難以兼顧。

有一對婆媳一直處不來,媽媽要求兒子必須跟媳婦離婚;妻子要丈夫搬到別處去,不要跟媽媽這個苛嚴的老太婆住在一起。

聰明的男人,就對媽媽說:「媽媽!我們才結婚不久就離婚,會給人笑話,也會說媽媽對媳婦不好;假如遲個半年,媽媽待她好一點,讓人家知道,我們家裡的婆婆很愛護媳婦,然後我們離婚,就不至於影響媽媽的名譽。」媽媽聽了以後,說:「半年我可以忍耐,但是你要有信用。」

兒子又對太太說:「我們現在剛結婚就出去,人家說我們不孝,今後也很難做人,這樣好了,以半年為期,

妳對媽媽好一點，跟她說笑話，讓她歡喜，人家知道我
們家庭和順，然後我們再搬家，也不至於讓人家取笑我
們家的婆媳相處發生了問題。」太太聽了以後也說：「半
年我可以忍耐，我會照你的話做，但半年後我們一定要
搬家喔。」就這樣，婆婆為了對兒子的承諾，就對媳婦
有所愛護；妻子為了對丈夫的交代，從此對婆婆也恭敬
孝養。

　　半年以後，媽媽對兒子說：「兒子啊，你可千萬不
能跟媳婦離婚，她實在是好得不得了。」媳婦也跟丈夫
說：「婆婆實在是對我們很慈愛，我們還是不能搬家。」
家庭本來都沒有事，只是婆媳之間有了成見，一個男人
夾在兩人中間，如何把成見消除，就需要智慧了。

　　所以我經常講，婆媳之間要跳探戈，夫妻之間也是
要跳探戈。就是牙齒和舌頭，有時候一不小心，牙齒也
會咬到舌頭。所謂「敬人者，人恆敬之。」待人好，什
麼問題都能解決。就如現在一些做領導的人，對部下要
愛護，要幫他解決問題，部下自然對長官就恭敬，那麼
工作也會有效果。所以彼此體諒，彼此友好，人間的喜
悅就會增加。

疼愛女兒　天下母親皆同

　　關於婆媳之間的問題，也有一則趣談。有一戶人家，
因為端午節到了，婆婆就叫媳婦說：「媳婦啊，端午節
到了，妳要包粽子。」媳婦一聽，現代的女孩子，哪裡
會包粽子，但婆婆的話，也不敢拒絕，就非常辛苦，跟

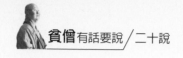

別人請教、學習。

到了端午節晚上，好不容易粽子包好了，就在粽子快煮好的時候，她想向婆婆報告，可以吃粽子了，卻聽到婆婆在客廳裡打電話，注意一聽，婆婆在電話裡說：「女兒啊，妳的弟媳婦粽子快做好了，妳趕快回來吃粽子喔。」

媳婦一聽，頓時生起瞋恨，無明火燃燒。心想，我這麼樣辛苦、艱難的包粽子，妳一點都不給我幫助，給我安慰，現在粽子好了，就叫妳的女兒回來吃粽子。媳婦非常不服氣，把圍裙一解，廚房門一關，就回娘家去了。

大概娘家也不遠，回到娘家，進了門，正好看到媽媽，拿起電話，一看到她回來，就說：「女兒啊，妳回來的正好啊，我正在要打電話告訴妳，妳嫂嫂的粽子包好了，叫妳回來吃粽子啊。」這個女兒一聽，這才明白，原來天下的媽媽都是一樣的。母女有母女的感情，婆媳是婆媳的感情，不是不好，只是程度不同，親密不同。

從包粽子的這一個問題，我們看到中國婆媳之間的問題，都是由於互相不了解，互相計較，互相比較，產生了多少問題。如果拿佛教來說，佛教也有一個趣談。

有一個信徒，來拜訪一間寺廟的住持，年輕的住持在接待跟他談話的時候，身邊站了一位老和尚。年輕的住持跟老和尚說：「你去倒茶，請客人吃茶。」這個客人也有信仰，心想，怎麼這麼年輕的住持態度這麼傲慢，對年老的師父口氣那麼不好，心裡就有了成見，但自己是客人也不好說。

　　正在忍耐的時候，年輕的住持看到老和尚泡茶來了，他又說：「你去切一盤水果來，請客人。」老和尚一稱，是，就去切水果。信徒很想發作，但是也不好意思，談話就草草的了事了。

　　這時，年輕的住持對老和尚說：「等一會兒，你帶客人去吃飯，我先去辦別的事情。」年輕的住持走了以後，信徒趁這機會就問老和尚：「剛才那個年輕的住持，是你的什麼人？」老和尚回答說：「他是我的徒弟啊。」

　　信徒一聽，很驚訝說：「既然是你的徒弟，怎麼對你這麼沒有禮貌？」老和尚就說：「不會啊，我的徒弟對我很好啊！」「怎麼好？你看，他叫你去倒茶。」老和尚：「是啊！倒茶很簡單，他沒有叫我燒茶，燒茶就比較辛苦了。」「可是他又叫你去切水果。」老和尚回答說：「是啊，他只叫我切水果，沒有叫我種水果，種水果就很辛苦了。」

　　這個信徒一聽，覺得奇怪就問：「你們的寺院究竟是師父大，還是徒弟大？」「出家人哪裡還有談什麼大小，都一樣共同為常住服務，他年紀輕，做重要的事情，我年紀老了，就倒倒茶、掃掃地，做一些輕鬆的事情。」

闊達包容　共建佛化家庭

　　假如，我們中國的婆媳，能像老和尚這樣的闊達、開通，那還有什麼婆媳相處的問題呢？夫妻也是一樣，兩個家庭，不同的生活習慣下長大，總有一些不同的觀念看法，既然結婚了，就要相互的包容忍耐，相互的體

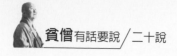
諒，相互的尊重。夫妻通過了最初的磨合時期，以後就不會彼此計較，你就是我，我就是你，還有什麼問題發生呢？

　　我們本山辦有大慈育幼院，有一部分孩子是孤兒，但也有一些是夫妻不和成為單親的家庭，為了讓孩子健康成長，就安排住進育幼院。我們有時候也告訴這許多兒女，爸爸來看你時，你就說你很想念媽媽；媽媽來看你了，你就說很想念爸爸。有時候這許多父母，還是有情義在，聽到小兒小女的話，心裡也會有感覺的。

　　甚至要他們跟爸爸說，上次媽媽來，說爸爸怎麼好；告訴媽媽，上次爸爸來，也說媽媽怎麼好。這樣的夫妻又再回心轉意，破鏡重圓的也很多。希望有情人成為眷屬，不就是這樣的意思嗎？

佛光長者曹仲植（左三）在台北道場歡度 98 歲大壽。

在我處理信徒一些家庭的問題中，記憶裡印象最深刻的，就是生命線的創辦人曹仲植先生。

那應該是在五十年前，半個世紀以前的事了。有一天，我到北投的一間寺廟找一個朋友，見到一群信徒站在那裡，互相交談，隨後進來一位中年男士，西裝革履，風度翩翩的樣子，一位太太看到我，就大聲的說：「我先生來了，師父、師父，您叫我的先生拜佛好嗎？」

我一看，我並不認識這一位曹先生，而且信仰自由，我怎麼能叫他拜佛呢？但是礙於太太拜託我，我又不能不回答，我只有說：「妳先生不一定拜佛嘛，他可以行佛。」曹先生看到那麼多的群眾，也難以下台，聽到我這麼一說，馬上回答：「師父說的對，我行佛、我行佛。」

後來，他不但對我們在外國創立的道場，如美國西來寺等幫助很多以外，尤其捐獻輪椅，不只百萬輛以上，幫助了多少行動不便的人士。他一直都說：「我奉行大師的話，我要行佛。」因為這樣子，夫妻對同一個宗教，有共同的理念、信仰，當然感情就非常的美滿了。

多年後，曹太太去世了，曹仲植先生也成為佛光山的榮譽功德主，活到一百多歲才往生。我覺得，夫妻共建的家庭，能夠佛化、行佛，是多麼的重要。

溫柔軟語 挽救破碎家庭

再有，給我記憶更深的，是一對與佛光山創建都有因緣的夫妻。那應該是民國五十年代左右，我在宜蘭成立念佛會，每年都會打佛七，七天的念佛，好像是信徒

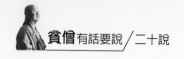

的過年一樣，在外地服務的宜蘭人，不論男女老少，只要到了打佛七，都會回到宜蘭來參加念佛共修。

其中有一位女士，她的先生那時候負責有關山林樹木的工作。有一年，她遲到了兩、三天才來報到。我記得那天我們正在過堂吃飯，她到的時候，才坐下來，就眼淚鼻涕直流，跟我說：「師父！對不起，這一次幾乎不能來了。」我問她為什麼？她說：「先生有了外遇。」愈說愈傷心，愈傷心愈哭泣，我也束手無策，不知道怎麼辦才好。

不過我在想，還是要安慰她一下。我就說：「辦法是有，就怕妳做不到。」她聽到了以後，立刻睜大眼睛，問：「什麼辦法、什麼辦法？」我哪有什麼辦法，不過情急智生，我就說：「妳的先生所以會有婚外情，如妳所說，給狐狸精迷惑了，狐狸精一定有她一套迷人的本領，妳能超過狐狸精的本領，妳就會勝利。」

「什麼本領呢？」「妳要讚美先生，妳要用好的給先生吃，不可以說破先生的外遇；甚至於妳知道他要出去和狐狸精約會，妳要對他更加的殷勤，送他外出。」她聽了以後說：「我做不到。」我說：「所以妳不能勝利，因為妳沒有狐狸精那樣的甜言蜜語，對先生那麼樣的柔順，當然妳要失敗了。」

她聽了以後，回家還是有改變。她先生是個官員，對佛教不但沒有信仰，也毫無好感。有一天就問她：「妳現在怎麼變得這麼好呢？」太太很自然的回答說：「我聽我師父的話，和你不計較了。」這一個官員聽了以後，

心裡想，一個和尚，一句話，把我快要破碎的家庭挽救回來。就這樣，他對我有所認識，可以說觀感不同了，就想給我補報。

感謝報恩 回饋植樹成蔭

有一次見到我，就說：「星雲法師，你們這個寺廟太小了，要建就建個大廟嘛！大寺院在大陸，像浙江的天童寺、育王寺，那種大叢林，不必講經說法，人家看了也會恭敬禮拜。」我一聽，就說：「是啊，我沒有地方可以去建寺院啊！」他聽了以後說：「我替你想辦法。」

不久，有幾位處長拿了幾塊地的地圖來找我說，天母有一塊地可以租借給民間建寺院，那就是台北榮民總醫院的現址。天母在哪裡？那時候的我都不知道。當時，我的建設只以台北火車站作為中心，離開火車站太遠，我就不知道東南西北了。接著又跟我說，在陽明山有一塊地，就是現在的中山樓也可建寺院，我不置可否。

不過，過了幾天，也不知道什麼原因，總統府的侍從室有人來找我。那位長官說：「總統聽說你要在陽明山那塊地建寺院，因為和官邸距離不遠，偶爾他在的時候，會有戒嚴，會妨礙信徒進出，他要我請你諒解。」我一聽，哪敢和總統為鄰，就不敢進行了。

後來再過一段時期，他看我對中山樓那塊地也沒有興趣，就跟我說，在烏來農民廳有一塊地，一個山頭，就是現在台灣銀行建的地方。我一看，烏來那麼遠，我連砍一棵樹的斧頭都買不起，我哪裡能在這個地方建寺

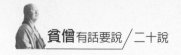

院呢？所以我就不去妄想要建大的寺院了。我在宜蘭、高雄兩處來往，地方雖小，但人情味很濃。

　　後來佛光山開山，也有些殿堂建好了。記得某一天的下午，這一位官員駕到，他一見到我：「你真是莫名其妙，在這種醜陋的地方建寺廟多艱難啊！我當初給你那麼好的地方你不要！」我就說：「承蒙你的好意，這個地方雖壞，我不用花多少錢，慢慢建築，那是我的，不是政府的。那些國家的地方，我租借不起啊，就算讓我得到了，別人也會嫉妒。」

　　他當然也承認我的話說得很對，就跟我說：「那好了，你山上的樹木，讓我幫你來種吧。」所以，後來吳修齊先生幫我種了很多的菩提樹，這位官員也把局裡的很多樹，如桃花心木、印度紫檀等等給我栽種，讓佛光山後來也都樹木成蔭了。

三好人家　共同福德因緣

　　夫妻相處要以愛才能贏得愛，以恨怨恨、嘮叨，只

陳漢斌、韓玉儀伉儷　　　　王家培、許月琴伉儷　　　　林金茂、陳瑞珍伉儷

有加重愛情的裂痕。已經作爲夫妻的，不得不互相諒解
彼此相處的關係。我爲了幫助人家的夫妻和好，善意的
語言規勸，無意中，建立了佛光山的因緣。你們能說，
做一個出家人，對社會的關懷，對家庭的照顧，對人家
夫妻的祝福，能不用心嗎？

　　當然佛光山建設以後，有更多美滿的家庭，夫妻一
起成爲佛光山的信徒，共同來護持佛光山的成長。例如：
永記造漆創辦人張添永、張雲罔雀夫婦，萬華行的負責
人莊許進治、莊萬賀夫婦，南昌行創辦人曹仲植、賀雲
卿夫婦，南豐鋼鐵公司董事長潘孝銳、潘黃雅仙夫婦，
日月光創辦人張德滋、張姚宏影夫婦，以及後來的立明
集團董事長劉招明、陳秋琴夫婦，牛頭牌的蘇國課、劉
珀琇夫婦，三洋維士比集團董座陳和順、戚品淑，寶成
集團總裁蔡其瑞、蔡黃淑滿夫婦，監獄布教師林清志、
林秀美夫婦等。

　　在海外，如荷蘭羅輔聞、羅劉美珍夫婦，巴西張勝
凱、陳淑麗夫婦，洪慈和、呂麗月夫婦，洛杉磯陳正男、

陳和順、戚品淑伉儷　　　　　　劉招明、陳秋琴伉儷

范妍娥夫婦，南加州王家培、許月琴夫婦，休士頓趙元修、趙辜懷箴夫婦，加拿大賴維正、李美秀夫婦，法國江基民、許祥茵夫婦，泰國余聲清、劉素卿夫婦，香港陳捷中、蔡蝴蝶夫婦，及陳漢斌、韓玉儀夫婦等等。

甚至於這些夫妻再傳承下來給第二代、第三代兒孫，一直到現在都還繼續護持佛光山，如張德盛、張歐淑滿夫婦，賴義明、薛雲英夫婦，陳順章、蘇素賢夫婦，蔡國華、陳素雲夫婦，王德旺、游桂惠夫婦，謝承濂、詹靖霈夫婦，林金茂、陳瑞珍夫婦，江忠鴻、江黃湘玉夫婦，戰淑芬、游勝文夫婦等。

以上僅能羅列幾位代表，佛光山的三好人家不勝計數，或者是太太，或先生個人為佛光山護持，在這裡實在無法一一敘述了。這許多國內、國外的佛光人，共組佛化家庭，因為夫婦有共同的信仰，數十年來感情不變，護持佛光山，一心一意，雖說是佛祖的庇佑，也是他們自己的好因好緣了。

當初，褚柏思和他的太太，共同發起捐贈佛光山這塊土地，成就後來的因緣，所以護持佛光山的夫妻檔，在這裡已成為一種風氣，這也不是沒有因緣。佛光山成就了多少夫妻團圓，佛光山成就了多少的圓滿的家庭，和諧的夫妻，因為這樣的因緣吧，所以佛光山發展也非常順利。

至於夫妻如何相處？還是要有共同的信仰，共同福德因緣。

二十一說

我的管理模式

貧僧的管理學就是在大雄寶殿裡，
在禪淨法堂裡，在典座齋堂裡，
在出坡作務裡，在人我和諧裡。

$\overline{\mathcal{H}}$的出身,家父是單傳,據說他出生二十八天,我的祖父就去世了。在他十餘歲的時候,我的寡祖母也去世,只剩他孤苦零丁一個人。我出家的生活就和他的單傳一樣,出家人都有同門、同宗,濟濟多士,但我的師父和我的師兄都早逝,尤其我人又來到台灣,更加的孤單一人。

志同道合　為眾服務奉獻

感謝因緣際會,開創佛光山之後,出家的弟子就有一千三百餘人,還有入道的教士、師姑百餘人。台灣的寺廟都很小,一時之間,有了這麼一個像叢林的大寺,就經常有人來追問我怎麼樣管理?貧僧沒有學過管理,也不懂得管理,只覺得大家志同道合,為佛教、為社會大眾奉獻服務,重視因果,在公開、公正、公平、公有

之下，就會相安無事了。

　　有一位出家的徒眾是香港大學管理學系畢業，在四、五十年前，管理學科就已經有人注意。所謂人事管理、財務管理、學校管理、圖書管理、醫院管理、工廠管理等等，貧僧看到這位徒眾自恃高學歷畢業，心有所傲，就告訴他，管錢，錢不講話，隨你用法；管物，物也不開口，隨你搬動；管人，就難了；但管人也還不太難，最難的，是要管自己的「心」啊！你會管「心」嗎？

　　貧僧童年失學，不但沒有進過學校念書，連學校都沒有看過，曾經有一次台灣大學邀我去講「管理學」，當然我不敢應允。雖然佛教也有管理學，像叢林兩序大眾、四十八單職事、清規戒律等，這些我都沒有做過深入研究，哪敢對人講管理呢？

　　後來，曾經擔任過教育部長的張其昀先生，他在陽

佛光山禪淨法堂

明山創辦了中國文化大學，並且在民國六十九年（一九八
〇）找我去擔任印度文化研究所所長。他致詞時說：「整
個華岡就是一個大叢林，在此歡迎我們的住持星雲大和
尚回來。」我聽了以後心有所愧，雖然在佛光山開山，
但也不敢自認是住持。因為一個住持，要對叢林四十八
單職事、清規戒律相當熟稔，所謂住持三寶，我想貧僧
還不夠條件。

同甘共苦 心平即得自在

　　前幾年，台灣大學副校長湯明哲教授要來對我做一
次訪問，我和他並無交往，但貧僧對別人的要求一向不
願意拒絕。他來了就問：我對你們感到很奇怪，我們在
家人有周休二日，有年節放假，但是我們還是希望增加
休假的時日；我們在家人每個月有數萬元的收入，但仍
然感到不夠，希望再增加一些薪水。聽說你們有一千多
名出家人，沒有假日，沒有薪水，晚上還要加班，挑燈
夜戰，有這種力量是什麼原因呢？

　　像這樣的問題，過去不曾有人問過我。聽他這麼一
問，忽然感覺它確實是一個問題。我回答說，你們在家
人是過「有」的生活，有假期、有待遇、有財物、有家庭、
有妻子兒女；有，是有窮有盡、有限有量，當然會嫌不夠。
我們出家人過的是「空無」的生活，無假日、無薪水，
心甘情願為社會大眾服務，沒有指望報酬，因為沒有這
個欲望；因為「無」，所以無限無量、無窮無盡。他是
台灣大學的名教授，對我這樣的回答，我不知道他內心

的反應是如何了。

說起佛光山的管理學，貧僧覺得，只要肯得上下大眾同甘共苦，只要心平，又何處不能自在呢？當然，我也經常告訴僧信弟子「不比較、不計較」，不把人我是非得失放在心上，日子就會很平安的度過。我寫過一首〈十修歌〉，就是希望對修道者有所勉勵，後來漸漸的也為大家所傳唱。

「一修人我不計較，二修彼此不比較，
　三修處事有禮貌，四修見人要微笑，
　五修吃虧不要緊，六修待人要厚道，
　七修心內無煩惱，八修口中多說好，
　九修所交皆君子，十修大家成佛道，
　若是人人能十修，佛國淨土樂逍遙。」

我也主張要有「老二哲學」的思想，所謂「是非只為多開口，煩惱皆因強出頭」，我們觀看歷史，歷朝的第一代皇太子被害的為數居多，如隋朝的太子楊勇，如唐朝的李建成等，多為了出頭遭忌而犧牲。如果每個人安於「老二」，懂得「無我」，對做人處事，也就會心安理得了。

我也覺得佛門裡教我們的發心、忍耐，是非常有用的。發心就有力量，發心就會心甘情願，發心為佛教服務、發心要廣度眾生、發心為常住工作、發心肯吃虧耐勞……，能發心，還有什麼得失計較的呢？

忍耐，更是重要。不但做一個出家人，世間上每一個人要想生存、生活，都要能忍。能忍，就知道人我的

關係，就知道情緒安定的重要。人家一句話、一件事，跟我來往，都要我去認識、接受、負責、擔當、處理和化解，都要有忍的智慧、忍的力量。

因此，貧僧很早就寫了一首〈剃度法語〉，告訴要求入門的弟子，假如你要問我怎樣做一個出家人？對出家人的看法是什麼？這首〈剃度法語〉就不光只是唱一下而已，你必須好好思量。這是身為佛光弟子必須實踐、奉為圭臬的座右銘：

> 佛光山上喜氣洋，開山以來應萬方。
> 好因好緣多好事，青年入佛教爭光。
> 發心出家最吉祥，割愛辭親離故鄉。
> 天龍八部齊誇讚，求證慧命萬古長。
> 落髮僧裝貌堂堂，忍辱持戒不可忘。
> 時時記住弘佛法，莫叫初心意徬徨。
> 為僧之道要正常，不鬧情緒不頹唐。
> 勤勞作務為常住，恭敬謙和出妙香。
> 清茶淡飯要自強，粗布衣單有何妨。
> 生活不必求享受，超然物外見真章。
> 善惡因果記心房，人我是非要能忘。
> 深研義理明罪福，慈悲喜捨道自昌。
> 朝暮課誦莫廢荒，念經拜佛禮法王。
> 無錢無緣由他去，只求佛法作慈航。
> 十年之內莫遊方，安住身心細思量。
> 任他天下叢林好，我居一處樂無疆。

精進修持 開心忙碌無怨

這些法語裡，貧僧沒有更改過去傳統出家精神的意涵，一個出家人本來就要依止一個常住，好好安心辦道。

在佛光山，因應社會結構的改變，是到最近十年，才改為五點半早覺。在此之前，全山大眾早晨四點半起床，五點禮佛做早課，六點鐘過堂，七點鐘在教室聽講學。四個半小時後，聽板聲十一點半過堂用齋，飯後跑香，稍微休息一個小時，下午一點半到三點半繼續上課。然後出坡服務一小時，四點半盥洗、用藥石（晚餐）。晚上七點自修複習，九點鐘晚課拜願，晚上十點，在鐘鼓聲之下養靜睡眠。星期六、星期天，人來客去，除了上課以外，還要分班去接待客人參觀、服務三餐，為大家典座行堂分食。

有時候，外請的老師只有在禮拜六、禮拜天才有時間前來授課。經常在教室裡，老師一來就是一整天的課程，甚至把晚上自修的時間，都用來講學。解門之外，行門修持有：抄經、打坐、朝山，二六時中，佛聲不斷。

雖然外面也有人批評我們，但貧僧常有一個感覺，想問批評我們的人：你們能每天在教室裡面坐六到八個小時上課嗎？你們能每天三餐過堂，成年累月的一飯一菜嗎？飯前飯後念〈供養咒〉、〈結齋偈〉，至少要花一小時吃一頓飯，你們能做到嗎？你們能可以每天早上四點半起床，晚上十點鐘休息嗎？你們能每日早晚功課，隨著鐘鼓板聲作息嗎？你們能為常住出坡辛勞，不會埋怨嗎？但佛光山所有的貧僧們，每天為佛教、為大眾服

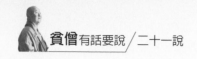

務，儘管如此忙碌，忙得很開心，忙得很有意義，每個人幾乎都笑逐顏開，天天好似過年。

集體創作 強調制度領導

如果我做貧僧的話，佛光山所有的徒眾一千餘人，他們也應該都叫貧僧。其實，你問他們有錢沒有錢，可能他們說沒有，但你問他們生活得歡喜不歡喜，他們必然會告訴你生活得非常歡喜安然。不然，為什麼要出家做「貧僧」呢？

不僅如此，為了樹立佛光山的宗風思想，維護山門綱常紀律，貧僧也為徒眾立下「佛光山十二條門規」，作為四眾弟子依此修道的準則。這十二條門規是：

一、不違期剃染；　　二、不私建道場；

三、不夜宿俗家；　　四、不私交信者；

五、不共財往來；　　六、不私自募緣；

七、不染污僧倫；　　八、不私自請託；

九、不私收徒眾；　　十、不私置產業；

十一、不私蓄金錢；　十二、不私造飲食。

佛光山寺組織章程

〈怎樣做個佛光人〉

在佛教裡，這些規矩說起來簡單，做起來卻不容易。因爲，佛光山不是個人，而是一個教團，佛光人的作爲，不能只爲個人求安樂。凡有所作，都要想到團體、大眾，都要顧及團隊精神，要有「大我」的觀念。大眾依共同法則、共同制度、共同所信、共同所依，共同的自由，作爲行事的準則，這就是所謂「集體創作，制度領導，非佛不作，唯法所依」。

後來，跟隨貧僧的徒眾、信徒漸漸增多，想到台灣大學的師生都自稱「台大人」、文化大學的華岡師生也稱「華岡人」，因此，凡與佛光山有緣的人，都應可以稱爲「佛光人」。爲了建立大家的共識，於是貧僧又陸續立了〈怎樣做個佛光人〉十八講，讓僧信大眾對於佛光山的宗旨、目標、道風、守則，有一個深切的認識。十八講的內容，可以參閱《人間佛教系列・佛光與教團》。

仗佛光明 成就歸於大眾

我也告訴徒眾，凡事要抱持著「光榮歸於佛陀，成就歸於大眾，利益歸於常住，功德歸於信徒」的精神行事。

所謂「光榮歸於佛陀」，指的是雖然佛光山大眾人多共事，但是個人不可爭功、不可執著，要隨喜隨眾，一切的光榮都是集體創作、仗佛光明而有。

「成就歸於大眾」指的是，佛光山創辦的佛教事業，都不是我們個人能力所及，一切都是全體大眾共成的。

所謂「利益歸於常住」，在佛光山，一切都依佛陀建立「六和僧團」的理念而行事。「六和」是指戒和同遵

（法制的平等）、利和同均（經濟的均衡）、見和同解（信仰的一致）、身和同住（和樂的相處）、口和無諍（語言的親切）、意和同悅（心意的開展）。在佛光山常住裡，雖然個人不富有，但也沒有人為生活憂心，無論衣、食、住、行、生病、旅行參學等，一切都有常住照顧，因為不私蓄、不占有，可以說是無憂無慮的佛國淨土了。

而「功德歸於信徒」，則是說信徒在這裡發心、修行、奉獻、護持，一切的緣分、功德都應該有他們一份。

以上種種說來，其實說我是「貧僧」，除了金錢，這許多的思想、理念、制度，甚至三好、四給、五和、六度……，都是我的財富法寶。若要問貧僧的管理學是什麼？實在說，貧僧的管理學就是在大雄寶殿的規矩裡，在禪淨法堂的法制裡，在典座齋堂的發心裡，在勞動出坡的作務裡，在人我關係的和諧裡，在佛法正信的悟道裡。我希望佛光山適當的貧窮，過清貧的生活，這就是中道的管理學。除此之外，貧僧還有什麼管理學呢？所謂「有佛法就有辦法」，有了佛法，又怎麼會去怨天尤人、慨嘆自己呢？

原來世間上不是以有錢、無錢來論貧窮富有，貧、富，還是在心裡上的感受。行文至此，對於自古以來在大陸叢林裡流行的「貧僧」兩個字，貧而不貧，自然也就理所當然了。

二十二說

我一直生活在「眾」中

我在眾中，眾中有我

獨樂樂，不若與眾樂樂

貧僧自幼有一個性格，不喜歡一對一的往來，不喜歡個人獨居，喜歡過團體生活。在家童年幼小，因為兄弟姐妹眾多，也如團體一樣；出家以後，僧團裡大眾睡廣單（通鋪），幾百人一同過堂用齋，早晚課誦也離不開一、兩百人，自覺人多，共同的生活也非常有趣。

六和僧團　共修以和為尚

來台以後，兒童班、學生會、歌詠隊、弘法團、文藝班、補習班……，還有念佛會的老少信徒，每天都離開不了和群眾一起生活。

四十歲在佛光山開山，更是群眾雲集。每天除了人客來往以外，光是共住的僧信四眾，從百人到千人以上，從此，我就更不能離開大眾了。

回憶貧僧這一生，沒有一次要別人為自己開車到什

麼地方，也從來不曾有過五分鐘人家不知道我的位置在哪裡？每次車子一開動，都坐了滿滿的人眾。過去還沒有高鐵、手機的時候，經常來往高雄、台北之間，高雄出發了，就電話告知台北；如果路上車子拋錨，擔擱一點時間，到了台北，徒弟就質問：師父怎麼慢了半個小時呢？因此，我經常自嘲自己是「限時專送」。法務日趨忙碌後，也會搭乘自強號火車或是飛機來來去去，就變成「快遞」了。

說來，團隊，是貧僧在什麼地方都離開不了的情況，因此在寫一筆字的時候，經常題寫「我在眾中」、「眾中有我」，這也是自我的期許罷了。因為生性歡喜大眾，歡喜參與公共的活動——共修，可以說，是貧僧一生生活的寫照。僧伽，本來就叫做「和合眾」，所謂「六和僧團」，佛教的教團就是靠一個「和」。在團體中生活

佛光山供僧法會暨文化獻禮。2014 年

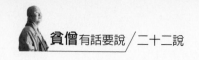

就是出家做和尚，也是以「和」為「尚」，團體如果不和，怎麼能共住呢？

我在眾中 分享歡喜快樂

佛光山的四大宗旨是：「以文化弘揚佛法，以教育培養人才，以慈善福利社會，以共修淨化人心」，對於這四大宗旨，前三條都容易懂，第四條的「以共修淨化人心」，就必須做一番說明了。

貧僧這一生所有的建設，都不曾為某一個人。例如：建設叢林學院，分有男眾學部、女眾學部，各有山居，中間要經過信徒集會的場所。甚至，因為有寶橋分隔，所以雖有男眾、女眾弟子，彼此也是難得知道姓名，互相沒有往來。

承蒙南懷瑾先生在佛光山說，佛光山的山形，就像一朵蘭花瓣。我倒不想是否像他說的那樣美好，不過，也可說像是一座五指山。東山是男眾，西山屬於女眾，中間有大雄寶殿以及信徒來往食宿的朝山會館。大雄寶殿的後方，喜歡參禪的，有禪堂可以打坐；喜歡念佛的，有淨業林（念佛堂）可以念佛，每天佛聲不斷。另外，再偏遠一點的地區有育幼院、養老院，各有山頭，大家都是集體團居。

想起過去大陸叢林的建築形制，除了住持大和尚的丈室以外，有西堂、後堂，多為長老所居。因為佛光山都是年輕人，沒有想到、也覺得沒有必要建設獨居的住所，所有的人等，統統都是過著團體的生活，可謂是「眾

中有我」，我也在眾中。

因爲貧僧有這樣的性格，所以佛光山就爲各類人士舉辦不同的活動。例如，我們曾爲年長者舉辦老人夏令營、冬令營以及獨居老人餐會，邀請數千名以上獨居老人一同聚餐。記得貧僧年登花甲要過六十歲的時候，徒眾都知道我不喜歡延壽，爲了這一天，他們想要爲我祝壽，就跟我說，那就邀約一千位六十歲的人一起來吧。我不得辦法違背眾意，也就接受了。到了六十歲那一天，果然有一千三百位六十歲的老人一同前來，我覺得也很有意義。所謂「獨樂樂，不若與眾樂樂」，我在眾中，大眾就能夠給予我們歡喜和快樂。

青年集會　交流拓展視野

早在佛光山開山初期設備還不完全時，山上就與救國團合辦了好幾屆的「大專青年佛學夏令營」。當時的許多學員，如今在各個崗位爲國家、社會奉獻服務，如：有「換肝之父」之稱的高雄長庚醫院院長陳肇隆、中油公司董事長林聖忠、台北榮民總醫院院長林芳郁、中華總會北區協會會長趙翠慧、做過雲林地方黨部主委的薛正直等，他們都有所成就，實在令人歡喜。

後來，各地佛光會成立了青年團，慈容、慧傳、覺培、如彬等法師每年在世界各地召開「國際佛光青年會議」，像：歐洲日內瓦聯合國會議中心、法國巴黎、美國紐約、洛杉磯、澳洲雪梨、馬來西亞、日本等地，都是他們參學、會議的地方，希望讓現代青年們彼此交流，打開視野走

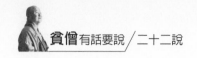

向世界。像是慧顯法師在馬來西亞綠野仙蹤舉辦的佛光青年團代表大會，有來自世界各地的青年團代表八千人集會，雖然我沒有辦法如佛陀的「靈山勝會，百萬人天」的盛況，但是那時候能有八千位青年集會，看得出佛教未來的前途，我也喜不自勝了。

而慈惠、妙凡、妙光等法師，每年為來自數十個國家地區、世界四百餘所大學，如哈佛大學、倫敦大學、北京大學、新加坡大學等千餘名以上的大專青年，舉辦「國際青年生命禪學營」，也獲得熱烈回響。口耳相傳，現在已成為各地青年學子一年一度期待的盛事。

在三十多年前，慈容法師就在台北普門寺為媽媽們舉辦「婦女法座會」，為老師們舉辦「教師研習營」，到後來又有「生命教育研習營」，以及為愛好藝文者舉

辦「文藝營」等相關活動。近二十多年來，每年分別在北中南三區舉行「禪淨共修法會」，每場都有萬人以上參加，點亮萬盞心燈，為國家社會祝願美好。除此，每年都有千名以上翰林學人集會，二千多個讀書會學員們更是經常聚會研讀。再說到各種信徒講習會、義工講習會、短期出家修道會等，幾十年來更是從未間斷。像短期出家，曾經報名有萬人以上，可見佛光山辦活動，吸引群眾的能量可觀。甚至暑假、寒假的兒童活動，因為人數眾多，都必須分梯次舉行。

佛法淨心　鄉村環島布教

　　曾經任職教育部的李耀淳先生，是佛光山的護持者，義務發心來佛光會負責「佛光童軍團」的推動執行工作。無論男童軍、女童軍，都正式取得世界童子軍協會的登記，經常在世界各地露營、參與大會師，也算是協助我們兒童幼苗培養的工作吧。可以說，這許許多多淨化人心的共修活動，無日無之。

　　辦這些活動期間，最辛苦的，還是大寮（廚房）裡典座（煮飯）的發心菩薩了。雲居樓負責典座的徒眾慧專法師告訴我，去年（二○一四）光是兩個月的暑假，雲居樓的齋堂就有超過二十萬人次吃飯。貧僧為了感謝這許多菩薩前來擔任義工，經常以水果、餅乾表達感謝和鼓勵，也不知道有多少回了。

　　當然，也有人批評我們只是辦活動沒有修行，但是從早期宜蘭青年跟著貧僧披星戴月鄉村環島布教，到現

在全球有數百名的檀講師、宣講員，如：鄭石岩、鍾茂松、吳欽杉、李虹慧等人，他們分別在全世界各地，一次又一次的宣講佛法，讓更多人給佛法震動，生起了信心，不能不說這些活動對他們沒有貢獻。菩薩道的修行就是「但願眾生得離苦，不為自己求安樂」的積極六度波羅蜜，而貧僧能以佛法幫助大家淨化身心，也感到非常欣慰自豪了。

至於說到個人修行，佛光山的住眾比丘、比丘尼、優婆塞、優婆夷四眾弟子，每天二時（早晚課）課誦以外，三餐過堂，一飯一菜，數十年如一日，在教室裡也至少八個小時學習。另外，有禪堂參禪、念佛堂念佛，還要出坡服務，你說，他們有修行沒有修行呢？

現在，佛光山在世界上設立三百多個道場，也像基督教星期日禮拜一樣，每個道場周六舉行共修。全球佛光人同一時間，同步念佛，平均每一個道場以三百人至五百人計，就有十萬人以上同時念佛共修，向自己的內心探討自我的世界，不向外面的世界追求，自己也增加了對佛教的信心。

歸佛球隊 以球會友弘法

傳統的念佛、講經、說法之外，過去天主教為了宣教，曾經組成籃球「歸主隊」征戰天下，為天主教增加不少光榮與信徒。因此，貧僧從年輕時，就一直希望佛教也能有一支「歸佛籃球隊」，藉著「以球會友」與各國的球隊聯誼，間接把佛法傳遍世界。

　　後來，從普門中學開始，一直到佛光大學，相繼成立了女子籃球隊，每一年舉行「佛光盃」友誼賽，邀請世界各大學參加。為了替籃球隊打氣，意外促成了「佛光啦啦隊」的組成，只要有賽程，北中南區各自輪番上陣為球員加油。這當中，甚至有不少阿公阿嬤參與。經常帶領啦啦隊加油的永光法師說，這許多爺爺奶奶在球賽中，跟大家一樣鼓掌叫好，吶喊助陣，一場球賽下來，忽然感覺到腰也不痠，背也不疼，身心舒暢。大家都紛紛表示，覺得自己年輕起來了。

　　因為這樣的因緣，讓貧僧又想到，可以成立一個推廣全民體育運動、淨化社會風氣為宗旨的協會，接引更多喜好體育運動的人學佛。二〇〇九年，通過內政部核准，「三好體育協會」正式成立，由喜愛運動的賴維正居士擔任會長，師範大學體育碩士慧知法師擔任祕書長。

　　除了籃球以外，普門中學還有女子體操隊、棒球隊，

「第一屆大專佛學夏令營」於佛光山舉辦，
課程中大師安排籃球比賽。1969 年

大師為三好盃亞洲職業男籃挑戰賽開球。2012 年

311

甚至遠在巴西如來寺的「如來之子」，覺誠、妙遠法師也為他們成立了「佛光足球隊」，每年應邀到聖保羅各地參賽，都獲得很好的成績。

看到這些比賽場裡，萬千群眾開心喜悅的喊叫聲，感受到體育運動真是魅力無窮。貧僧是想，藉由體育，希望過去中國人所謂「東亞病夫」的稱號能夠去除，能在世界稱雄，以體健稱雄、健康稱雄。貧僧也希望為佛教增加體育人口，甚至美術、音樂、藝術等各方面，讓佛教都能在其中擁有一席的地位。

順應時代　增進眾人幸福

這許多活動，貧僧都把它歸類訂名為「共修」，因為我們認為，不只是念佛、拜懺、誦經、禪坐、五戒、菩薩戒、短期出家等，應該包括佛學講座、讀書會、座談會，乃至各種大眾活動。凡是有益於身心淨化作用的團體活動，都可稱為「共修」。

所謂「未成佛道，先結人緣」，因為共修，讓我們能與世界上百千萬人結緣，當然，帶給我們的忙碌也就可想而知了。例如：佛光山二十四小時沒有關過大門，經常有人從國外回來，抵達時已是十二點鐘以後，沒有吃晚飯，還要煮飯給他吃；有的人火車誤點、飛機誤時，也常常要在半夜三更等他們到來。為什麼？因為我們是一個團隊的道場，對於各地的個人，都來者歡迎。

記得二十多年前在洛杉磯初建西來寺的時候，也常有人從夏威夷打電話來說：「我這裡現在是下午五點鐘，

五個小時後，就可以到達洛杉磯了，請你派個人接我一下。」也不認識，只有派個出家人前去。他那裡下午五點起飛，再經過五個鐘點抵達洛杉磯，是夏威夷的晚上十點，但在洛杉機是凌晨的一點鐘。

我們也經常這樣接待從台灣到美國的民眾爸爸媽媽們。那個時候，社會有所謂「五子登科」的說法。所謂「五子登科」，很多老年的父母懷抱著理想，希望投靠移民海外的子女，享受天倫之樂。這許多爸爸媽媽，成為不會看電視、看英文報的「瞎子」；不會聽英文的「聾子」；不會說英文的「啞子」；出門不會開車，在洛杉磯也很少有人行路，不敢出門，成為「瘸子」；到了海外，要為子女洗衣、打掃，成為照顧孫子的「孝子」。

但兒女們天天忙上班，無法照顧「五子登科」的爸爸媽媽，住了幾個月之後不高興，都來到西來寺和我們共住，吃中國菜、講中國話、拜中國的佛像，其樂也融融。好在我們有團隊共識、四海一家的精神啊！

人間佛教不排除人性生活基本的需要，不違背社會時代的潮流，所謂達爾文《進化論》「物競天擇，適者生存」，我們也不能不適應這個時代的需要。所以，佛光山四大宗旨第四條：「以共修淨化人心」，就是這個意義了。

透過舉辦各種共修活動，作為一種接引的方便，同時也是在實踐佛法。所謂「慈悲為本，方便為門，般若為用」，只要契合佛法，運用得當，八萬四千法門都是妙法。修行不光是個人的了生脫死，而是要能夠對社會

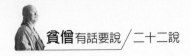

大眾服務、貢獻。做人不是出一張嘴皮做「名嘴」就算，做人也不只是每天指責別人不對、錯誤，就以為自己是在助人、很偉大，而是要能和眾、要能為眾服務，才是眾中的一員喔。

　　有人開玩笑的問貧僧，修行有開悟沒有？貧僧從這許多活動裡，一次一次的感悟，或者禮佛、或者禪坐、或者共修中和佛菩薩相應七十餘年，你說，貧僧有開悟沒有開悟呢？開悟不開悟，不是自己說的，這當中都要佛菩薩印證。但是現在我們找誰來印證呢？不過，佛陀在我們的心中，佛陀應該知道貧僧，貧僧也應該知道佛陀。

　大師早期與青年們乘坐「輕便車」下鄉弘法

二十三說

我的平等性格

世間萬物，只要均衡，只要不侵犯，
只要互相尊重，那就是平等的真義了。

四海都有佛光人

世界上什麼最寶貴？平等。

國家和國家之間有大小，既是國家，就有國家的尊嚴，大國總統到小國訪問，就是小國的上賓；小國總統到大國訪問，就是大國的上賓。大國與小國之間，相互尊重就是平等。

世界各種族之間有黃種人、白種人、黑種人等，因為祖先、血緣、外貌、歷史、文化、習俗、語言不同而有不同的種族，種族之間，相互尊重包容，在人格上應該都是平等。

佛陀出生在印度種族階級森嚴的當時，那麼勇敢喊出「四姓平等」、「大地眾生皆有佛性」的平等宣言，就是現在看來，是何等偉大！所以，在佛陀的眼裡看這個世界，所有的一切眾生、四生九有都是平等的，不但人與人平等，凡是有生命的，都該相互尊重，相互平等，所有的差別都可以統一，所有的複雜都可以和諧。因為世間一切萬有，都是因緣所生法，是我們妄自分別、認

識，所以就有很多不平等的現象了。

在現在目前的社會，強弱不平等、大小不平等、貧富不平等、事理不平等、男女不平等、智愚不平等，在佛教裡簡單的說，就是眾生有「我見、人見、眾生見」，彼此而有分別。分別了、不平等了，就有聲音，就有衝突，就有對立。其實，這許多不平等，也都是妄自分別，基本上，本體都是同體共生、都是生佛一如的。

世間平等 就是各司其用

在佛經裡面有一個比喻說，面孔上的眼、耳、鼻、舌，有一天互相不平，彼此開起鬥爭大會。先是眼睛發難說：「在人的面孔上，最有用的就是眼睛，要看，才知道世間萬物；要看，才知道紅黃白黑。眼睛是靈魂的窗子，這麼重要的眼睛，竟然長在沒有用的眉毛下面，我實在不服氣。」

眼睛說後，鼻子更加表示不平：「我這個鼻子要呼吸，假如不能呼吸，大家都不能活下去，這麼有用的鼻子也長在下面，讓沒有用的眉毛高高在上，我也要表示抗議。」

鼻子講過之後，嘴巴更是鼓起如簀之舌，說道：「人的身體上，最有用的就屬我這個嘴巴了。我要說話，你們才知道什麼意思；我要吃飯，你們才能活下去。這麼有用的嘴巴也長在下面，讓沒有用的眉毛高居在上，我也不服氣。」

大家你一言、我一語向眉毛抗議，這時候眉毛招架

不住了，只有說：「大家不要吵了，我自知不如你們，我願意長在你們的下面。」眉毛就在眼睛下面出現了，眼睛一看，咦？不對勁，好像不像個人。眉毛再到鼻子下面，也不像個人；眉毛又到嘴巴下面，更不像一個人。

眼睛、鼻子、嘴巴相互討論：「剛才我們認為沒有用的眉毛長在我們的上面，要它到我們下面來，但是它到了我們下面，我們不像人啊！那怎麼辦？」大家左商議、右商議，最後大家決議，還是請沒有用的眉毛在上面。你說它無用，實在它就是大用，因為它在上面才像個人。

所謂世間的平等，就是各司其用。世間萬物，只要均衡，只要不侵犯，只要互相尊重，那就是平等的真義了。所以我倡議，同中存異，異中不必求同。

尊重生命 法界眾生一如

但這個世界，對平等有所錯誤的認識。例如貓子要吃老鼠，老鼠說：「同是生命，你怎麼可以吃我呢？」貓子說：「那我給你吃。」老鼠說：「我怎麼敢吃你？」貓子就說：「你既不敢吃我，那我就吃你，總算公平了吧！」就這樣，老鼠就做了平等下的犧牲者。人吃雞鴨豬狗牛羊，他振振有詞的說：「這許多動物，生來就是給我們吃的。」但假如深山裡的獅狼虎豹，也跑到市區來吃人，獅狼虎豹說：「人，生來就是給我們吃的。」人類會怎麼說呢？這是平等的道理嗎？

你是富人，吃著珍饈美味，穿著綾羅綢緞，我是貧

318

苦窮人，三餐難得一飽，衣服少有保暖之感，這外相看起來好像是貧富不平等，但是，在人格的尊嚴上，應該都是一樣的。你有錢，坐飛機，可以坐頭等艙；我窮人，假如獲得一筆獎金，我也能坐頭等艙，你能說我是窮人，不能和你一樣坐頭等艙嗎？又好比，你是富人，拿一百萬買勞斯萊斯的汽車；我窮人，假如我有錢，也是可以拿一百萬買勞斯萊斯汽車，汽車不能因為你我有貧富之分而價碼有所不同。

世界上如果大家懂得平等真義，互相用平等心看待一切，這個世界才能和平啊！如果這一個世界，要分強弱、要分大小、要分貧富，不以平等相待，哪裡能和平共處呢？

貧僧在沒有出家之前，就有平等的性格。童年時，我對家庭裡人每天吃三餐，可是養的狗子只能吃一餐這樣的事情，經常為貓狗抱不平。蚊蟲肆虐，有人見到蚊子就一掌下去，打得牠屍骨粉碎，在我覺得，蚊子只吸你一點血，你就要牠一條命，這種處分也太不公平了吧！俗語說：「上天有好生之德。」凡是尊重生命，法界眾生本是一如，那就接近平等之意了。

廣義生命　宇宙同體共生

有一回，我在西方國家的電視動物頻道上看到一個紀錄片，一隻母老虎死亡了，有一條狗子照顧母老虎遺留下來的五隻小老虎；多年來，只有一隻小老虎，在過橋的時候落水喪命，其他四隻小老虎，就由這條狗子慢

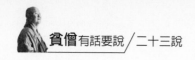

慢帶大了。動物之間，尚且有這樣的情誼，何況人類呢？

古德云：「誰道群生性命微，一般骨肉一般皮。」尊重一切生命的價值，能體會這一切生命包括你、我、他，三者等無差別，這就是平等了。

在貧僧青少年的時期，懂得一點生物學，凡是生物，有生長、繁殖、死亡的現象。我們不吃動物豬馬牛羊、魚蝦海鮮，是因為牠們有生長、繁殖、死亡的功能，但是青菜蘿蔔蔬菜果類，它們也有生長、繁殖、死亡的現象，為什麼能吃呢？我求教多人，都不能解答心中的疑惑。

後來才慢慢悟到，動物和植物有不同的點，是在於有心識、沒有心識的差別。動物有心識，你要吃牠，牠

佛光山護生園區的狗和雞和平共處

320

恐怖、畏懼、爭扎，牠不但能生長、繁殖、死亡，牠還有心識的活動，所以不可吃牠。而植物它沒有心識，它的生長、繁殖、死亡的現象，只是「物理」上的機能反應。所以佛教講生命，是從「心識」談起。

數十年來，我對世間認為生命有廣義的、有狹義的。狹義的，如上述的動植物，以心識辨別；廣義的生命，宇宙萬有，生存就是生命；應該要發廣大心，讓所有宇宙萬有同體共生，一切平等。

就如我經常應邀主持皈依三寶，這麼多年來，也不只百萬人以上了，但貧僧從來不敢說，我是你們的師父。我告訴他們，你們皈依三寶，是信奉佛教，我只是為你們證明而已。對於千餘名的出家弟子，我只想到「三分師徒，七分道友」；有的徒眾長於音樂，歌喉美妙，梵音比我嘹亮；有的徒弟擅於美術、漫畫、書法，他們都比我高明；有的徒弟會說英文、日語等各種語言，我都不如他們。人各有專長，不能以己之長，輕視別人之短，長、短要各司其用。

成就佛道 無有男女之別

但是，人類要建立平等的觀念，非常的艱難。就例如，中國自古以來，男人可以三妻四妾，並且認為那是當然的，但女性則不能。所以，武則天本是一位能幹的女皇帝，只因為是女性，千古以來也被人嘲笑謾罵。

貧僧在建立佛光山的期中，就提倡男女平等。過去佛教，男眾在前，女眾在後；男眾在中間，女眾在旁邊，

已經是司空見慣了。在我本性的觀念裡就認為不該如此，所以在佛光山教團裡，無論上殿、過堂，男眾在東單，女眾在西單，東西各分一半，不必分前後，不是就平等了嗎？

但是，我推行這樣的理念也非常不易。在開山之初，有信徒用一些水果來供佛，我就問：「供佛以後，這些水果怎麼分配給大家呢？」有一些男眾總搶先說：「應該給我們男眾。」我對於男眾的這種優越感，深不以為然。建了一棟新的房屋，我問：「這棟房子誰先進去居住呢？」男眾也總是說：「讓我們男眾先住吧！」男眾憑什麼條件優先呢？這一棟房子，大部分的功德、建築經費，都是女眾信徒捐獻的。你能對女眾完全不尊敬嗎？

在西方，女人被喻為天使、和平女神、安琪兒，紳士們要為女士讓路，讓女士先坐；甚至在國際社交禮儀上，見面時，女士先伸出手，男士才可以與之握手；要有什麼利益，讓女士先有；逃難時，男士讓婦孺優先……，這些都表示他們對女權的尊重。

但是中國人都把女人視為母老虎、禍水、掃帚星，就是美麗，也說她是蛇蠍美人，千百年來，這些都是男性歧視女性可恥的言論。尤其在佛教裡，你不受戒律、吃魚吃肉，他都不為怪，只要你和女性有一點來往，就是最大的污染，最大的醜陋了。

就是夫妻，他們到寺廟裡面來，寺裡的知客師就把丈夫帶到東客堂、把太太帶到西客堂，佛陀都准許夫婦倫理合法的行為，你為什麼要把他們拆散呢？

在我認為，男女一樣可以成道，就如印順法師在《佛法概論》裡，引用《阿含經》佛陀說法：「四種姓者，皆悉平等，無有勝如差別之異。」這就是說明，無論從財力說、從法律說、從政治說、從道德說；從女人所生說，從隨業受報與修道解脫說，四姓完全是平等的，四姓不過是職業分化，在佛道成就上、在智慧解脫上，男女是沒有分別的。

如同我們在拜佛時，也沒有分這是男眾佛、女眾佛；向菩薩合掌，也沒有分他是男菩薩、女菩薩，為什麼要對女性強加分別輕視呢？像觀世音菩薩，是男生？是女生？如果是男生，他為什麼現女相呢？如果是女生，你大和尚、大比丘不是都向他禮拜嗎？因為他是菩薩，所以就沒有男女的分別了。

恭敬從心 非關男眾女眾

佛陀准許姨母率領五百名釋迦族女性出家為比丘尼，但是，佛陀涅槃後，弟子們結集經典，我們的男眾比丘不知道什麼原因，訂定了歧視女性的「八敬法」，硬是要貶抑女性的地位。

佛光山開山之初，有一個空軍士官，因為軍人待遇微薄，沒有辦法養育五個兒女，我剛剛為佛光山設立了育幼院，他就把五個小孩交給我代他撫養。不要一、二年，我不知道他在哪裡出家，他現了僧相到佛光山來探望他的子女。

這原本也是人情之常，我們也很尊重他。但我接待

他的時候，他就跟我說：「星雲法師，我給你一個建議，你們佛光山的慈惠、慈容等比丘尼，見到我都不頂禮，他們不是違犯八敬法嗎？」

我當時聽了非常不以為然。慈惠、慈容法師他們有留學日本的學歷，學佛出家都有一、二十年了，應該算大比丘尼了，你是一個才落髮的中年出家漢子，你要叫他們向你禮拜，在我想，他們實在也拜不下去。

我就感覺到，佛教當然有些開明的比丘大德，但是有一些傲慢、初學的光頭俗漢，實在讓人不敢恭維。再說，恭敬，是人家出於心甘情願、心悅誠服，不是我們要求別人來對我們恭敬的。

回想貧僧一生的弘法過程，初到台灣時，見到比丘尼總是在寺院煮飯倒茶，在家女居士只負責打掃清潔，當時就覺得很奇怪，為什麼她們都只能從事幕後的工作？

比丘尼眾 弘法史創新頁

後來，我創建佛光山，堅持不懈地實踐佛陀的平等教義，訓練出家、在家女性投入各種佛教事業。許多人都笑話我，說我是「婦女工作隊的隊長」，我也不以為意。還好這些女眾弟子也很爭氣，在弘揚佛法的道路上寫下許多歷史，像《佛光大辭典》、《佛光大藏經》、《世界佛教美術圖說大辭典》等，都是出於一群比丘尼之手編輯而成。此外，還有許多比丘尼在大學裡當教授，在中學裡做校長，而其他具有專長的，像報紙、電視、讀書會、監獄布教等就更多了。

　　其實在歷史上，有成就的比丘尼濟濟多士，佛陀時代「智慧第一」的善相比丘尼，「神通第一」的蓮華比丘尼等；傳到中國，江蘇徐州竹林寺淨檢比丘尼，建立中土第一個比丘尼僧團。浙江湖州白雀山道迹總持比丘尼，是南朝梁武帝的公主、達摩祖師的弟子，達摩祖師曾經為他印證：「你得到我的肉。」今年（二〇一五）四月，湖州法華寺印可法師，為這一位肉身不壞的比丘尼要重建寶塔供奉，邀我前往主持奠基典禮，我欣然應允。當地的書記、市長都熱烈參與，這也是大陸上的比丘尼之光了。因為相傳他是觀世音菩薩的化身，我就說了法語：「總持比丘尼，觀世音化身；重建真身殿，普蔭世間人。」

總持比丘尼真身殿重建奠基。2015.4.2

　　古往今來，因為這許多的優秀比丘尼，因此，我在佛陀紀念館的菩提廣場兩邊，供奉的十八尊羅漢中就立有三尊女性羅漢。其實，在佛陀的時代，女性證悟羅漢的，何止千百人之多啊！

　　曾經有記者問我：「大師，你身邊女眾弟子似乎比男眾弟子多？」我幽默地回應他說：「我看不到男人，也看不到女人，我只看到出家人，看到佛陀的真理。」

愛國護教 巾幗不讓鬚眉

　　在佛教裡，出家和在家僧信之間，雖然在事相上有前後，但是在佛性上沒有差距，因此我也喊出「四眾共有，僧信平等」。我創辦佛學院，只要有心學佛的男、女二眾，不論在家、出家，都能入學就讀男眾學部、女眾學部，保障僧信二眾平等的權益。我也告訴佛光會會員：「僧信二眾，如人之雙臂、鳥之雙翼，要共同擔負弘法利生的責任。」

　　好比近代孫張清揚女士，在當初，她不惜違逆蔣宋美齡拒絕信奉耶穌教，並且和她進行信仰的辯論，一生護持佛教不遺餘力。台灣第一部《大正藏》，就是由孫夫人變賣首飾，從日本請回影印流通。當她往生後，靈骨奉安佛光山，為了尊重她，我們還建塔紀念。她雖是女性，可是護持佛教的勇氣過人。

　　在中華民族的文化裡，也不是說女人比男人就差了一截。舉例說，在《戰國策》裡，趙威后主政國家，齊國派使臣前來恭賀。趙威后就問：「你的國家稅收如何？

你的國家人民都幸福安樂嗎？你們的國君政躬康泰嗎？」

　　齊國的使臣聽了以後就非常不高興，質問趙威后：「你怎麼可以把我們的國君放在後面，先賤而後貴，可以這樣嗎？」趙威后說：「這是很自然的啊！假如沒有稅收，百姓怎麼能平安生活呢？假如沒有百姓，怎麼有國君呢？所以我剛剛問你的話是非常有次第的，我剛剛的問候也是沒有錯的。」

　　在中國二千多年前，女性就有這樣民主平等的觀念思想，男人怎麼能不慚愧呢？就如中國的神話傳說，盤古開天闢地，女媧煉石補天，不也是男女同樣有貢獻嗎？《法華經》裡，八歲的龍女成佛，七歲的妙慧童女說法，七佛之師的文殊菩薩也向其頂禮；《華嚴經》中善財童子參訪五十三位善知識，其中女性就占了好幾位，她們都是對佛法有獨到體證的大善知識。

　　再看歷史上，女性中不乏愛國護教的英雌。像佛陀時代，波斯匿王的末利夫人將皇宮當作道場，講經說法布教，參與民間活動；勝鬘夫人貴為皇后，興辦教育，培養幼苗，宣說大乘佛法。阿育王把女兒僧伽蜜多送到斯里蘭卡出家，建立比丘尼僧團，影響斯里蘭卡佛教。唐朝文成公主信仰佛教，遠嫁西藏，也把唐朝文化傳揚於藏地。明太祖朱元璋，晚年性情暴烈，殺害大臣，株連無辜，幸好虔誠信佛的馬皇后勸誘他少開殺戒，免去不少冤獄。這許多偉大的女性，她們的貢獻，都在歷史上留下一頁。我們能輕視這許多女性，認為她們都不如男人嗎？

種族平等 真理不可違背

就是到了今日這個現代社會，男女平等，應該是天經地義的思想。從西方國家，英國伊莉莎白女王、德國梅克爾總理、美國前國務卿希拉蕊，到東方，韓國總統朴槿惠、緬甸民權運動家翁山蘇姬等，她們在當今，都是能與各國領導人平起平坐的優秀女性，我們台灣的蔡英文、洪秀柱、呂秀蓮、陳菊、黃昭順等人，也都不遑多讓啊！

梁啓超先生在他所著的《飲冰室全集》中特別提到，他之所以信仰佛教，是因為佛教的道理中，有六點使他心儀的地方，其中之一便是：「佛教之信仰，乃平等而非差別。」這許多優秀女性，至今都還有她們為法、為道、為社會、為國家的奉獻精神，我們怎能還繼續生存在過去男尊女卑、重男輕女的落伍的觀念裡呢？我們實在要體會佛陀說種族平等的真理名言，千萬不可違背佛意。

所以，當我們看到佛教裡，還有貢高我慢的出家人，認為自己高於在家眾，或是男眾高於女眾這種不平等思想，我認為這都是落伍、醜陋，是不可以存在的言行思想了。

在《金剛經》裡說：「無我相、無人相、無眾生相、無壽者相。」難道我們還要著相輕視嗎？佛陀也告訴我們：「若卵生、若胎生、若濕生、若化生……，我皆令入無餘涅槃而滅度之，如是滅度無量無數無邊眾生，而實無眾生得滅度者……。」這段經文，實是吾等佛子要至誠懇切思之、思之啊！

二十四說

我要養成「佛教靠我」的理念

為了佛教，叫我墮下地獄，都心甘情願。
我只想給人間歡喜，普利世間大眾而已。

在佛教裡，貧僧曾經常自問：是我靠佛教呢？還是佛教靠我呢？

我五音不全，連唱讚、誦經都不如人，我也沒有其它特殊技能，也沒有其它的神通法術，照理說，我只是一個很平凡的凡夫僧，只有寄佛偷生，了此殘生了。我初到台灣，共產黨已經要成立新中國了，塵空法師在大陸從普陀山寄來一封信給我，裡面說：「我們現代的出家人，要有佛教靠我，不要有我靠佛教的心理。」這一句話，點亮了我眼前的明燈。對的，我要讓「佛教靠我」！

在貧僧將近九十年的歲月，光是寫文章，徒眾替我算一算，也寫了二千多萬字，出版了三百多種書，翻譯成二十多種語言。一般人說是著作等身，但算起來，我出版的書籍應該超過身高了吧。我有稿費，我有版稅，雖然現在年老了，竟然還聽說進入了作家版稅收入排行榜；在新加坡、大陸、馬來西亞也都進入過十大好書排行榜。

再回顧貧僧這一生，實在非常奇妙。記得初來台灣時，寫了一篇〈茶花再開的時候〉獲得獎金一百五十元，我就拿它購買了一本中華書局出版的《辭海》。我在辭海的第一頁寫上：「這一本無言的老師，今後將伴著我起飛、擴展，讓我的生命能如《辭海》一樣，如海之深，如海之廣。」六十多年前的這一個小小心願，而今不都在一一的顯現了嗎？

佛光山是貧僧開創的，但我沒有支領過佛光山的一毛錢，就是坐公車、加油，也都是自己出資購買，不花

常住一塊錢。我所有的收入悉數歸公,捐獻給佛光山常住,甚至當初連主持皈依三寶信徒供養的紅包,也都交出來供給佛光山建設。那時候並不想做貧僧,但現在回想起來,那一切也是貧僧的性格所致吧。

佛光山的徒眾也不准對外收紅包,因為我們人多,信徒來不及供養這麼多,只准許大和尚一個人收了以後,可以有限量的分給大眾,作為獎勵。所以佛光山的所有貧僧們跟我,對外都不收紅包。縱然春節過年,信徒也會包一些紅包給大家,他們也都會交回常住,集中以後,分給大眾,讓佛光山的財務制度,做到「利和同均」。或者這些錢留著做為大家的衣衫、參學、醫療等等之費用,不要再讓常住增加負擔。

到了近幾年,書寫「一筆字」,也讓我為佛光山增加了許多的淨財。聽負責的弟子告訴我,在大陸,我不是一張書法給人收藏,而是多少個城市、多少個展覽館,整個展覽館展出的一筆字,都給某一個全承包了,像在山東濱州、濟南,及北京、海南等地,甚至這許多主其事者,又再去發心建一筆字書法陳列館、一筆字藝術館展覽,免費開放給民眾參觀。

我把這許多收入全部布施捐出,在大陸成立文化教育公益基金會。在此之前,在台灣我也設立了公益信託教育基金。

過三百歲 一天當做五天

那是在二〇〇八年的時候,貧僧想到,自己所願的

「人生三百歲」的理念，也就是二十歲開始服務，自願一天要做五個人的事情，要講求工作的效率，沒有年假、沒有星期六、星期日。現在八十歲了，整整工作了六十年，一天算做五天，五乘以六十，不就是三百歲了嗎？我覺得人生應該是非常滿足。但轉念又想，自己年屆八十，「老病死生」這許多問題都即將來臨，萬一我辭世的時候，別人一定非常關心：星雲某人不曉得有多少存款？

貧僧問徒眾，他們說有二、三千萬。我聞言嚇了一跳，怎麼會有這麼多錢呢？趕緊請覺培法師擔任會計師的父親王德旺先生協助，幫我把這筆款項全部捐出，存入台灣銀行，成立公益信託基金，作為教育、文化獎勵社會之用。現在由弟子覺元法師擔任執行長、吳淑華師姑擔任副執行長，共同來為社會盡一點心力。

不看我字 一筆字看我心

說起「一筆字」，我沒有練過字，也不會寫字。十多年前開始，我因為四十多年的糖尿病導致眼底鈣化，眼睛漸漸模糊看不清，手也顫抖，老病之軀，既不能看書，也不能看報紙，甚至電視也不能看，做什麼好呢？忽然想到，我可以寫字！

因為看不見，毛筆一蘸墨，得要一筆完成，如果一筆寫不完，第二筆要下在哪裡就不知道了，因此取名叫做「一筆字」。起初，寫得歪歪斜斜，感謝佛祖加被，也算祖上有德，沒有練過字的我，慢慢也寫得得心應手

大師寫一筆字給人間歡喜

起來。徒眾在一旁看了都說，師父，你寫字進步了，這讓我對寫字增加了信心。我自嘲說，自己七、八十歲了，才像小學生一樣在這裡練字。所以我經常告訴大家，不要看我的字，看我的心就好了。

寫著寫著，沒想到，竟也寫出一些成績來。我把所寫的一筆字全部交給公益基金委員會管理，誰支持公益基金，我就送一張字給他，表達感謝之意。講一則趣談，我比喻自己就像老母雞，蛋生過了給人拿了走，老母雞叫著：「咕咕蛋、咕咕蛋……」，意思就是說：「我的蛋呢？我的蛋呢？」他們說一筆字的收入在數億元以上，但到今日，我都沒有看過這些錢在哪裡。不過，本來貧僧就沒想過那是不是自己的，我只想給人間歡喜，普利世間大眾而已。

一滴墨汁 也是金錢生命

　　現在承蒙各方響應，愈寫愈多，國內國外到處邀約不斷，要貧僧去做一筆字展覽。為了不辜負這許多好心人士，有時候一天就寫上一、兩百張，數量龐大，因為年老，甚至徒眾都叫我不要寫了。我說不要緊，不寫也無聊，「春蠶到死絲方盡，蠟炬成灰淚始乾」，生命不就是要這樣去發揮極致的嗎？就是寫字的時候，我也叫蘸墨的弟子不要浪費，要把倒出來的墨汁讓我寫完，因為一滴墨汁也是金錢和生命啊！

　　如今，這筆基金用來舉辦許多社會公益活動，鼓勵文化教育。例如天下遠見事業群創辦人高希均教授，幫我主持的「真善美傳播貢獻獎」，已辦了六屆，每一年都要五、六千萬獎金；中央大學文學院院長李瑞騰教授進行的「全球華文文學獎」；佛光大學楊朝祥校長承辦

「第四屆星雲真善美新聞傳播獎暨第二屆全球華文文學星雲獎」頒獎典禮，於佛光山佛陀紀念館大覺堂舉行。2012.12.1

的「三好校園獎」，大約一年獎金也都要數千萬元。現在為了讓「三好運動」快速推廣，由人間福報的社長金蜀卿女士來承辦，和各個學校合作，讓這一份乾淨的報紙，能進入校園。六、七年來，在台北公務人力發展中心舉行的頒獎典禮，都非常的熱絡，濟濟多士，雖然自己沒有得獎，但都參與祝福得獎者，為他們歡喜。這不就是社會安和樂利的一種盛況美景嗎？

其它還有一些獎學金、文教贊助等等，每一年的開支都在數千萬元以上，你說，我要向誰報帳？又要向誰去邀功呢？

台灣的公益信託教育基金，因為一筆字款項而急遽增加，加上，也有數十位信徒給我挹注、徒眾行腳托缽支援，聽說已經有十多億了。這些款項，我個人不能使用，必須用做公益，經過委員會決議，和銀行配合，把錢寄給當事人。到底誰是我的老闆？誰是我的長官？就是這些信徒把錢寄到公益信託的帳戶裡，都是銀行開收據給他們，我不知道也沒有經手，我又要向誰去干涉呢？我又要向誰去查問呢？

擬訂信條 給人歡喜方便

這個社會對宗教財務的問題紛擾不已，此中，誰是君子？誰是小人？是佛心？是魔鬼？你不知道、他不知道，甚至政府都不知道。不過，我要告訴大家：佛菩薩會知道、因果會知道。所謂「欲知前世因，今生受者是（果）；欲知未來果，今生作者是（因）」，古德先賢

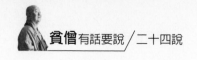

不是早已開示我們了嗎？

　　不但在文化、教育上，要靠貧僧去支持，甚至養老、育幼，貧僧也要去發心。貧僧只覺得建寺安僧要靠我，弘法利生要靠我，所以在佛光山，貧僧擬訂佛光人的工作信條：「給人信心，給人歡喜，給人希望，給人方便」。給人，不靠我，要靠誰呢？

　　在佛陀紀念館，有「千家寺院百萬人士功德芳名錄」的風雨長廊；在佛光大學，有綿延數公里的「百萬人興學委員」碑牆；在《人間福報》上，每個月有一整版贊助芳名公布，我不來報答這許多功德主，我要靠誰來報答呢？幾十年來，我們非常感謝功德主的發心，但是我們的徵信，我們的功德主有看到，可是我們的社會有看到嗎？我們將善心人士的功德留在世上，也刻在我們自己的心版上。我現在這樣子說了，這些媒體先生、女士你們縱使沒有看到，總也聽到了吧！

　　貧僧有一個個性，所有辦的佛教事業，大學也好，中學也好，雲水書車也好，醫療慈善也好，報刊雜誌也好，建寺安僧也好，都沒有想到辛苦，也沒有想要和信徒化緣。貧僧把所有的力量都奉獻出來，作為示範，想到「佛教靠我」，我不發心，怎麼可以叫別人發心呢？

　　例如：辦這許多的大學，董事當中過去有趙寧博士，也有趙麗雲、洪多桂、鄭石岩、陳順章居士等，但是我有一個原則，所有的董事，都不會要他們出一份錢。因為辦大學不是股東，不是投資，不能讓他們當董事了還要出錢，這好像經營事業營利一樣。

佛光大學百萬人興學委員碑牆綿延幾公里

百元興學 百萬人建大學

　　所以，我總是個人傾其所有去辦大學，我也讓佛光山盡量不可以存款，要把錢拿來辦社會公益，要讓佛光山貧窮。因爲貧窮才知道精進，才知道努力，知道奮發向上。當然，佛光山也是一無所有，所以不得已，就向社會發起「百萬人興學運動」，每一個月只要出一百元，三年爲期。這許多發心的人士，我也要讓他們知道，他們的人生不是很簡單的，他們也能協助辦大學。這也是貧僧對社會的一種辦教育的心願。現在，這許多百萬人士的名字，在佛光大學校園內的碑牆上，不是一個一個的、明顯的向大眾交代了嗎？

　　舉一個例子，佛光山近五十年來，我沒有向政府要求裝一顆電燈，幫我們建一間廁所，補助我們一塊錢；記得一九九四年李登輝做總統的時候，台灣連日豪雨，造成南部「八一二水災」，高雄就像水鄉澤國，他南下

視察，就說，去找佛光山和慈濟功德會。我想一個政府的領袖能這麼看重佛光山，我們也自覺與有榮焉。

總想到自己以身作則，讓有一部分的信徒跟隨著發心。就這樣「佛教靠我」的信念，讓大學辦起來了，中學辦起來了，小學也辦起來了，甚至於電台、報紙都辦起來了。

二千青年 獻唱佛教靠我

而在全世界的寺院，也都是我先籌募，購買土地，土地買好之後，才讓信徒發心資助，假如我自己不以身作則，不認為「佛教要靠我」，別人哪裡會對佛光山這麼多的事業共同發心呢？

貧僧一生「為了佛教」，別無他念，生沒帶來，死不帶去，也不歡喜講述自己做了些什麼，為了信仰佛教，只想瀟灑的過著往事今生的歲月。現在，要像招供一樣坦白述說，實在感到慚愧不已，只是希望在人間佛教的

二千位馬來西亞青年為現場八萬人獻唱「佛教靠我」。2012.11.24

歷史發展中，留下正確的口述文獻，供後人如實的參考。今後的歲月，貧僧也只有隨因緣變化了。

　　慶幸的是，當初貧僧這「佛教靠我」的信念，現在有全世界各地的僧青年和佛光青年們共同接棒、傳唱。像曾經有一次，貧僧出席弟子覺誠法師在馬來西亞莎亞南體育場舉辦的八萬人弘法大會，現場有二千多名青年對八萬名聽眾大聲唱著〈佛教靠我〉，其歌聲嘹亮，真是讓人熱淚盈眶。有了他們的「菩薩心 · 青年力」，貧僧還有什麼可嘆的呢？

　　當然，貧僧也有失望的時候，例如，在四川有一次承蒙地方上集會，邀約了多少的僧信二眾來聽我講話，我因為汶川大地震的因緣，就向大眾說明我們要「為了佛教」，讓「佛教靠我」的觀念。講完後，在家的信徒都頻頻點頭，但有少數出家眾就茫然的問：「為什麼要為了佛教呢？」已經出家了，都不知道要為了佛教，你說，叫貧僧怎麼能不傷心呢？

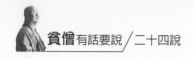

為了佛教 懂得就不失落

在佛光山也有一些失落的徒眾，因為他們不懂得「為了佛教」，自己又不具備福德因緣，就是天人，也會有衣裳垢膩、頭上花萎、身體臭穢、腋下汗出、不樂本座等「五衰相現」。你說，佛教的未來、希望，如何寄予現在佛教的僧侶和佛教青年僧眾？究竟是要讓佛教來靠我？我靠佛教呢？

為了佛教，我們要當仁不讓；為了佛教，捨身捨命。貧僧有一個願力：「為了佛教，叫我墮下地獄，都心甘情願。」不然，我們何必要信仰佛教做什麼呢？所以，今後的佛教全靠我們所有的僧信二眾，共同發心盡力。為了佛教，無視於艱難困苦，無視於個人利益，無視於個人的安穩，要為佛教爭取前途，要為佛教爭取榮譽，希望大家要記住佛教不是靠「我」自己嗎？

覺誠法師與巴西如來之子。左三為巴西警察總監夫人 Sra. Luiza Baltazar（如來之子老師），右三為如來之子韻律操老師 Prof. Marcos Antonio。

二十五說

我是一個垃圾桶

垃圾桶裡的垃圾要會焚化，
一些變化球，也要懂得接招。
對於爭執、計較，處理的方法，
沒有比忍耐更好的辦法了。

貧僧自號「貧僧」以外，自己也覺得是一個雲水僧；不過，現在又想起來，貧僧也是一個垃圾桶。

所謂垃圾桶的意思，就是在我的一生當中，接觸的萬千群眾，尤其是信徒和出家弟子，好事很少向我報告，他們都是有苦難、煩惱、妄想、委屈、不平、貪瞋愚痴了，才到我這裡來訴說。貧僧覺得他們也應該有一些人間的樂趣才是，為什麼要到煩惱的時候，才來找我，讓我這個垃圾桶裡面經常都是滿滿的垃圾呢？

焚化垃圾 放下才能提起

後來貧僧也學會了處理垃圾的方法，垃圾來了，只有告訴他對治的方法──「有佛法就有辦法」，就這樣，才有這句傳開的話題。對於別人丟給我的煩惱垃圾，我處理的方法，就是在自己心中設立一個焚化爐。煩惱垃圾來了，立刻把它焚化，讓這許多煩惱垃圾不要存在心上。

我提倡「放下」，都有人批評說，貧僧太消極。人生這樣也要放下，那樣也要放下，還有什麼意義呢？殊不知，放下才能「提起」。好像你出外旅行，要有一個皮箱，要用的時候，當然要提起；不要用了，你背著皮箱在家裡的客廳、廚房來來去去，有那個必要嗎？所以後來，貧僧自覺自己也是一個很能擔當，也有勇氣的人，把「放下」改成「提放自如」。凡是人間一切金錢事物，甚至於佛法，要用就提起，不要用就放下，何必在心上負擔那麼沉重呢？

誰是誰非 忍耐就過去了

處理煩惱垃圾的方法，除了「放下」以外，就是「忍耐」。我記得數十年前，開始辦佛學院的時候，年輕的學子在一起相處日久，有些人難免彼此之間會有爭執，他們爭執不下的時候，就有人氣憤不平，報告監學老師。監學老師就勸他，你忍耐一點嘛！當然他不服氣，再去跟訓導主任反應。訓導主任也跟他說：你忍耐一下。他還是不高興，甚至就來找我。貧僧那時候是院長，兩個人的爭執，誰是誰非，各有理由，也只能告訴他說：「你忍耐一點，忍耐一下就過去了。」

學生就在我面前忿忿不平的說：「忍耐、忍耐，你們都叫我忍耐，難道除了忍耐，就沒有別的辦法了嗎？」貧僧只想，忍一口氣風平浪靜、退一步想海闊天空，對於爭執、計較，處理的方法，沒有比忍耐更好的辦法了。

過去有一戶人家，父親過世了，留下十七頭牛，遺囑上寫著，三兄弟分家，其中大兒子得二分之一，二兒子得三分之一，小兒子得九分之一。但是十七頭牛，二分之一、三分之一、九分之一的分法，都不是整數，怎麼分呢？三個兒子就天天吵架。

鄰居一位長者看到了，就把自己僅有的一頭牛送給他們，讓他們好分家。這下子，十七頭牛加上長者的一頭，共十八頭牛，大兒子應分二分之一，得到了九頭牛；二兒子三分之一，是六頭牛；小兒子九分之一，是二頭牛。最後，三兄弟發現，所分到的九頭牛、六頭牛、二頭牛，加起來剛剛好是父親給他們的十七頭牛，不多也不少。

於是就再把多出來的一頭牛，還給隔壁的長者。長者絲毫沒有損失，反而替三兄弟解決了問題。像這樣對於分家的處理，貧僧也有過多次的經驗。

皆佛弟子 信仰不分區域

有一個信徒家裡起了糾紛，兄弟五人要分家，彼此僵持不下，就要我去為他們主持公道。這應該是貧僧在五十年前年輕的時候，遇到最難解的問題了，我哪懂得分家呢？尤其五個兄弟，各有立場，各有計較，每一個人爭的都有理，財產怎麼分？

後來，我就跟他們打趣說，你們這樣子相爭不下，最公平的辦法，就是把你們家裡的所有桌子，鋸成五份，一個人拿一根；把碗盤打碎，一個人拿一塊；把房子拆了，一個人拿一份，我想這樣子最公平了吧！他們聽了以後，才知道分家不能太計較，吃虧也是福哦！

我到宜蘭弘法，那裡的人很單純，信徒都像君子之交，其淡如水，也沒有什麼事故。後來我到高雄，高雄是一個很熱情的地方，在高雄佛教堂就發生了地域觀念。最初，苓雅區的信徒居多，接著，因為我的關係，隔壁的新興區，就有很多信徒來參加共修，又再過了幾時日，鹽埕區信徒也過來共修了。在這一個小小佛堂裡，經常大家計較，這是這個區，那是那個區，甚至於說，這是高雄幫的，那是台南幫的，還有說是澎湖幫的，彼此爭執不下。

我也不得辦法，只有集合大眾說：你們如果都這樣

高雄佛教堂

子計較的話，我也不是你們這許多區域的人，明天我也應該走路。甚至於我也跟釋迦牟尼佛講，你是印度人，還是回到印度去吧！大家才感覺到他們的地域紛爭、計較，實在無聊。後來在佛教堂裡，從各地來的人，雖有區域不同，但信仰相同，都是佛弟子，也就沒有這許多爭執了。

拋開人情 接受鍛鍊考驗

在四、五十年前，台灣的社會經濟還沒有起飛，一些青年學生，學校畢業之後，想找個職業非常困難。有一些信徒，就想到來找師父幫忙，介紹一份職業。可是這個貧僧師父，雖然工商界的信徒也不少，但夠他信賴的人士，也不是一經介紹，就獲得他的信任，照單全收。要找一個適當的時機因緣，為這一個青年找一份職業，實在也是一個難題。不得已，經過了一個月、二個月，

甚至三個月，好不容易找到一份適合的職業，叫他去面試的時候，他回答說，我已經在另外一個地方上班了。我那幾個月的辛苦，付之於流水，這個還不打緊，我對於負責人沒有交代，失信於人，這是我最難堪的感覺了。

接續這許多垃圾難題，後來凡是有人要我替他找職業，我就告訴他，現在一般的機構，對於人情、八行書都不會很信任，我建議你在報紙上，找那許多分類的小廣告，看到哪一個適合，跟他們的負責人說，我給你試用二個月、三個月，因為對方沒有人情的包袱，聽到給他試用二個月、三個月，他沒有負擔，你就很容易找到職業了。

再有，一個家庭母女兩人，前來要求出家，聽到母親的敘述，也覺得適合，發起道心。我們當然有成人之美的心願，就允許母女出家修道。四十餘歲的母親，確實信心道念，非常的堅強，但十七、八歲的女兒才高中畢業，就不是那麼單純了，經常和外界通電話，甚至於過多的書信往來。在佛學院，很難容許這許多行為，對這種有叛逆性格的青年，老師們都要我處理。

貧僧自己過去受的是打罵教育，但是貧僧覺得，需要有上等根機的人，才能接受得起這樣的鍛鍊和考驗，現在一般人的根性，已經不適合打罵教育了。

煩惱垃圾　需要用心處理

客廳、餐廳有一些垃圾容易處理，團體裡的人，他有思想，有無明煩惱，要處理人的煩惱垃圾，就不是那

麼簡單了。

　　有一天，這一位初入道的學生來找我，對我說：「院長，我的母親一定要我跟她在這裡出家，但是我沒有出家的性格，因為我看到男人都非常喜歡，我這種個性怎麼能在清淨的僧團呢？請院長說服我的母親，讓我再回到社會吧！」

　　我一聽立刻答應，我覺得這一位學生這麼坦誠，直截了當，避免彼此走很多曲折彎路去了解。當然說服她的母親不難，不過，可憐這一位年輕的孩子，這種不成熟的性格，回到社會怎麼能生存呢？我就跟人借了五萬元新台幣給她，跟她說：「妳回去還要生活，慢慢的把頭髮留起來，幾個月後，找一個正當職業，將來要正派，找到一個好的對象，相夫教子，成家立業，就不能再有別的煩惱妄想了。」

　　另外，還有一位也是二十歲左右入道的女青年，已經出家兩、三年，都很規矩守道，但是有一天，她跟我說：「院長，我家裡有個祖母，年已七十多歲，獨居生活，靠著我做舞女的母親賺錢養活，現在我四十多歲的母親，患了不治之症，也沒有辦法繼續做舞女了，就回家陪伴祖母。」她說她實在於心不忍，想要回社會就業，照顧她的祖母和母親。我一聽，唉！這也是一個難以解決的問題。

時月磨練　圓滿解決問題

　　那個時候，高雄縣政府有個公辦民營的老人公寓，

政府把公寓交由佛光山辦理，裡面也收容了二百多位老人。我就找了黃美華主任，我說能容許這個青年人的母親和祖母在公寓裡生活嗎？獲得了她的認可，我再告訴這位青年學生。她認為不妥，她願意自己負擔起孝養祖母和母親的責任。人各有志，雖然可惜在修道的路上又增加了損失，可是在人倫孝道上，貧僧也不能不協助她再去到紅塵裡奮鬥吧！

　　總之一句，經常來找我的信徒也好，學生也好，都是有許多苦難的問題，很多的糾紛，難以排解的是非，都得要去處理他們丟給我的煩惱垃圾。

　　在佛光山開山初期，不少的退伍軍人到佛光山分擔各項工作，如：廚房、園藝、清潔、司機等，因為過去軍人的性格，在一個無諍的僧團裡面，有一些人也不容易適應。佛光山的職事對這許多不適合的人事，都來找

義工將廢棄的可用物資集中到佛光山資源回收場，用於助學，也為環保盡心。

我去處理這許多問題。起初要叫一個不認識的工作人員離開，實在難以啓口；但貧僧經過時月人事的磨練，對這許多要丟棄的煩惱垃圾，總能很歡喜圓滿的解決，很少有後續的糾紛。

徒眾在世界各地弘法，有的好大喜功，在當地建設道場，也沒有計算，就跟人家訂約，到最後賠償，搞得要訴訟，這個都是給佛光山難堪的垃圾問題，我都得幫他們處理，現在才能讓佛光山在世界上，弘法利生，可以平安無事。假如不幫忙他們處理那許多的垃圾問題，我想，這短短五十年間，要想在全世界建立佛教的道場基地，並不是那麼容易的事。

其它，如：不慣四點半的早起，不慣三餐清淡的素食，不慣每天刻板的排班、禮拜，或者發現到一些人有妄想症、精神分裂症，尤其現代人的憂鬱症，好像氾濫成災，山上的職事，都會把這許多垃圾問題，交給我來處理。

佛教捕手 化繁就簡為要

還有，現在兩岸的問題談不攏，也都是彼此嫌棄對方的垃圾。我曾說過，對於兩岸問題，大陸對台灣要用愛，台灣對大陸要用智慧。佛教講慈悲，人怎麼肯得慈悲呢？你要為人設想，或者人我立場調換，那還有什麼難以解決的問題呢？

垃圾還容易處理，有很多的人投給我變化球，貧僧就不容易接招了。今日的社會，雖然貧僧有出世的胸懷，但是難辦入世的事業啊！不過，既然承擔了佛教的捕手，

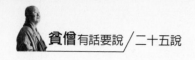

有很多的變化球，就不能不接受處理。所謂變化球，各黨派、各地，派系之間糾紛，各種貪欲、無明，各種傲慢、瞋心，也難以一一的舉例。總之，垃圾桶裡的垃圾要會焚化，一些變化球，也要懂得接招。

　　貧僧處理這許多問題，並不是有多大的本領，只是說能為別人設想，可以化繁就簡，能肯得自我吃虧，最後，也就沒有解決不了的垃圾問題了。

　　貧僧一生的歲月，總想到安貧樂道，無是無非；但有時候，想起了童年喜愛在家庭裡面打掃，清潔櫥窗，倒除垃圾，也覺得只要甘願承擔，助人為快樂之本，幫助別人清除心裡的垃圾，又有什麼好怨嘆不好呢？貧僧這一生處理垃圾的問題何止千百件之多，但承蒙唐一玄老師讚歎我「舉重若輕」，貧僧能得到一位德高的長者給我這麼一個評價，也自覺心安理得了。

　　貧僧寫這個有話要說，許多徒眾都擔心說：發表後，各方的反應會有不一。我都不太計較，因為「正人說邪法，邪法也成正；邪人說正法，正法也成邪」，後面人家怎麼看法，貧僧就不太計較了。

二十六說

我的恩怨情仇

這許多的怨憎會苦，
我也不會太把它放在心上，
要造謠生事、要批評毀謗的，
只要能消除你的怨恨，
也算貧僧對他們的一點貢獻吧！

當寫這一篇「貧僧有話要說」的時候，題目〈我的恩怨情仇〉，就覺得與我不能相應。在這個世間上，恩怨是有，情仇可說沒有。在佛門裡面，從我年輕成長，人家給我恩惠，我也知恩報德，但不能說完全沒有一點怨懟，我也曾經對某一些人事不滿。

至於情事，青年的時候，一些老太太們要我做她們的乾兒子，我自己的母親都能捨，為什麼我還要做你的兒子呢？甚至也有人鼓勵我還俗，做他們的女婿，自知自己沒有什麼專長、學識，再說，信仰是我從小就培養的，我不能走錯了路。

所以，感情在人間，有老年的、中年的、青年的，所謂兒女情長、菩薩有情，不能說完全沒有；但是貧僧出家七十七年來，從來沒有離群獨居，都是過著團體生活，也就從未去想個人的問題，大部分都在公眾裡活動，奉公守法。

不過，我也還沒有做到太上皇前聖潔的階段，我也是人間的凡夫，七情六欲人皆有之，只是佛法告訴我們很多對治的方法。感恩佛陀，讓我們在佛法裡面成長，應該沒有走錯了路。

至於仇恨，我沒有和人家有很大的仇恨，也沒有跟人有報復的念頭，這大概也由於我從小不太計較的性格。經典說：「比丘無隔宿之仇」，有這樣的信念，因此敢說，別人有沒有視我為仇敵，我不知道，但我從未把別人看成仇敵。所以，就藉此表達一些對恩怨情事的看法吧！

貧僧近年來和青年人講話，很注重二個問題：一個

是「往好處想」，一個是要能「給人接受」，自己要做自己的貴人。

因為現在的人想法很奇怪，凡是一切事情，他都不往好處想，歡喜往壞處想。例如：記仇不記恩、記壞不記好、記債不記借、記我不記人。一個不替人設想的人，又怎麼能和芸芸眾生去相處呢？

給人接受 報恩富有人生

說到「給人接受」，青年人總想他找不到職業，沒有人重用他。可是，你會想到要人家接受你，你需要有什麼條件嗎？要能讓人接受，你必須要有禮貌，你要懂得談吐，你要能負責任，你要勤勞，你要忠誠、守法。儒家的忠、孝、仁、義；佛教的慈、悲、喜、捨，你一點都不具備，又怎麼能讓人接受呢？貧僧非常提倡報恩的人生，在我認為，報恩是富有，望人家給予是貧窮。所以，我也經常說，佛陀講布施，是叫我們布施給人，並不是叫人家布施給我。

說起佛教講的上報「四重恩」：父母恩、眾生恩、國家恩、三寶恩。其實這當中，比父母恩更重要的，還有一些另類的人物哦！

徒眾依嚴法師在養母年老的時候，盡心哺育，百般孝順；但生母離他住持的寺院不遠，有時候我叫他回去探望生母，他跟我說：「我對於養母有感恩之情；對於生母，她生下我之後，就把我送給別人了。因為沒有感情，所以不感覺需要對她有孝養的義務。」可見，生母、

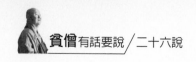

養母，其實都有恩情，只是恩情的大小還是有分別。

外婆身教　感念溫和慈悲

貧僧感覺到最大的恩人就是外祖母，她有許多的兒孫，犯不著對一個外孫有那麼多的關懷，但我幼年是在外祖母的呵護下，慢慢成長的。她經常帶我外出，參加一些佛堂的集會；早晨，她把園田裡生長的青菜、蘿蔔拿到市場賣了以後，帶回來熱騰騰的燒餅、油條，就叫我起床用早餐。所以，我的童年很少在李家和父母兄弟姐妹共同生活，反而和我的外祖母相依為命的時間比較長。

出家以後，經常午夜夢迴最懷念的人，應該就是外祖母了。外祖母劉王氏，連名字都沒有，雖不識字，但會背誦《阿彌陀經》和《金剛經》。她從小茹素，十八

大師位於萬福村的故居

外婆劉王氏。（李自健繪）
大師說：「真像我的外婆。」

歲嫁給我的外公劉文藻，相夫教子，克勤克儉，持家立業，爲劉家建了四合院的瓦房，也買了一些土地田園。她爲人溫和，性好慈悲，可以說她的身教影響我最多。

在台灣數十年，不能回去大陸，心中所掛念的當然是母親和家人，但更擔憂的是，外祖母年老了不知如何生活。及至我一九八九年回鄉探親，才知道她已往生多年了。大恩無從報答，回到美國，即刻籌措了兩千美元，交給三弟國民爲外祖母建一座小型塔墓紀念。

多年後，等到我第二次回鄉，他沒有遵照我的託付爲外祖母建一個寶塔，反而建一個紀念堂，把他的妻子李夏秀華牌位供在中間，外祖母只是一個小牌位立在旁邊。我一看，當時忍不住回頭，立刻拂袖而去。至今對於三弟國民的這種行爲，耿耿於懷，不能諒解，這也是

大師的母院棲霞古寺

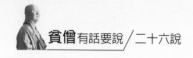

貧僧的恩怨分明吧！

對於貧僧參學的母院棲霞律學院，兩岸開放後，我為棲霞山他們捐建十一間樓、月牙池、明鏡湖，甚至山門。這些都經過我的老師雪煩和尚、圓湛法師之手，也不知道他們對於我這許多想回報的恩惠，有報答了沒？

復興祖庭　報師長教育恩

為了報答師父志開上人的恩情，我回到宜興復興祖庭大覺寺，承蒙海內外信徒供養甚巨，也不知道多少，應該有上億的人民幣了。不過，金錢、物質並不能表達報答別人的恩惠，最主要的，是在心靈的深處要感受到，再多的金錢，也不能報答別人如山之高，如海之深的大恩啊。

大師於棲霞山親近之師長。（攝於棲霞山千佛岩）。左起：峻嶺、志開（大師之師父）、覺民、融齋、大本、合塵等諸上人

　　佛教講「緣起法」，我們吃飯，要農夫種田；我們穿衣，要工人織布；我們的日用，需要商人供給。可以說，我能生存在天地之間，都是士農工商所有大眾施予我的恩惠，不然，我個人又怎麼能獨自存在呢？

　　一九八九年回鄉探親後，對於四、五十年前打我、罵我的老師，有的雖然高齡七、八十歲了，為了感謝他們的教導之恩，如：雪煩院長、圓湛、合塵、惠庄、介如、本滄等老師，甚至同學智勇、現華、出塵等，我都多次請他們出國旅行。有的暢遊香港，有的遠去美國，甚至歐洲，讓他們觀看世界之大，也讓我報答他們當初的教育大恩。

　　當然，對我有恩的人不止於此，像妙果長老、智道法師，以及台灣不只萬千的信者，滋養我的法身慧命，讓我有緣分在世界上弘法利生。我對大陸、台灣，甚至世界各地有緣人的這許多恩情，不知如何報答，所以希

佛光山佛陀紀念館禮敬大廳滴水坊

佛光山佛陀紀念館樟樹林滴水坊

望全世界的徒眾，為我在他們住持的別分院設立「滴水坊」，供給一飯一麵的簡食，讓貧僧也能可以感受到「滴水之恩，湧泉以報」的意義。

施恩惠給我的人，當然不一定是在金錢物質上的給予，像棲霞律學院的那許多老師給我的打罵，我都認為他們是慈悲的心腸、霹靂手段的教法，都值得我感念。

面對辱罵 念情誼無怨恨

後來有一些人，對我索求不遂，或者我實在無力應付而懷恨記仇的人，也不能說為數沒有。像我有一個侄子，一九八九年我回鄉探親後，一再表示想要到美國去，我都想要滿青年的願望。好不容易讓他去了，又要求我幫他付學費。完成學業了，又要我幫他買房、找職業，但是他生性懶惰，幾次實在無法滿其所求。後來他跟我說，你創建的西來寺二十年，我可以二天就讓它毀壞。

外人好或不好，或者基於嫉妒，或基於思想不同，這倒也罷了，對於家人親友這種無理的索求，我一介貧僧，所有的一切都是佛教的、十方的，叫我對家族做什麼，個人哪有什麼能力？我不能拿三寶佛門的錢來幫助他們啊。這種對我的仇恨、謾罵，我也只有覺得，愈親的人都是冤家債主吧！

所以，多少年來，也有人對我批評，甚至辱罵，種種的吹毛求疵，我仍然是感念於心。我真實的沒有一點恨意，只想到，我不知如何能補報他的不足，讓我們之間沒有對立，只有情誼，沒有怨恨，只有尊重。現在，

像這許多的怨憎會苦，我也不會太把它放在心上，要造謠生事、要批評毀謗的，只要能消除你的怨恨，也算貧僧對他們的一點貢獻吧！

以上這些恩怨都還容易敘述，對於人間的情愛實在就不是能講得清楚了。

割愛辭親　遠離世間俗情

貧僧也是人，雖然出家，對於愛恨也還是非常的有體會。記得我在做國民小學校長的時候，就有一位老太太，千方百計的要我做她的乾兒子（義子），但是我絕對不能。我能可以割愛辭親，遠離我的俗家父母，我怎麼能在為僧之後，又認別人做父母呢？若要，就如經中所說，「一切男子是我父，一切女子是我母」，我需要天下的父母，不需要一個關心我、愛我、做他兒子的父母。雖承蒙他們對我種種的關懷厚愛，也只有辜負他們的盛情了。

還有一對姓潘的夫婦，也是千方百計的希望我還俗，做他們的女婿，這個可以說更加的辦不到了。我是多少的犧牲奮鬥，才有機會出家，才有機會在這裡擔任校長。雖然只是小學校長，我又怎麼能可以捨棄佛教的恩情重義？

初到台灣，擔任《人生》雜誌的編輯，因為台灣那時候還是文化的沙漠，佛教能有一份雜誌讓人閱讀，很容易引起社會的注意，因此有一位工廠的女性員工，邀請我到他們的地方去說法。我那個時候也覺得弘法重要，

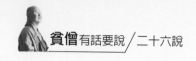

因此就承認她前往。

我剛剛才在立信會計學校講過以後，我以為他們也是有一個講堂，供給我講說。哪裡知道，我去的時候，他們在一個十公尺長條型的房間裡，旁邊是通鋪，應該是女生的宿舍。他們把通鋪整理得非常清潔，讓我在那裡講說，參與的全部都是二十多歲的女性。

我當時一看，心想，地藏菩薩為了度眾生，我不入地獄，誰入地獄？但貧僧不但是凡夫，也是凡身，在這樣女性的場合裡傳教說道，實在不相宜。所以我簡單的講說後，連姓名也沒有再問，從此就沒有再來往了。是我無情呢？還是我應該對人間留有一些情義呢？

異性胡言　損己冒犯佛教

後來也有不少次，都是精神失常的中年女性給予我一些困擾。

例如，有一天下午在佛光山東禪樓前，忽然有一個六十多歲的女人，帶來兩位身高不比我矮的男士，叫他們走到我前面，跟他們說：「這是你們的爸爸，趕快磕頭。」那兩名男士竟也真的向我跪拜，搞得我一頭霧水。我也不認識他們，他們做我的兄弟都可以，我那時候也才四、五十歲，做我的兒女，不要說名分不該，就是年齡也不相襯。

這個女性在外表看起來非常正常，但實際上，大家都說她有妄想症，已住在山下幾年。後來並沒有對我構成很大的干擾威脅，只是不斷在外面散播，說她和我是

七世的夫妻，把「梁山伯祝英台七世因緣」的民間小說，拿到山上來胡言亂道。對她，她不知道有損失，對我，個人損失事小，可是對佛教不該這麼冒犯。

在台北普門寺，每逢我在台上講說佛法的時候，總有一位非常有氣質的中年女性要送一杯茶，或者送一朵花來。我也覺得奇怪，平常在普門寺裡也沒見過這一個人，為什麼講座的時候都會出現？後來，聽說她是一個中學的國文老師，因為精神異常，有一些不正常的舉動，要我不必介意。

但是有一次，我和慈惠法師等人在樓下等電梯，她跑上前來就幫我拉衣領，端正我的衣服，旁邊還有好多男士、不知何處的客人，看到以後，想有這麼一位賢慧的女士對我這麼照顧，實在叫我有口也難以說明。甚至於，她也寫字條留在普門寺，教人務必拿給我，上面寫著：「我一定摘下天上的那朵雲……。」在她，是如詩如畫的感受；在我，覺得她不該有這樣的騷擾。

恩怨情事 修道逆增上緣

做一個出家人，尤其要在社會從事人間佛教的宣揚，每天都會跟很多人來往。那時候在台灣，最怕有兩頂帽子，給你戴上了就非常的嚴重。一頂是紅色的，也就是有共產黨的嫌疑；一頂是黃色的，也就是現代人所謂的小二、小三。這對一個出家人而言是嚴重的打擊，尤其對一個青年的出家人，是非常不利的行為。當然，貧僧也是人，我也有恩怨，我也有愛瞋，只是有些誤會，都

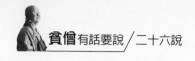

教人非常的難堪。

　　早年在佛光山，有一個做電話接線生的十五、六歲小女孩，我要到客堂會客，經常會經過總機旁邊，一、兩年來沒有跟她說過一句話，但在經過的時候，她都起立向我問好，我因爲會客時間匆促，也沒有跟她有語言的接觸。有一天忽然在路上碰到了，我想，應該說一句給她歡喜的話，不覺就脫口而出：「妳很漂亮啊。」

　　在我想，一個女孩子總歡喜人家讚美她美麗、漂亮。沒有過幾分鐘，徒眾慈嘉法師就來告訴我，那個時候我是佛學院的院長，他說這個女孩去問他：「院長說我漂亮是什麼意思？」慈嘉法師是一個非常正直的人，也不爲她解釋，就罵她：「不要三八，不要亂說。」像這許多三八、亂說，我又有什麼辦法呢？

　　就這樣，貧僧至今老矣！人生許多的過往，都離開不了過去的往事情仇，但仇人我沒有，或者別人對我有仇，我對別人也沒有仇，這一切一切，就如佛陀說的，都當做是我們修道上的逆增上緣吧！

二十七說

「可」與「不可」

自己的前途，
就決定在他的性格的「可」或「不可」。
如果常常說「可」，前途必定上升；
如果處處說「不可」，
只有越做越沒有人緣了。

在晚清末年的時候，知名人物曾國藩先生，他最大的特長，被人讚譽為「知人善用」，他對於如何知人、用人，讀他的《曾國藩全集》自能心領神會。他可以為滿清打敗氣勢如虹的太平天國，也是靠著他的識人、知人。在滿清對漢人不是太信任的狀況之下，他能夠保住大清的江山，曾國藩的「識人」，確實應該受到我們的肯定。

歷史上知人用人的能者很多，但是不能知人善用的人，也不在少數。世間上，凡是做領導的人，政治界的也好、企業界的也好、教育界的也好，對於選用部屬，「識人」可能是一個重要的能量。有的人，本來事業難成的，因為「識人」，得天下英才而用之，什麼都轉危為安、轉壞為好了。也有的人，本來做得轟轟烈烈，由於「不識人」，最後一敗塗地。可見得，這個「識人」，關係著人間事業的成敗，這是很重要的因素。

什麼是能用的人呢？什麼是不能用的人呢？在貧僧的心目中，凡是善事，都講「可」的，都應善用；凡是官僚，講「不可」的，就應該保持距離，以免影響好事。

貧僧對這一個「識人」的問題，不能和過去這許多的歷史人物相比；因為貧僧沒有財勢，沒有交遊廣闊，沒有選用天下英才的能力；只是說，在佛門裡面，有一些老成持重的發心人，或者一些肯得患難與共，所謂「發心」、「有共同理念」，那就是我們最得力的人才了。

說「可」的人 必定會有人緣

是人才？不是人才？要有選擇的慧眼。我對於是人

才、不是人才，往往只看他做人對善惡能否分辨，他知不知道什麼是善、什麼是惡？他的性格是惡、是善呢？這是根本的條件。然後，我就是看這一個人對事情是肯得說「可」，或者說「不可」，我在這方面比較有計較。

凡是說「可」的人，我覺得他肯得與人為善，肯得從善如流，必定有人緣，能夠和人相處。凡是一個人找上他，他都回答「不可」、「不能」，拒人於千里之外的，這種人必然不受人歡迎，也就是所謂「官僚」、「打官腔」，沒有服務的性格。遇上這樣的人，大部分我也都不喜歡用他。

在佛門裡，有所謂「宗門思想」，你對於信仰虔誠不虔誠？你對於工作倫理知道分寸嗎？你對分內的事、不是分內的事，都能很關心嗎？你肯得主動的處理事情嗎？或者你有道德勇氣嗎？你對於情、理、法，都能照顧周到嗎？

記得多年前，有一個弟子從美國旅遊歸來，他很得意地說：「我只要講一個字，在美國就能夠通行無阻。」有人好奇問他：「一個什麼字？」他就用英文說：「No」，就是不可以、不知道、不懂、不會的意思。

又有人問他：「為什麼一個『No』字，就可以讓你在美國通行無礙呢？」他說：「例如，我在海關，他們用英文問我入境的情況，我就回他：『No』。因為他怕麻煩，怕跟我囉嗦，就批准我，讓我入境了。或者在美國駕車，有違規了，警察來取締，跟我講什麼話，我都跟他說『No』、『No』，意思是說，你講的英文我都聽不懂，他也嫌我麻煩，就把我放行了。」

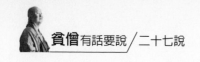

就這樣，過了不久，他又到美國去旅行，但這一次，我從別人那裡聽到說，他被美國的警察機關逮捕了。因為「No」，不能走遍天下。

說「不」的人　無法與人合作

幾十年來，在我身邊接觸過的一些人事，如果我看到他們的性格不肯以助人為本、不肯以結緣為要，我大都是隨他們自然發展；因為凡是說「不可、不能」的人，必定無能，必定破壞好事，必定不能與人合作。因此，我對這些說「No」、說「不能」的人，大多不會重用他。

相反的，凡是肯得講「我能幫你什麼忙嗎？」、「有什麼我可以為你服務嗎？」、「什麼事我來替你做做看」，能夠主動、能夠見義勇為的，所謂「助人為快樂之本」，有這種性格的人，我都非常欣賞。

例如，做一個知客師，客人來了，他必定需要引導參觀，需要餐飲的招呼，需要聯絡什麼事情；但是，有的知客師父怕麻煩，都是問：「你吃過飯了嗎？」如果對方說：「沒有。」他就說：「喔，你趕快去吃飯！」事情就這樣推諉了。

或者，客人來了，有的知客師劈頭就問：「你有到大雄寶殿拜佛嗎？」客人說：「還沒有。」他就說：「你趕快走那邊去拜佛。」把客人打發走了，他就沒有事了。

這類的知客師，雖然看起來也不是什麼罪大惡極的壞人，但是這種沒有真誠待人的心理，哪裡能獲得人心歸向呢？

　　所以，做一名知客師，對於來訪的人，都要知道他的需要。所謂「知客」，就是要「知」道「客」人需要什麼，他需要吃飯嗎？他需要住宿嗎？他需要找人嗎？他需要辦事嗎？他需要聯絡什麼嗎？你都要能認識、了解，自己承擔下來，幫助他一一去解決問題，不要推三阻四。

　　像我們當初建寺院，要去辦建築登記的時候，到了縣政府，他說：「你到民政局。」我們到了民政局，民政局說：「你到建設局。」我們到了建設局，他說：「你這個是宗教的嘛，應該再回到民政局。」他們就在那裡推來推去，我們也不知道究竟要找哪一個局才好。

　　曾經香港有人寄了一尊佛像到宜蘭給我，我到基隆海關辦入關手續，就在那棟大樓裡上上下下，不知跑了多少趟，都還找不到頭緒。後來有人告訴我：「你不要這麼麻煩嘛，找個報關行幫你的忙，問題就能解決了。」我心裡想，唉！都怪自己。要節省經費，凡事親自操勞，有時候確實耗費時日，不容易達到目的。

　　記得有一次，我到海外訪問一個地方，他們用最好的飯店招待我，但是房門外面經常站了一個人。是來監視我們，還是替我們解決問題？我也不知道。不過，我在房間裡，多次聽到有人來找我，他都是大聲地問：「你來幹什麼的？」「我來找星雲大師的。」「你找他幹什麼的？」來人聽了，都不知道怎麼回答。

　　或者來人說：「我是大師的親戚。」這個人又說：「今天不可以！」我也不知道為什麼這個人要說「今天不可

以」。來人聽他這麼一說，也只得告退了。

我到這一個地方是如此，到另一個地方也是這樣；這種國民，已經養成沒有服務的性格，凡事都想拒絕了事，一句「不可」、一句「No」，什麼事就都了了。

後來，我又到了另外一個國家，那一個國家的飯店服務人員見我一到，就起身來問：「我能幫你服務什麼嗎？」「我可以為你做什麼嗎？」他承攬了我想要做的事情。他說：「你跟我來，我帶你到什麼地方去。」他不但幫我找到我的目的地，還幫我找到我要找的人士。

親切招呼 將公司交給你

美國迪斯耐樂園，所以能在世界各地發展到這樣的盛況，他就是講究服務精神。例如我曾在一本書看到，一位母親帶了一個小孩，小孩忽然要上洗手間，不知道在哪裡。剛好有一位服務人員經過，母親向這位服務人員提出要求。他說：「我帶小朋友去。」走了好遠的路，之後又把小朋友帶回來。這位母親是一位很富有的人，後來就出錢支持迪斯耐樂園，感謝他們這種服務的精神。

另外，我還記得一件事。有一位老太太爬山，遇到下雨了，從山上走下來經過路旁一間小店，裡面有一位年輕人招呼她說：「老太太，請您坐下來，在這裡躲個雨吧！」並且端了一張凳子給老太太坐。這位老太太也沒有要買東西，不過，年輕人還是殷勤接待。等到雨停了，還送老太太從哪條路走，到哪裡坐車。

過了幾個月，這位年輕人收到一封信，說這位老太

太要贈送他一家公司。原來這位老太太也是一位富婆，她認為年輕人的主動熱忱服務，值得把公司託付給他。所以，推諉不能致富，服務會有意想不到的效果。

幾十年來，我在世界各地弘法旅行，也會遇到這許多歡喜說「可」、歡喜說「不可」，歡喜說「Yes」、歡喜說「No」的人；所以，我對於教育徒眾，也沒有什麼其他特殊的辦法、技能，都是告訴他們：我們做人，第一與人相處，辦事要主動，要先開口，要有微笑，要承擔對方想要做的事情，要能幫他解決問題。就是自己不能做到，也要很詳細地告訴他處理的程序：第一先找什麼人，第二可以找什麼機構，第三可以做什麼……，事情要這樣的進行。

基層人員 懂服務有前途

在四、五十年前，我想，我們大多數的人都有過的經驗，為了報一個戶口，沒有到戶政機關跑個四、五次，戶口都報不成。在我們的經驗裡，第一次來報戶口，辦事的人說：「你有身分證嗎？」我就拿出身分證。「戶口名簿呢？」我說：「我不知道要戶口名簿啊！」他說：「沒有戶口名簿，報什麼戶口？」我只有說：「對不起，我明天再來。」

第二天，我拿了戶口名簿再來找他：「我要報戶口。」他說：「你有帶印章嗎？」我說：「哎喲，報戶口還要帶印章啊？」他就說：「你不蓋印怎麼能有信用呢？」想想他說得也是有理，我就說：「抱歉，對不起，我明

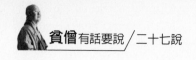

天再帶印章來。」

到了第三天，我又去報戶口，「你的戶長有證明嗎？有承認給你報戶口嗎？」我想：「啊？這個戶口名簿不就是戶長給我的嗎？」他說：「不行，要戶長提個證明才可以。」

為了報一個戶口，沒有花一個禮拜來去，手續都不能完成。你為什麼不一次告訴我要帶什麼證件、什麼資料才完整齊全呢？其實，那個時候，是一個講究紅包來往的時代，有紅包，一次就「可」；沒有紅包，多次也「不可」。一個公務人員這種態度，這麼刁難人，你想，我們的行政效率還能有成果嗎？

吳修齊先生，是台灣最早期的企業界大老、統一公司的創辦人，有一次他跟我談到，他在二十多歲才開始做小服務員的時候，鄉村的人士在鄉公所裡，要領個什麼表格、填個什麼文件，因為早期普遍知識不夠，大多不會填寫，他說：「別人拒絕的，我都上前說：『我幫你』，我就是這樣歡喜幫他的忙，解決他的困難。這只是一個簡單的事，舉手之勞啊！所以，我後來事業順利，大概與我服務的性格也有關係吧。」

很可惜，過去我們政府基層的服務人員，都不知道自己的前途，就決定在他的性格的「可」或「不可」。如果常常說「可」，前途必定上升；如果處處說「不可」，只有越做越沒有人緣了。

所以，我們看到很多人，他們的事業順利，並不是單憑學歷，也不是只靠能力，就是憑著肯得為人服務、

肯得主動幫別人的忙;反之,到處碰壁,到處沒有人緣。

　　貧僧自喻是「破船多攬載的人」,凡是人家和我商量,或者求助於我,只要能力所及,我都不擅於推辭。

　　例如:有人跟我說,現在的孤兒很多,要辦孤兒院,我知道這個可以,那麼我就辦孤兒院。有人跟我講,現在的老人跟年輕的兒女有代溝,應該要有個老人安養的地方。我想這是好事,可以,那麼我就辦老人院。有人說,現在的青年學子,為了繳學費困難,讀不起學校,由於過去我也是這樣,那麼現在我有能力,可以辦小學、辦中學,甚至辦大學。辦一間不夠,可以再辦一間,從這個國家,再辦到那個國家。我自己雖然條件不夠,但

大師將名畫家李自健所繪功德主統一公司董事長吳修齊先生油畫,贈予本人。
1993 年

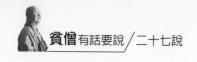

我可以藉助別人的因緣，沒有什麼不可啊！

好事要「可」 壞事則要「不可」

因為這一個「破船多攬載」的性格，貧僧覺得世界上沒有什麼不可，所以後來辦報紙、辦電台、辦電視台、辦佛光會、辦讀書會、辦都市佛學院、辦叢林學院、成立美術館、推動雲水書車、雲水醫院等等，都是因為我覺得沒有什麼不可。

經常有人跟我說佛經看不懂，實在說，不是文字看不懂，而是道理很深。我不能因為道理很深就退卻，所以就努力想辦法，讓佛法的道理能夠淺顯易懂，能夠講了可以讓人明白。只要我肯發心、有心，又有什麼「不可」呢？

後來，我又邀請大陸一百多位教授來協助佛教經典的白話翻譯工作，請慈惠法師幾次到北京、上海去聯繫相關的事情；這麼一來，我的人緣越來越廣，我的助力越來越多，事情也成就了。可見得，好事要「可」，壞事要「不可」。

有的人在一生當中建一間寺院，都難以成功，像過去的寺廟，都要經過幾代人的建設才能完成。現在，我在世界五大洲多少個國家建了多少的寺院，我哪裡有能力？我只是有一個性格：「可」。

我到了美國，王良信先生對我說，要在美國建寺院，我說「可」；我到了歐洲，黃老太太和江基民跟我講，希望在法國建寺院，我說「可」；我到了荷蘭，開中國

飯店的羅輔聞說，要在當地建寺院，我說「可」。全世界所有的地方，要建寺院，我都講「可」，很少有什麼地方說「不可」。

　　但我說一句「可」，後面的負擔就大了。對方只是給一個建議，他是一位在家信眾，哪裡有那麼大的財力擔當？我必須去解決問題：我要幫忙買土地，我要集合地方人士，我要徵求大家的意見，我要找尋工程人員，我要在這裡有所示範，我要肯得服務、我要犧牲奉獻……。所以，這一個「可」的後面，跟著要有許多的能量、因緣，在這裡貢獻、在這裡助成。

　　我常說，父母沒有給我什麼財富，但是，他們生給我一個很好的性格，那就是：「可」。因此，我有一次在講演的時候，忽然說到，我們不要只是讓上帝「萬能」，我們自己也應該「無所不能」。所謂「能大能小、能前能後、能進能退、能有能無、能苦能樂、能早能晚、能冷能熱、能富能貧、能上能下、能飽能餓、能高能低……」

《中國佛教經典寶藏精選白話版》

我無所不能、無所不可，自己做個萬能的上帝。就等於佛教說「人人有佛性」，自己能做佛，應該人人也能成上帝。所以我在想，假如基督教像佛教一樣「我是佛」，人人都能成上帝，那這個世界必定非常平等、非常美好！

內有能量　才有外在助緣

過去，貧僧在佛學院擔任院長的時候，學生要請假，這個事在訓導處應該就可以處理了，但老師們都說不准、不可。學生就來找我，我不但說可，還問他：「你要幾天呢？」他說：「三天。」我說：「路這麼遠，三天不夠啊！五天、一個禮拜吧！」學生一聽，感到很意外，以為我這麼好說話。其實，我只是懂得人性而已。

為什麼？因為他回去三天，和父母分別了一年、兩年，忽然回家了，家裡的人必然歡喜，等於過年一樣，請他吃飯，給他讚美，家庭真是樂園啊！佛學院修道的生活多清苦、多淡泊，當然，還是家裡讓人留戀了。

但我叫他在家裡待一個禮拜，三天以後，「過年」的日子過去了，總不能叫家人天天來宴請、天天來恭維、天天來讚美，到了第四天、第五天，大家都冷淡下來，他就百無聊賴了，開始想到佛學院團體生活的種種美好。一念之間，什麼是天堂、什麼是地獄，他就可以分別。他就會想再回到學院，不想要再回家了。

所以我覺得，人生要從積極面，向上、向前、向好去發展，不要朝負面的「不可」、「不行」、「不能」去想，那是不能成事的。

今天的青年們，在你的性格裡，好事你都「能」嗎？你能跟人結緣嗎？你能擔當責任嗎？你能吃苦耐勞嗎？你能勇於負責嗎？你能吃虧忍耐嗎？你「能」、你「可」，廣結善緣，放心，你必定會成功。「可」，也不是別人來教我們的，是自己內心的潛能。你潛在的能量，能夠發揮出來，這是非常重要的。

實在說，佛光山有的徒眾，也是勢單力薄；但是「為了佛教」，他發心、他「能」，就可以在海內外開山建寺。有志於向學的，鼓勵他讀書，他覺得「能」，我們就培養他，他就能從碩士、博士畢業。

所以，自己要有能量，才會有外緣，能是「因」，外緣是「緣」，有了「緣」沒有「因」，也不能成長啊！好比風調雨順都有了，沒有種子，又哪裡能生長呢？所以，大家不妨審視自問：「我是一顆菩提種子嗎？」

在西方國家，一條繩子一攔住，「不可」，這是法律，當然就是不可。在我們，辦大學很困難啊！但「可」，雖千萬人吾往矣！「可」的後面，要有承擔、要有力量。這麼簡單一個成敗的關鍵，你能叫貧僧不說嗎？

普照

山中國佛教研究院

大師於佛光山叢林學院圓門為學生開示

二十八說

我解決困難的方法

佛門是講究因果的，
無論什麼事情，
在因緣果報裡，
還是會有公平對待我們的。

貧僧雲遊世界各地弘法，除了講經說法以外，也辦有教育、文化、慈善等事業，經常信徒、朋友都會問我：「你有遇到過什麼困難嗎？」

回憶起貧僧自二十歲離開佛教學院以後，為社會服務至今，七十年來，說我有困難，也沒有覺得什麼是嚴重的問題；說沒有困難，也常常有一些障礙，不過，不管什麼困難障礙，都是要靠人去解決的。

身陷困境 好因好緣相助

至於解決困難的方法，社會上有人送紅包，困難就沒有了；有人用請客，困難也就化解了；有人用人情拜託，問題也消失了。在當今，甚至靠法律、道義幫忙解決問題的，也不是沒有。

貧僧一生不曾送過官員紅包，也沒有請過客，也少動用人情。解決問題的方法，首先我用道理據理力爭，因此，與政府、社會解決了不少的問題。如果道理不能解決的，我就用時間解決。在我想，他們是官員，我是出家人，橫豎我一生做和尚，時間對我比較有利，也就慢慢的把困難解決了。總之，解決困難的方法，還是要靠勇敢和智慧。

先舉一些比較重大的情況吧！例如：我的好友智勇法師，原本發心要辦僧侶救護隊，忽然聽說要移到台灣訓練，他就打了退堂鼓，說不想組織救護隊了。可是你已經招募兩百個同參道友了，你能不負責任嗎？我基於義憤，當時就跟他說：「你不帶隊到台灣去，我去。」

新竹靈隱寺台灣佛學院講習會開學典禮。前排右起：蓮航法師、董正之、陳慧復、李子寬、居正、甘珠活佛、吳經明（前台灣省主席吳國禎父親）、無上法師（左一）、如淨法師（左三）。1951.11.18

　　貧僧並不是說自己當時有多大的本領、有多大的能力，只是覺得，人要有誠信，不可以隨便中途退票。回憶當初，僧侶救護隊雖然因緣沒有成就，但一念的義氣、勇敢，讓我到了台灣，憑著佛教的因緣，讓我可以廣結善緣，讓我走向世界；也因為有佛祖庇佑，讓我得以在全球各地弘法利生。

　　到了台灣之後，生存的困難就來了。由於我沒有入台證，不能在台灣居留；一個很好的因緣，我在前往辦理戶口的路上，遇到吳伯雄的父親吳鴻麟老先生。我們彼此並不認識，他以警民協會會長及省參議員的身分，幫我承擔責任，讓我報了戶口，解決了我居留台灣的困難。這個解決困難的方法，實在說，是自己遇到了好因好緣。

　　之後，當時國民黨政府，懷疑佛教徒為大陸共產黨工作，逮捕了一百多名出家人入獄。那時候的我們，無

親無故，即使要找人幫忙也不得辦法。最後，還是因為有好因好緣，雖然坐了二十多天的牢獄，在許多正義之士自動出面為我們奔波呼救下，終於為佛教徒洗刷冤情，恢復我們一百多個僧侶的清白與自由。這許多人士有吳國禎的父親吳經明老先生、立法委員董正之、監察委員丁俊生、陸軍總司令孫立人將軍的夫人孫張清揚女士。那一次的教難，假如沒有他們的幫忙，真不知道後果如何。

在那個不安的年代，每一個禮拜，最多兩個禮拜，我都會有一次或兩次在半夜被警察叫醒，他們說是要對戶口，其實是要調查我的言行活動。記得一九五一年，我在新竹青草湖靈隱寺居住的那段時日，每次要到市區講說佛法，都必須到派出所請假，得到他們的允許才可以前往。

好在那個時候，由於政府推行人民要學習講國語，他們下了傳票，民眾都不肯參加，警察對上級也沒有辦法交代，不得已就找上我。因為我本身是台灣佛教講習會（佛學院）的老師，他們就請我教國語。

從原本只有寥寥幾人，在一個月內，我就讓學生增加到兩百多個，他們一看，也很感動，覺得我幫了他們的忙，讓他對上級有所交代，解決了他的困難，於是也就解除我到市區傳教，必須先到派出所請假的規定了。我想，這樣子解決困難，必須要靠我們的能力、我們的發心，否則這許多的障礙，也很難以解決。

歲月就在這些艱辛的時光中度過，在台灣弘法十多

年，從高雄到宜蘭，我在兩地往來，但居無定所。後來，
在高雄建了高雄佛教堂，我也只是發心幫助信徒建設，
並未據為己有；在宜蘭，一個龍華派的小廟雷音寺，我
住了二十多年，也沒有想說我要來做住持，就這樣，也
沒有名義，都是義務的幫忙人家編雜誌、寫文章，南北
雲水行腳。

護壽山寺　勇敢發聲力爭

因為十多年的結緣，就有信徒發起，在高雄壽山公
園的入口處，建了一棟不到一百坪的壽山寺，樓高五層。
才覺得今後有了一個能夠自主、可以安居修行的地方，
但是，位在壽山上的高雄要塞司令部，忽然來了一個公
文，認為壽山寺超高，會妨礙他們砲轟海上敵船的目標，
必須撤除四樓和五樓。

信徒聽了很慌張，就想要找市政府幫忙。我說，台
灣現在是軍事第一，民間、政府，對軍方都沒有影響的

高雄壽山寺

壽山佛學院第一、二屆開學典禮師生合影。1966 年

力量。我慨嘆自己不具備福德因緣，弘法布教十年，好不容易，現在有了一個小型的壽山寺，卻即將遭到拆除的命運，要是給佛教人士知道了，他們會恥笑貧僧說：星雲某人沒有福報。

　　不得已，只有藉助自己的勇敢，我跟信徒說：「放心，我來解決。」我拿著身分證，決定上壽山找要塞司令部，跟他們登記要求洽談公事。到了司令部，我就在門口大聲的說：「是哪一位長官下了要拆除壽山寺的指令？我是壽山寺的住持，我有話要講。」

　　有一位上校軍官從座位上站起來說：「是我承辦。」這位上校的姓名，現在也記不起來了，只記得我跟他說：「你指示要拆除壽山寺的四樓、五樓，我個人沒有意見，你看，我是出家人，出家無家處處家，你拆除這個廟，頂多這個廟不能住，我就住到別的寺廟去，這都不要緊。不過，假如說新聞記者來拍張照片，說台灣敵視宗

佛光山福山寺舊觀

教；或者你要拆除壽山寺，這個寺院是高雄居民人士所建，你拆了他們的寺院，就等於拆到他們的家庭，萬一他們有異議，我也不得辦法。」

我接著說：「你應該知道，前數日，越南總統吳廷琰，就是因為歧視佛教、燃燒佛教教旗，與民眾發生紛爭，到最後政府被推翻、總統被殺害。看起來，拆除壽山寺四樓、五樓的後果，你要仔細考慮。」

他聽了我的話以後，非常緊張，非常謙虛的跟我請教：「那要怎麼辦啊？」我說：「你問到我了，我就告訴你，你重新下一道指令說不要拆除，就沒有事了。」他就立刻回答我說：「我照辦，我照辦！」聽到他這麼承諾，我就非常安心地回到壽山寺。滿天的烏雲，這麼幾句話，就過去了。我想，智慧、勇氣，是解決困難方法的重要關鍵。

建福山寺　方便信眾食宿

　　生存的困難解決了，寺廟合法的問題又來了。佛光山寺廟登記證，因為地方政府負責人對我的誤會，我花了十年時間，始終申請不到。我心裡想，你是民選的主管，總有下台的時候，我做和尚是一生的，可以慢慢的等待。一直到十年後，在一九七七年，我終於拿到寺廟登記證，才獲得內政部允許我們傳授三壇大戒，那一次戒會，還被台灣佛教界稱為模範戒期。

　　這十年的歲月，在我也不算什麼，因為我知道時間上對我有利。後來，萬壽園要申請執照，這也是千難萬難。好在，我在宜蘭認識了一位陳泊汾先生，他是台灣省議會的省議員，並且還是黨團書記，為了協助我們取得執照，他就坐鎮在省政府民政廳等待，要求辦事人員公平對待，並且如法的發給我們萬壽園的執照。

　　過去我在宜蘭，佛光山在南部高雄，四、五十年前，因為高速公路還沒有建設，經常來往都要耗費一天的時間。尤其我們佛教徒吃素，途中沒有地方吃飯，常常要在中途站，借一個小麵店解決用餐問題。因此想到，我們應該要有一個分別院，給南來北往的人士、信眾有個地方吃飯。

　　有了這個決議，徒眾就從山線的員林開始，問到海線的大甲，沿途走路，看看左近有土地要賣嗎？最後，在彰化大竹圍福山里，有一塊垃圾場，價格便宜，我們就把它先承購下來，地上的垃圾我們再慢慢清理。在我們想，等福山寺建好，南北往來、吃飯住宿就沒有困難了。

籌備建寺 唱國歌令官服

當時，我們只想給人方便，沒有想到困難，但福山寺的建築執照，也同樣困難申請。一開始，我到民政局去登記。他說：「你沒有寺院的建築執照，又沒有廟，怎麼到民政局來登記寺廟呢？」我覺得他說得也對，就到建設局去申請建築執照。到了建設局，他說：「你在民政局沒有登記你要建寺廟，你怎麼叫我建設局發建築執照呢？」

在兩邊互踢皮球的情況下，我就在建設局、民政局之間來往多次，也花了數年的時間，一直都不能成功。最後，還是靠著陳洦汾先生的幫忙，彰化縣政府不得不聽從省政府的指示，准許我們建設。

如此一來，縣政府的官員們，就非常不甘心的來參加我們的建寺籌備會議，他先要求我們二十七個信徒代表必須全部到場出席，然後再要求我們唱國歌。二十七個信徒代表不難，都是佛光山初期的道友，受過高等教育，非常年輕，問題是在官員的態度，輕視又盛氣凌人。

好在我們也經得起考試。記得那一次，二十七個人合唱國歌，唱得特別有韻味；他們一聽大驚，以前看不起的出家人，竟然能把國歌唱得這麼好，立刻改變態度，直問為什麼歌聲這麼悅耳。我想，大概他們在政府升旗典禮上，也不容易聽到這麼好聽的聲音吧！

當初的佛教徒，在社會上受到歧視、排擠，完全沒有地位。他們沒有想到，現在的出家人，不但會唱國歌，還唱得這麼好聽。因為這樣的關係，情況急轉直下，對

我們有了好感，就准許我們建寺院了。所以很多困難，不是光靠金錢能解決，就是靠運氣，也要憑著自己基本的能量、自己的實力如何。

官員刁難 把無理當練心

貧僧最初在佛光山開山，這是一個貧瘠的丘陵，到處溝渠，為了建設，花費要比在平地上的投資超過多少倍。不過，好在位於野外山區，也不要執照，我也不急於一日成功，就視自己的力量多少，慢慢的發展。

但是，當我們有了一點規模，準備申請執照的時候，有關人員就要求我：「你必須要有兩部消防車、五十個消防員才可以登記。」如果不懂法令的人，大概就給他們嚇唬到了。但我一點都不心急，思考如何解決你這個無理的要求。

於是我就請問他：「超過我佛光山的這許多大規模的建築物，像總統府，有幾部消防車？縣政府又有幾部消防車？為什麼我一個小小的山區寺廟，就要養兩部消防車及五十個消防員？」我曉得他是故意給我刁難，我就慢慢跟他周旋，問題總會解決的。

但是我的災難，不是這麼簡單就化解。後來有人密報，說我藏有長槍兩百枝，下令要來佛光山調查。我說：「我這裡兩百根棍棒都沒有，你要來調查什麼？」

也有相關單位要我大寫標語：「反共抗俄、殺朱拔毛。」我覺得，在一個宗教地方，為什麼要這樣殺氣騰騰？我做不到。我堅決的告訴他：「寺廟講究和諧、和

平、和好，什麼反對、殺戮，我不敢寫，也不敢這樣做。」
後來也不了了之了。

除了建築遇到困難，辦佛學院的困難也是有的，人
家常說如果要一個人滅亡，就讓他去辦教育。當時一面
開山，一面又要讓跟著我的青年受教育，於是我決定辦
佛學院。信徒一聽，馬上說：「你不能辦，你要是辦了，
連飯都不得吃。」我不信，最沒有辦法的時候，我可以
發心去殯儀館替人通宵念經，為了培養學生，念一念也
就能讓他們有飯吃了，這有什麼困難呢？

辦了佛學院，就要有好的師資來教育學生。在當時，
佛光山地處偏遠，交通非常不便。別人都說：「你哪裡有
可能請得到名師到這山區來教書？」但我不相信，我要
用我的熱情、我的真誠請來名師。台灣大學、成功大學、
中興大學，甚至陸軍官校、海軍官校、國防醫學院的教
授專家，如楊國樞、韋政通、陳鼓應、李日章、林正弘、
方倫、唐一玄、王淮、唐亦男等等，除了佛學，還有自
然科學的專家、語言學家等等，一路都讓我請來了。

制止謠言 護教不惜抗爭

不料，後來台灣大學的葉阿月和方東美先生竟批評
我說：「佛光山是共產黨的大本營。」這一句話，在那
個戒嚴的年代是非常嚴重的，有可能讓全山大眾都會被
屠殺。還好，我的運氣很好，不像台南開元寺的住持證
光法師，只為了請大陸巨贊法師吃過一餐飯就被槍斃了。
也好在，不像我的學生台東海山寺修和法師，為了吳泰

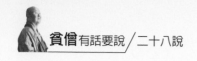

安事件,被關進牢獄判了無期徒刑,最後冤死在監獄裡頭。

這時候,我不得不勇敢的站出來,用行動證明,幸好信徒也知道我的做人,我在各處的講說,也都有錄影帶存證。一段時間後,這個謠言也就不攻自破了。我相信,只要行得正、做得正,宗教歸宗教,政治歸政治,你想用不實的謊言誣陷,這個對佛光山已經沒有用了。

幾年以後,有一次,我和警備司令常持琇將軍同在一個會場,他跟我說:「人家密告你的信函、文件,至少有一公尺高。」我真是訝異,那時候的台灣,一塊錢的郵票,一封信、一個投書,就可能置人於死地,或者毀了你的一生。

在那種危險困苦中,只有自己勇敢承擔,不做一個窩囊的出家人。有時候我們可以像菩薩低眉,但在佛教受到誣陷的時候,我也要如金剛怒目,不惜和他抗爭一下。反正貧僧在大陸,從小出生在戰亂裡,在槍林彈雨中,從死人堆裡來到台灣,對於危險,甚至生死,根本就不放在心上了。

當然,遇到這些種種困難,是需要多少的勇氣與決心,除了感謝佛祖的加持和萬千信徒的護持以外,我還能去怨怪誰的不是嗎?

民眾圍山 化阻力為助力

時代的巨輪向前滾動,台灣各政黨也慢慢的發展了,這許多異議人士反對的對象是國民黨,但我真是冤哉枉

也，只因為國民黨在報紙上說我是黨務顧問、評議委員，可是我也沒被事前告知，也沒有見過一張什麼聘書，就被無辜牽連，受他們無端的指責。當然，我也不必否認我是國民黨員，但那許多異議人士，就認定「佛光山是國民黨在南部的基地」。

最早，他們也不是很有力量反對政府，不過，反對宗教、反對弱者也是敢的，有些人就聚集起來，攔住佛光山的山門，不讓山上的大眾進出。我向警察局報告，也來了很多的警察，但他們就是不肯處理。我說：「他們攔住我的山門，我不能進出，你怎麼沒有處理呢？」警察說：「他們沒有行動啊！」行動？是要我們山上跟他打架、推擠？還是要我們有什麼行動嗎？我真不能理解。

不過，我也知道，當時來的這許多懦弱無能的治安人員，都是欺善怕惡之輩，他們也無力處理。其實，他們的上級主管經常在佛光山散步運動，甚至最高的署長也是佛光山的弟子，但我們都不動用關係來解決困難，為什麼？實在台灣的現實環境，使得警界也很可憐，逼得他們如此。因此，我們也不跟他們計較了。

這許多人把我的前門攔住，我就另闢蹊徑，從後面的山門出來，橫豎我的門戶很寬廣，東南西北都是我的方向，你們攔得住這一個山門，但你們聚眾能維持多久呢？白天不要吃飯，晚上不要睡覺嗎？當然不會持久，我知道他們必定無功而返。

最後，他們找出當時的高雄縣長余陳月瑛女士來跟

我們山上協調。余陳縣長了解之後，幫忙解決了民眾圍山的問題。後來，她也成為佛光山的信徒、佛光山的代表。所以，肯得解決困難，也能化敵為友。後來，民進黨的余家班，一直成為佛光山的護持者。

人事問題 尊重個人自由

在我開山建寺的過程，人事問題也應該是其中的一個困難。例如，有一些男眾上山出家，甚至有的父母把他們幼小的兒童送來山上入道為沙彌；日子一久，他們長大了，必須服兵役。可是他一去當兵，就不再回來了。

也有的年輕人，由於開山建設，必須出坡做苦工，他不堪勞累，也不告而別了。也有年輕人，跟父母抗議，說他要回家，不願意過著清茶淡飯、持守佛門戒規的生活。雖然這樣的人數不多，但在一個教團裡，有幾個這樣的分子，也總會影響一些人，讓團體難安。在我認為，所謂「鐵打常住流水僧」，信仰是自由的，他們要去就去，要留就留，這也不是什麼大不了的事。

後來，甚至於有人要回家的，我派人幫他們搬運行李，替他買一張火車票，叫人幫他送上車，讓他們回家。也有的人要回家，父母不准，我幫他跟父母說情。因為出家修道，必須要有出家的性格，沒有出家的性格，讓他在這個教團裡，等於濫竽充數，對教團也不利。

所以，我解決人事的困難，大多尊重他的自由，隨緣放下，各適其所，大家也就相安無事。相安無事，不就解決困難了嗎？至少他們回到社會，具有那麼一點佛

法的基礎，也學到那麼一點謀生的能量，雖然沒有成就他一生的事業，我為他種下一個做人的基本道德觀念，我對社會也算有一點貢獻吧？

二○○二年，我在日本剛成立的本栖寺裡，接到台灣打來的電話，說我建立的玉佛樓高齋堂，起火焚燒。當然在電話裡，我交代他們趕快請消防隊幫忙滅火。過了不久，從台灣又打來電話，說消防隊指示不能救火，恐怕開窗、開門，火勢會更加蔓延，讓它關起來悶燒，就沒事了。

這也不要緊，那只是放置法寶經書的庫房燒毀，佛書燒了，我可以再印刷；房屋燒了，我可以再重建。但現在回憶起來，為什麼消防隊員你見火不救呢？我也曾經捐助過消防車，也贊助過消防隊，但是到了我需要消防人員的時候，他們卻置身事外呢？我至今百思不解。雖然增加我一點經濟上的損失，但我們一樣的弘法利生，一樣的推動佛教的發展，熱忱並沒有減少，這場火災，不會燒掉我們的信心。

後來，佛光山的徒眾粗心大意，在山下馬路外的一塊農業土地上，臨時搭建的一個鐵皮屋，裡面堆放了一些桌椅、書籍、雜物，不知道什麼原因，也忽然起火焚燒。這原本也是一件小事，是一個閒置的倉庫，很快的也把火勢撲滅了，沒有影響隔壁的土地，也沒有影響別人。可是第二天報紙上，斗大的標題「佛光山失火焚燒」，讓人怵目驚心。難道，佛光山失火焚燒，你們才快樂嗎？才歡喜嗎？我們受到社會給予不公平的誣蔑、踐踏。社

會對佛教產生錯誤的認知，大概就是我們最大的困難了。

儘管我們心中雖有不平，但我們不灰心、不喪志，一樣為社會大眾服務。等於開山早期，因為沒有經驗，滂沱大雨，不斷把已經填補的砂石沖走，沒有關係，沖走了我再填。已經快要完成的放生池堤岸，也被大水沖毀，沒有關係，我可以再加強重建。所有困難，只要你堅持不懈，只要你鍥而不捨，什麼困難，也就不是困難了。再說，所謂菩薩「發菩提心，立堅固願」，上求佛道，下化眾生，就是困難，也把它視為磨鍊我們的機會，是我們的增上因緣。

台灣是一個民風淳樸、民間宗教普及的地方，佛教在台灣也受民間宗教的肯定，但是在台灣，佛教的歷史並不很長。最早，鄭成功的母親在台南建了開元寺，可以說是最早的寺院；福建一位樹璧禪師，帶了湄洲媽祖像渡海來台，開創了北港朝天宮；台北艋舺龍山寺供奉觀世音菩薩、清水祖師等等，可以說，台灣神道教的起源都與佛教有因緣，因此，他們也都非常禮遇佛教寺院。而佛教會，也經常在宗教法上與政府力抗爭取，以保護神道廟的利益，大家彼此和諧相處。不過，有幾件在台灣佛教史上具有歷史意義，也是讓台灣與國際接軌的大事件，應該要讓大家知道。

佛館聖地 帶動高雄經濟

例如，世界佛教徒友誼會、世界佛教傑出婦女會議連續幾次在佛光山召開；佛教與梵蒂岡樞機主教的對談，

世界國際佛教傑出婦女會議於佛光山舉行，有來自全球十五個國家地區，五百位傑出女性參加。1996.10

也在佛光山舉辦；甚至，西安法門寺佛指舍利迎請到台灣，數百萬人瞻仰禮拜，促進了兩岸宗教文化的交流來往；印度貢噶多傑仁波切，帶領十二位德行兼備的仁波切來台，贈送佛牙舍利給佛光山……可以說，這些都是台灣偉大的榮耀、偉大的歷史。

當佛牙舍利來到台灣的時候，非常開明的行政院長蕭萬長，也幫助我們到處找地，希望興建佛陀紀念館供奉。我想，若在台灣山地找一塊平原建設，今後能容納停車的地方必定困難，幾經勘查，最後，由世界各地千家寺院、百萬人士共同發起，大眾決議，就在緊鄰佛光山的擎天神公司的原址上建設佛陀紀念館。

完成後，佛陀紀念館已經成為台灣最受國際矚目的

觀光參拜的宗教聖地，每年有一千三百多萬來自世界各地的旅客。觀光局說，佛館帶動了高雄經濟發展，為台灣在世界增光。就有幾位的民意代表，常常在議會質詢時給我們毀謗，捏造一些不實的說法。例如說我們沒有使用執照，指責佛光山沒有停車場，只能停四十部車子等等。各種醜化佛光山的聲音，讓社會民眾對我們有不好的觀感，使得佛教受到損失。

但是「路遙知馬力，日久見人心」。事實上，佛光山向農民租地，讓來者可以停車千部以上，佛光山沒有侵占國家一寸土地，佛光山與附近的土地也沒有一寸的糾紛。佛光山所有的建築都是合法，縱有少部分所謂違建，也只是程序違建，不是實質違建；也就是說佛光山正在辦理手續中，只是相關單位對山區水土保持的審查曠日廢時，我們也無可奈何。

當然，後來水利局以及有一些官員，為了我們的主體建築外，還有一些附帶零星地方的建築執照，因為還

佛光山法師前往 921 南投災區現場灑淨。1999.9

莫拉克風災受災民眾暫住佛光山福慧家園。2009.8

在送件辦理的程序，或者執照尚未拿到就開放使用，一次又一次的給我們罰款。在澳洲、在美國、在大陸，我們同樣建寺院，宗教都受到當地政府的幫助和尊重，在台灣，我們卻經常收到政府的罰款，相互對照之下，究竟是我們政府的問題，還是我們本身發心的錯誤呢？

非佛不作 齊心解決困難

還有一些不是困難的困難，像是近幾年發生的災害，如：九二一大地震、莫拉克八八風災、南亞海嘯、汶川大地震、日本東北大地震、紐西蘭基督城地震、馬來西亞東海岸水災，到最近的尼泊爾地震等等，我們前往救災醫療，捐建學校、圖書館。此外，寒冬送暖，為獨居老人送餐，捐贈救護車、輪椅給需要的人與單位，為雲水書車買書、募書巡迴偏遠學校、地區，推廣全民閱讀；甚至我們也為八八風災暫居在佛光山的耶穌教徒，請牧師、修女前來為他們布教，尊重他們的信仰，讓他們心

佛光山慈悲基金會醫護人員在大馬吉蘭丹重災區瓜拉吉賴展開義診。2015.1

尼泊爾地震，佛光人給予災民心靈安慰。2015.4

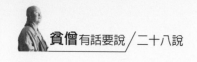

靈得到依靠、撫慰等等，這些，可以做得到的，也都不爲困難了。

經常有人說，佛光山商業化；其實，佛光山有「非佛不作」的原則，從來就沒有賺錢的事業。辦佛學院，要給學生穿衣、吃飯；辦短期出家、夏令營等等的活動，本身就必須花費許多經費；甚至公益電視台，乃至圖書、報紙、期刊雜誌出版，都是開支浩大，毫無收入的單位。還好，有那麼多善心的信徒幫忙，只要對淨化社會人心有益，儘管「日日難過日日過」，我們也心甘情願，繼續服務了。

所謂「去的就讓它去，來的也會自然來」，佛門是講究因果的，無論什麼事情，在因緣果報裡，還是會有公平對待我們的。你問貧僧困難是怎樣解決？我處理的原則：決不跟你爭強鬥狠，也不跟你謾罵、怨恨，講究通情達理，如此一來，也就沒有是非，不讓人吃虧，我相信「有佛法就有辦法」，也就沒有什麼困難了。

總和的說，佛光山的困難，都是佛祖去解決的，也都是信徒熱心幫忙解決的；我們心生慚愧，暫時享受人間現成的安樂，除了感恩圖報以外，哪敢言說困難呢？

假如，以後再有人問我有什麼困難，貧僧就拜託你一起來幫忙解決吧！

二十九說

我對問題的回答

列出的五十三個問題，
當然不能代表我六、七十年來解答信徒問題的全部，
等到有機緣，
將來編一本《信徒千問》了，
再看以後的因緣吧！

在我一生的弘法過程中，有些聽眾在聽講以後，於彼此的交流中，總有一些問題要問我。總計我回答的問題，也不止百千萬條了，但是我都沒有留下記錄，現在也記不清他們問些什麼了。就記憶所及，在此僅錄五十三條，表示《華嚴經》善財童子五十三參的意義，以誌我和聽眾之間交流的往事。

以下，「問」是聽者的語言，「答」是我的回覆。這篇的體例，與別篇不同，請各位注意。

一、問：吃素是要吃全素呢？吃初一、十五呢？還是每逢三、六、九呢？

答：佛教勸人茹素，主要是因為不忍殺生，是為了長養慈悲心。有這麼一則故事：多年前，美國有一隻小鳥被小孩用箭射中了，中箭的小鳥雖然還能飛行，但是箭留在身上總是很痛苦。因此，全國的報紙、電台，都在找尋這隻小鳥。

有人就問：「美國人到了感恩節，吃掉萬萬千千的火雞都不計較，一隻小鳥有什麼了不起呢？有必要動用全國的力量來救這一隻小鳥嗎？如此大費周章的作法值得嗎？」

為了感恩而殺生、吃火雞，這是美國人沒有智慧的習俗。不過，對於小鳥，他們能感到牠真是生命，「見其生，不忍見其死」，要想救牠，相對於吃火雞，總說還是有一些良知善心。

人雖然也會殺生，但是能有一種挽救生命的心念，

總是好的。不論初一、十五或三、六、九日素食，總比
完全不知道素食、不知道愛惜生命的人，要超越得很多了。

二、問：在生物學裡，構成生命的條件有三，一生長、
二繁殖、三死亡。動物有生命的條件，植物也有生長、
繁殖、死亡的條件，那麼，為什麼動物不能吃，植物就
能吃呢？這不是五十步笑百步嗎？

答：動物和植物的生命有不同，動物的生命是「心理」
的，植物的生命是「物理」的。例如，你要吃動物，牠
會恐怖、掙扎，植物不會，植物雖有生長、死亡，但它
只是物理上的反應。所以，佛教講「心」，認為有「心」，
才是生命的真義。

三、問：佛教說「不殺生」，但家裡難免有蚊蟲、蟑螂，
不以殺蟲劑消除，人類的健康不就受到危害了嗎？甚至
果園農田，不噴灑農藥，驅除害蟲，怎麼會有好收成呢？

答：對於家庭裡的蚊蟲蟑螂，一者，你可以採取防
治的方法，家中清潔、整齊了，就不會滋生蚊蟲，或者
你驅逐牠們，也就了事了。假如不得已，非得要以「殺生」
處理，這也不是殺人；殺人的罪，是不通懺悔的，而殺
害微細的生命，雖不是沒有罪業，不過透過懺悔還可以
消除一些。

說到「殺生」，就會講到佛教戒律上的問題，但是
戒律要守得完全清淨，也是不容易的，只能說，做到多
少，就算多少的功德。

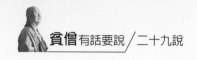

　　至於農夫噴灑農藥，旨在保護植物，並不是以瞋恨心去對付。雖說殺生害命是不清淨的行為，但是農夫為了種植收成，一般也是無心無意的。目的不同，因果業報也就不同了。

四、問：佛教講「不殺生」，但是佛教也說「一杯水裡有八萬四千蟲」，甚至所燒的木柴裡，也有蟲蟻、細菌、微生物。這麼說，是不是我們就不能喝茶、不能燒火了？

　　答：你喝水的時候，是覺得在喝水呢？還是吃八萬四千蟲呢？你燒木柴的時候，是預備舉火呢？還是要燒死蚊蟲呢？心念不同，結果就不一樣；凡事與你的起心動念是有很大關係的。

五、問：人為了活下去，要維護健康，生病的時候要打針吃藥。那麼，細菌也是生命，我們為了自己的健康，不就殺死很多的生命了嗎？

　　答：生命的層次有高低的不同，細菌還不能稱為完整的生命。「以人為本」的佛教，是以人類的生存為主，縱使有時候為了維護健康而必須打針吃藥，也志不在殺生。所以，在戒律上，業報也是有輕重上的分別。

六、問：我曾經打死一條毒蛇，有些信佛的人說我將來會投胎做蛇，假如我去打死人，將來是不是就投胎做人了呢？

　　答：這是錯誤的說法。並不是說你殺這一命，就變

成那一命。因果報應不是在形相上計算結果的，是依你殺心的輕重而有不同的結果。何況殺蛇的罪業，跟殺人的罪業，又有程度的不同。同是殺業，但結果不同，不可以混爲一談。

七、問：世間上有沒有鬼呢？

答：世間是沒有鬼的，鬼有鬼的世界，等於虎豹回歸於山林，魚蝦生長於海洋，昆蟲棲息於泥土，飛鳥棲身於樹梢。但你不可以疑心生暗鬼，不可以用鬼計多端的用心去處世，否則人也就是鬼了。我常說：「冷不怕，怕風；窮不怕，怕債；病不怕，怕痛；鬼不怕，怕人。」有時候，人比鬼還可怕呢！

八、問：天堂、地獄究竟在哪裡？

答：有三個層次：一，天堂在天堂的地方，地獄在地獄的地方。二，天堂、地獄都在人間，你到市場去看一下，盡是烤的、燒的、掛的、割的、刮的，那不就是地獄了

人一天當中心念在天堂地獄來往多次　　401

嗎？你到高級的大樓別墅去參觀，大家在那裡盡情地享受空調、福樂，那不就是天堂了嗎？三，天堂、地獄都在人的心裡，一個人一天當中，在天堂、地獄裡來往多次。生天堂的次數和下地獄的次數，你可以去做個比較、研究，不妨儘量地讓自己生在天堂裡。慈悲結緣的念頭，就是天堂；殺盜淫妄的念頭，那就是地獄了。

九、問：佛教徒都說：「學佛是為了求解脫。」我們沒有犯罪，為什麼要求解脫呢？

答：人造罪業，自己不知，不能說沒有。如：侵占別人的財務、批評別人的名譽，身口意侵犯了別人的利益，怎能說沒有犯罪呢？再說，你的煩惱不需要降伏嗎？妄想不需要去除嗎？罣礙不需要解脫嗎？

十、問：釋迦牟尼佛現在究竟住在哪裡？

答：一、佛陀的法身遍滿虛空，充塞法界。二、佛陀住在你的信仰中、禮拜中、善行中、恭敬中。三、佛陀住在你的心裡，只要「眾生心垢淨」，則「菩提月現前」。

十一、問：地理風水會影響一個人一生的窮通禍福嗎？

答：世間的道理，天有天理，地有地理，人有人理，情有情理，心有心理，物有物理，風水地理不是沒有，但也不是從方位的東南西北來看的。一間房屋，只要能通風、採光好、視野好、有通道，空調設備齊全，不就是風水寶地了嗎？福地福人居，無論什麼地方，只要你

歡喜，也不去侵占別人的地盤，正正派派的，就不必在外相上作分別了，風水地理的好壞都在你的心裡。

十二、問：佛教對死刑的看法？

答：法律上的判決，是依據你的起心動念、行為，來決定罪刑的輕重。基本上，一個人犯了錯，法律會用各種徒刑給予處罰、處分；唯有殺人害命，死刑應該是免不了的。為什麼？這是因果定律，殺人者，必有其報，怎能沒有死刑呢？不過，也有一些人或者是因為被迫而殺人，或者是過失致人於死，或者是為國戰鬥，這又有主從輕重的關係了。

十三、問：佛教有「世界末日」的說法嗎？怎麼看待這個問題？

答：佛教有「正法、像法、末法」之說。其實，在這一個世界上，你看每一個人的遭遇，好運的，天天都是在正法時代裡；不幸的，天天就在末法時代裡。所以，正法、末法是隨業力在轉換的，倒不一定說什麼時候才是末法來臨。假如自己的行為不端，惡業昭彰，末法也就即刻現前了。所謂「正法」、「末法」，都在當下了！

十四、問：有人說，我做一個好人就好了，為什麼還要受戒呢？

答：好人就能不守法嗎？好人就能不守戒嗎？好人，要守法守戒，遵守道德的標準，才是好人啊！

　　就國家的法律來說，守法的人叫做「好人」，犯法的人就是「壞人」。同樣的，從佛教的戒律來說，你受持戒律，就是佛教徒；你不受持戒律，就是非佛教徒。受戒才自由，犯戒才失去自由啊！你肯守戒，就不會因為犯罪而受到法律的制裁。你可以到全世界的監獄裡調查一下，哪一個人不是因為殺、盜、淫、妄、酒（毒品），侵犯別人、妨礙別人自由，才入獄的呢？犯了戒，怎麼能有不受果報的道理呢？

十五、問：佛教提倡受持五戒，假如說我受了戒，又犯戒，該怎麼辦呢？

　　答：一個人無論有沒有受戒，身口意的行為都會招感因果業報。所以，就是會犯戒，也要受戒，因為你受了戒再犯戒，會知道慚愧，懂得懺悔，懺悔就能滅罪；相反的，你不受戒，犯了殺、盜、淫、妄、吸毒，因為沒有受戒不知道要懺悔，罪業更大呀！

十六、問：有人說，經常看到一些好人沒有好報，反而惡人享受榮華富貴，哪裡有什麼因果報應呢？

　　答：這就是因果報應，他雖是好人，但因為過去有負債（作惡），不能不償還；他雖是惡人，但過去在銀行有存款（行善），也不能不給他支用啊！不過，禍福總有盡期，所謂：「善有善報，惡有惡報，不是不報，時辰未到」啊！

　　善惡業報都是有依據的，佛教講因果通三世，〈三

世因果偈〉云：「欲知前世因，今生受者是；欲知來世果，今生作者是。」過去做了什麼，就看現在所受的果；未來會有什麼果報，就看現在所言所行。

十七、問：有人說，佛教徒常講：「隨緣、隨緣！」會不會太消極了呢？

　　答：世間上，哪一個人不是存在因緣中，受因緣轉動呢？你逆天行事，傷人害己，那就不正常，惡報自然跟隨而來；相反的，你能隨順因緣行善、做好事，未來的人生必定幸福。所以，「隨緣」是積極的人生，是正常的人生，不是消極的，你隨遇而安、隨緣生活、隨喜而作、隨心而住，必然得道多助。

十八、問：有人說，佛菩薩發願要度眾生，所以我信佛了，是不是佛祖就會保佑我事事順利，身體健康？我有求於他，他就會給我滿願嗎？

　　答：佛教不是保險公司，未來的禍福還是要由自己負責。所謂「種什麼因，得什麼果」，你要健康，有健康的因果；你要發財，有發財的因果；你要順利，有順利的因果；你要長壽，有長壽的因果；你要成功，有成功的因果。如是因，招感如是果，這絕對不會錯的，不要錯亂因果。

　　就像《阿含經》裡說的，一顆石頭沉到水底，你祈求神明：「讓石頭浮起來吧！」可能嗎？油浮在水面上，你祈求神明：「讓油沉到水底吧！」可能嗎？所以，祈

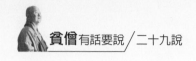

求還是要有因果關係的。與其要求諸佛菩薩給你滿願，不妨看看自己現在的所行所做，都能自我滿願嗎？

十九、問：有人說，男女結婚二年、三年後，感情不好，不能情投意合，請問是離婚好，還是繼續生活好呢？

　　答：如果已經生兒育女了，就忍耐一點，能恢復善因緣，在善的因緣裡面生活，當然最好；假如實在是惡因緣，不能忍耐，只要合乎法律，當然離婚也不是什麼罪惡的事情，不過希望能好聚好散。

二十、問：人的禍福命運可以改變嗎？

　　答：命運必然可以改變的！世間一切都是無常的，既是無常，就能改變。農業的「品種改良」，連水果都可以改良了，人的禍福又怎麼不可以改善呢？

二一、問：世間上到處都是天災人禍，如經典所說：「世間無常，國土危脆。」我們如何才能獲得安全呢？

　　答：面對天災人禍，不要怨天恨地。看看社會上殺、盜、淫、妄的行為，你說能沒有因果嗎？所以，人獲得安全的方法，就是要「諸惡莫作，眾善奉行」；果能如此，未來的前途自然就會改變了。

二二、問：學佛如何培養慈悲心？如何才能開智慧？

　　答：慈，就是要給人快樂；悲，就是要拔除人的痛苦。如何才能有慈悲心呢？先要建立「人我互調」、「將

心比心」的觀念，假如我是他，我應該怎麼待他？站在對方的立場，慈悲心就容易生起了。說到「開智慧」，多讀書、明理、正信，自己內心的般若啓發了，當然就有智慧了。

二三、問：花草樹木可以成佛嗎？

答：你爲什麼不關心自己能不能成佛，而要去關心樹木花草能不能成佛？告訴你，你成佛了，自然樹木花草也會跟著你一起成佛的！

二四、問：有人說，生命的存在要靠殘殺，所謂「物競天擇，適者生存」。佛教對這樣的說法有何看法呢？

答：這個世間是一半一半的，沒有絕對。護生的護生，殘殺的殘殺，要讓佛的世界與魔的世界互相統一另一半，是不可能的。所以，現在只有想自己如何保護生命，增長善因善緣，擴大佛的世界，減少魔的範圍。

二五、問：住在海邊的漁民，靠捕魚維生，他們能學佛嗎？

答：當然可以！佛法不捨棄任何一個人。雖然他是以捕魚爲業，有「殺生」之行，但是沒有「殺心」。甚至於將來轉換事業，捨殺業而爲護生的善業，不就能改善自己未來的命運了嗎？

二六、問：靠山吃山，靠海吃海，漁民可以捕烏魚維生，

為什麼就不能捕伯勞鳥呢？

　　答：這就是眾生對於惡習的錯誤看法。因為捕魚捕慣了，就不以為意，捕鳥偶爾為之，就認為那不對。其實，關於「殺生」，無論捕魚也好，捕鳥也好，都是殺業。因此，沒有可不可以、應不應該的問題。總之，愛惜生命是人的天職，你做到多少，就算多少吧。

二七、問：假如人人都去出家了，男不婚、女不嫁，那麼人類不是要滅種了嗎？

　　答：假如人人都做教師，學生從哪裡來呢？人人都開商店，顧客從哪裡來呢？人人都去當兵了，誰來種田呢？人人都去做工了，老闆誰來做呢？沒有「假如」的，你不必掛念，世間是不會統一的。就以你說的，假如大家都出家了，人人都能了生脫死，不也是天下無事了嗎？

二八、問：所謂「十方三世一切佛」，這麼多的佛，哪一尊最大呢？

答：你是佛，你就最大；他是佛，他也最大。凡是有佛心的人，都是最大！

二九、問：人死了燒紙錢有用嗎？

答：燒紙錢有用沒有用，這不一定，但是心裡的尊重、給予，那是有功效的。就例如：我讚美你一句，你不是很歡喜嗎？我向你行個禮，你不是很高興嗎？所以，用獻花、獻果表示心意感謝外，表示敬意還有許多方法，不一定燒紙錢。當然燒紙錢紀念，這也不算違法，不過站在環保的立場，還是少燒紙錢為好。

三十、問：到佛前燒香獻花，有必要嗎？

答：對佛的恭敬，不一定要以香花禮拜，瞻仰、圍繞、合掌、問訊，都跟奉獻香花同等意義啊！

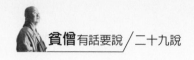

三一、問：可以在網路上點燈嗎？

答：你覺得在網路上點燈，你的心光有點亮嗎？所謂「千年暗室，一燈即明」，點燈的真正意義，是要用心燈供佛，同時藉由佛力加持，來點亮我們心裡慈悲、智慧、信心、歡喜的光明。所以，傳統佛教的點燈，都要在佛前；有「燒佛前香」、「點佛前燈」的說法。

談到燈，過去都是燃油燈、點蠟燭，現在則是使用電燈，甚至有人要在虛擬的網路上點燈。不管你點的是什麼燈，最重要的是，你有把自己的心交給佛祖嗎？如果你有感覺到自己真的與佛感應道交了，那才是點燈的意義。

三二、問：我是信仰媽祖的，可以再拜佛嗎？

答：媽祖也是拜佛的，為什麼你不可以拜佛呢？

三三、問：世界上的宗教，哪一位人物最偉大？

答：你喜歡的、你最信仰的，他就是最偉大。

三四、問：世間上的宗教有幾十種，究竟信哪一個宗教最好呢？

答：跟你最有緣分的、跟你最有關係的，能讓你向上、上進的，只要是政府登記的、國家承認的，是正信的、清淨的宗教，都可以信仰。

三五、問：佛教講「平等」，那麼家中的父母兒女都要

同等待遇嗎？

　　答：「同等待遇」不是平等，視身分的不同而給予應有的待遇，才叫做「平等」；祖父母有祖父母的享受、父母有父母的條件、後輩有後輩的責任，並不是說讓我來享受祖父母的待遇，就是平等。子女對待父母，是要恭敬；父母對待子女，是要慈愛，各有所不同，雖是差別，就是平等。

三六、問：孩子孝順父母，「孝」比較容易做到，「順」很難做到。我如何才能像孝子呢？

　　答：「孝敬」父母容易做到，「孝順」就很難了。你說得不錯！所以，做父母的也要通情達理，兒女能可以對你「孝敬」，就不一定要他「孝順」。不必計較他一定要依你的意志行事；人各有志，你也給子女一些自由空間嘛！

三七、問：我們做佛教徒的，家裡要設立佛堂嗎？

　　答：家中能有一間佛堂很好，因為它會啟發你心中要有佛。設備簡單不要緊。

三八、問：佛教徒一定要掛念珠嗎？上廁所、洗澡，可以戴念珠嗎？

　　答：念珠不只是掛在手上，是要掛在心裡。在任何地方都可以掛念珠，只要心地清淨，什麼事都能隨心所轉。執著、計較，只有徒增自己的麻煩啊！

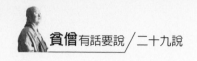

三九、問：新春「撞頭鐘」、「燒頭香」，有必要爭取嗎？

　　答：那是非常迷信的。因爲每一個人都有自己的頭鐘、自己的頭香，何必跟人家爭取呢？就是你這一個正月沒有來燒香，二月再來燒，那也是自己的頭香。總之，你有你的頭鐘，他有他的頭鐘；你有你的頭香，他有他的頭香！

四十、問：你覺得現在的寺院收門票，合理嗎？

　　答：不合理，因爲宗教不是商業，不應該收門票。信徒自願添油香，那是他對自己信仰的發心。尤其，先人、歷史所留下來的藝術、文化財產，當代的兒孫是應該受到先人餘蔭的，不應該再叫我們買門票，增加我們的負擔啊！

　　再說，我們買的門票究竟是要給誰去用呢？

四一、問：我們在家人學佛一定要拜師父嗎？

　　答：學佛要皈依三寶：佛、法、僧，不是拜師父，皈依三寶跟拜師父不同。應該多親近善知識，不一定要拜師父。

四二、問：皈依佛教後，又再轉信其他宗教，會遭到天打雷劈嗎？

　　答：傳說中，改變信仰會遭天打雷劈，這種用神權來控制人信仰的方法，是不合理的。佛菩薩不會跟你計較的。不過，從自己的道德上說，假如在不得已

的情況之下，要轉變信仰，還是向佛菩薩說明原因，會比較適合。

四三、問：我原本信仰其他宗教，能改變來信佛教嗎？

答：等於學校轉學、升學一樣，沒有什麼不可以，只要信的是正當的宗教，改變信仰也不是什麼嚴重問題。

四四、問：妄語是說謊，那麼該說的話不說，可以嗎？

答：說錯了是妄語，好話不說也是妄語啊！

四五、問：我煩惱重重，佛祖能幫助我嗎？

答：要看看你心中的佛祖，他應該會給你答案。

四六、問：我信仰佛教了，請告訴我，如何簡單履行我的信仰？

答：一、你要禮敬三寶；二、你要深信因果；三、你要慈悲喜捨；四、你要廣結善緣等。

四七、問：我年齡大了，已經從公家機關退休了，我如何度過餘年呢？

答：你要有信仰。看經、念佛、行善、禮拜、參與道場共修活動，如此，就能開拓第二個人生。

四八、問：青年人一定要信佛嗎？

答：不但要信仰，還要參與信仰的活動，才能增

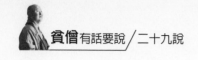

進德行，才能敦品勵學。

四九、問：結婚、搬家，要看日子嗎？

　　答：不必要！日日是好日，時時是好時，只要你方便，別人也方便，都是好日，沒有什麼不可以的。

五十、問：可以同性戀愛嗎？

　　答：知心交誼、相互傾訴都可以。至於婚嫁，有違中國的倫理道德，那就要看道德、法律、輿論的看法了。

五一、問：一個人不想活了，自殺會有罪嗎？

　　答：自殺跟殺人是一樣的罪業。所以，好好的生命你要斬斷它，無論是自己的、是別人的，都不可以。

五二、問：人死了以後，有靈魂嗎？它在哪裡呢？

　　答：必定有靈魂的，他像遊子一樣，總有一天會找到他的家庭，那就是來生了。

五三、問：世間上有沒有輪迴呢？

　　答：當然有。春夏秋多，不就是輪迴嗎？老病死生，不就是輪迴嗎？東南西北轉一圈，不就是輪迴嗎？

　　以上列出的五十三個問題，當然不能代表我六、七十年來解答信徒問題的全部，等到有機緣，將來編一本《信徒千問》了。再看以後的因緣吧！

三十說

我訂定佛教新戒條

如果都能像佛教所說，
大家持戒，
不侵犯別人的自由，
互相尊重、互相包容，
這才是美好的人生。

佛陀建立教團，制訂了很多的戒條，比丘、比丘尼、沙彌、沙彌尼，甚至在家的男女居士優婆塞、優婆夷、式叉摩那等七眾弟子，都各自有戒律。但是，當初的社會環境、物質條件、文化背景、地理氣候、風土民情等，都與這許多教條的制訂有關。

到了現在二十一世紀的佛教，已經是屬於世界性的，世界各地的人文不同、環境不同、地理氣候、生活方式、觀念想法都不相同，正如佛陀對戒律的制訂曾經講過「可開、可遮」，應該戒規的內容也要有所不同，不是固定一成不變。

佛陀制戒　因應當時因緣

但是，後來固執的弟子就強調：「佛所制戒，不可更改；佛未制戒，不可增加」，佛法講世間無常、法無定法，這並不能符合佛說無常的真理，如果不能依照無常的規律去改變，佛教就不能進步，不能適應當今世界的環境了。

例如「偏袒右肩」，假如生長在哈爾濱、西伯利亞的佛教徒都要偏袒右肩，不是要把膀子都凍僵了嗎？就是沙彌戒的「不捉持金銀寶物」，如果沒有獎學金、沒有路費，如何去雲遊參學訪道呢？所以，當初佛所制訂的沙彌戒，即使是現在的大比丘，都不容易做到。又好比在當時印度熱帶的氣候下，所謂「日中一食，樹下一宿」，是很逍遙自在的，但如果換到其他地區，哪裡有辦法做到「日中一食，樹下一宿」呢？

佛光山徒眾手冊

佛光山宗委會

《佛光山徒眾手冊》

在現今的佛教界,可以說,傳戒的那許多老師們,自己都不能做到不犯戒條,但是,每一個都說不可更改,這種虛偽、假相、不務實,怎麼能讓佛教隨著時代進步呢?

佛教傳到中國來,過去的祖師大德,他們知道戒條對生活的重要,沒有戒,也不成僧團;但是要依照傳統的戒律、戒條,佛教勢難在人間各種社會裡面發展。所以中國的祖師們非常聰明,像「百丈立清規」,他們不破壞佛制的規矩,但用清規代替了戒律。可以說,千餘年來的佛教,都是靠叢林的清規,才能把佛教教團的慧命一直延續下來,讓僧團安住,讓佛教發光。

但是,現在佛教也不只是寺院了,佛化家庭之外,學校、機關、社會、國家,都需要人間佛教給予引導。因此,我在創建佛光山之初,也曾經訂過〈怎樣做個佛光人〉,總共十八講;我也為佛光山教團制訂《徒眾手冊》,這一切都看佛光山傳承的弟子,怎麼樣去運用,這裡再加一些補充說明。

貧僧自小接受佛門的楗槌磨練,我不想把自己當初身受不合公義的教育施之於人,所以,最初建立教團的理想,只是希望「無為而治」。所謂教育,不必要靠別人來打罵開示,一切應該要自學,如儒家講「學而時習

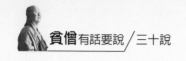

之」，自學，才會有心得，才會有進步。

在佛教裡面，對教育有更進一步的闡述。如佛陀教育的步驟，先要自覺，再能覺他，這樣覺悟之道才能圓滿。所謂自覺，在學習之初是非常重要的，如果自己不自我覺察、不自我覺醒，講者諄諄、聽者藐藐，再好的良言善語，你也沒有受用啊。所以，我最早的教育，都告訴每個人要依照佛陀的「自覺教育」。

但是，每一個人的根基不同，不是人人都是大智慧善根，還是要靠旁人幫助、靠教條規範。所以，貧僧在數十年出家的生活中，我一定要自己做到，我才敢教人。我思惟人生，要想如惠能大師所說「佛法在世間，不離世間覺」，對世間的自我覺悟、自我實踐，才能規範他人。

制新戒條　修行做人準則

可惜，貧僧幾十年來，十方弘化，很難安居一處，雖然自覺自己衣食住行、行住坐臥有所分寸，也不敢要求別人照我的方式行事。現在，貧僧垂垂老矣，在我認為，太嚴格的教條，與如讓人做不到，何必要那樣的規範呢？但如果完全方便，隨意生活，那又成為一個什麼樣的團體呢？

這次，藉由「貧僧有話要說」，自己心裡也想，自我修學的戒行，與他人應該要遵守的法則，甚至對佛光弟子的教育上，列出一些簡單的生活規條，把它訂為新戒條，在此略為一說。

戒條有很多，橫說豎說，那都是條文，最重要的，

還是要自我心中有道，行為不要侵犯別人，那就是我訂為「佛光新戒條」——十要、十不要的標準了。社會大眾以及佛門弟子，大家都能遵守，把它用來做為修行做人的原則，人我之間，會少了糾紛；衣食住行的生活，會獲得滿足；群我之間，能夠和平相處。這「十要」和「十不要」，假如大家都可以做到，雖不能成佛作祖、成聖成賢，至少不失為一個樸實的修道者。

茲將內容分述如下：

所謂十要：

一、要正常吃早飯

佛教的戒律規定「過午不食」，但我認為，過去是因為晚間沒有工作，天黑之後沒有電燈，很早就睡覺了，因此晚上可以不吃。但是，現在一些修行用功弘法辦道的人，看經講課、著書立說、為人服務，經常挑燈晚修，怎能說晚上不吃呢？這樣對腸胃必定有所損傷。我覺得，「過午不食」在今日這個社會裡，已經不是很適合，像有糖尿病的人，如何過午不食呢？

但修道者有一項非常重要的，那就是「要正常吃早飯」。因為吃了早飯，就是一天工作的開始。可是我經常看到現代的人，過早不食，晚上吃得更多，為什麼早餐不吃呢？因為他怕早起。早起之後，由於夜晚遲睡，消化系統還保存了昨日吃的食物，所以他在早晨不感到會飢餓。經常不吃早飯，一個人的生活就沒有規律。因此，不但要吃早餐，還要按時，養成這種好的習慣，必

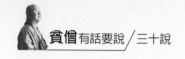

定生活容易規律。

二、要有表情回應

　　發心修道者，都要先能過團體生活，就是佛陀吧，也經常說「我在眾中」，一個初學者離開大眾，就不能算在僧團之中。眾者，以中國字來說，「三人成众（眾）」，一個人才想修行，就想閉關，就想隱居，不能合群，不能在大眾中學習教養，所謂「獨木不可成林」，也難以成就。所以，有心入道的初學者，要在眾中，必然要學習接受磨鍊，必定要有禮貌，要有表情，要對人恭敬，別人才會接受你，你才能安住在眾中。

　　要知道，現在是一個彩色的世界，是一個有聲音的社會，若強調動靜一如的生活，你既不是石頭、木頭，怎能沒有表情？就是石頭、木頭，雕出的佛像、菩薩像，也要講究慈祥、笑容、自然、姿態的莊嚴，好比敦煌石窟那許多壁畫都可以佐證；那麼你一個出家人都沒有表情，怎麼做人呢？要學習適當的表情回應、合宜的應對禮儀。

三、要能提拔後學

　　世間上的人，不是自己成就了就是偉大，真正的偉大，是要能培養後學的成功。像釋迦牟尼佛有多少的大菩薩、大阿羅漢弟子追隨學習，所謂千二百五十人眾，甚至於他的十大弟子，佛陀也都讓每一個人各有所能，

讓他們的能量發揮得淋漓盡致。再看歷代中國各宗各派的祖師們，凡提拔後學的，宗派就會興旺，不肯提拔後學的，慢慢的也就煙消雲散了。我們要讓一代勝過一代，所謂「青出於藍，更勝於藍」，不要「麻布袋、草布袋，一袋（代）不如一袋（代）」。假如我們的社會千里馬常有，而伯樂不常有，那就非常可惜了。

當今佛教界的情形，經常看到長老們不肯交棒，或者一做住持，就是一生一世，第二代的後輩，就像媳婦熬不成婆，這在專制王朝時代還可以講得過去，當今民主自由時代則不可。

四、要能推薦好人

說到推薦好人，每個人都想推薦自己，其實，好人不是自己說自己，是要讓別人來認定的。心目之中，有好多的好人，必定自己也會成為好人；心目之中，覺得別人都很壞，必定自己也是一個問題人物。在教團裡，能推薦好人也是重要的一種修行。

現在民主選舉，就是推薦好人。一個健全的社會、團體，要讓好人出頭，要讓好人來領導。所謂唐堯虞舜的公天下時代，就是國家是人民的國家，社會是人民的社會，離開了人民，哪裡有什麼國家、社會的存在呢？所以，要想立國者，先要有賢明的領導人；要有賢明的領導人，需要由眾人鞏固領導中心，團結一致。推薦好人，擁護好人，這個社會才能進步。

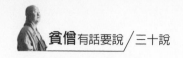

五、要肯讚歎別人

　　叢林裡面十方人士，百千人居住，南方人、北方人都各有個性，但沒有爭吵，為什麼？因為有佛教的語言。如：「請大德開示」、「弟子受用無盡」、「你真是我們的善知識」、「你一句好話點醒夢中人」、「你的一語，讓弟子撥雲見日」、「老師是諸佛菩薩的境界，是弟子們仰望學習的對象」、「你的慈心悲願無不具足」……。

　　好比在佛陀時代，大迦葉尊者對釋迦牟尼佛說：「您是我們的大師，弟子願皈投在您的座下。」舍利弗聽到阿說示尊者說偈：「諸法因緣生，諸法因緣滅」，他對道友目犍連說：「我們有明師了！」

　　《阿彌陀經》中，釋迦牟尼佛讚歎東方世界、西方世界、南方世界、北方世界等無量諸佛，十方諸佛也讚

國際佛光會舉辦「慈悲愛心人」大會師，八萬慈悲愛心人齊聚台北中正紀念堂。1997 年

歎釋迦牟尼佛，彼此讚美來、讚美去，互相說好話。就
等於佛光會推動說好話的運動，多說肯定別人、讚歎別
人的好話，這就是說明修行讚歎別人的重要。

六、要能學習忍辱

在發心學道的重要入門，忍辱，大概是最重要的了。
中國儒家有「百忍家訓」，佛教裡有「三祇修福慧，百
劫修相好」，所謂福慧、相好，重要的修持就是要「忍
辱」。佛陀在《金剛經》裡面說，過去為歌利王割截身體，
都心無瞋恨，光是這一點，就不容易做到。

在受到侮辱的時候，不怨恨、不生氣，泰然處之，
先忍之於口，後忍之於面，再忍之於心，百般的毀謗、
辱罵、譏諷，不能如飲甘露，修行，是不易成就的。

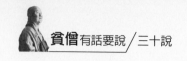

忍是智慧，忍是力量，所謂「生忍、法忍、無生法忍」，對生存、生活要有智慧知道世間人我關係，知道世間人情事理；能夠對事理的認識、接受、處理、化解、消除，一切天上的烏雲，有了智慧的風吹拂，自然煙消雲散。所以，修行生忍、法忍，就是對一切外境都能認識、接受、負責、處理、化解，當然就能證悟「無生法忍」了。

七、要能長養慈悲

在修行裡，忍辱還是消極的修行，積極的精神則要發揚慈悲。慈能予樂，悲能拔苦，要能給予眾生喜樂，去除眾生的痛苦，必須要先學習服務，如果沒有服務的精神，哪裡能與慈悲相應呢？

所謂服務，在青年守則裡說：「助人為快樂之本」，我們能可以行菩薩道，像觀世音救苦救難，這是自我的修行，也是自我的安樂。能解脫別人的苦難，還怕自己的苦難不能消除嗎？所以，人能先做一些利他的行事，自己必然得到更廣大的利益。

服務、慈悲，都要慢慢的灌溉、長養，就好像田裡的禾苗、山上的果樹，要在時間歲月裡，不斷修行，不斷成長，才能完成自己的慈悲發心。所謂「無相布施、無我度生」，那就是真正的慈悲了。

八、要有道德勇氣

修行學道，不是消極的做一個好人，以為自己與世無爭，那是不夠的。要能與人為善，甚至與人為善也還

不夠，要能在犧牲受害的時候，可以為教、為人，提出道德的勇氣，這就是所謂「為天地立心、為生民立命」。沒有道德勇氣，只是一個消極的好人，不算一個積極發心修道的菩薩。

在儒家裡為了成就仁義道德，有所謂「殺身成仁、捨生取義」，佛心和儒家的道德觀念，不但有類似，甚至更加增上。殺身成仁、捨生取義，或許還有一個為了什麼；但在佛教裡，捨身捨命，不著相，不執我，不求回報，不求讚美，一切無我無相。因為，不執著我相，才更有道德勇氣。

九、要能知道慚愧

佛陀有時候教訓弟子「不知慚愧」，這是非常嚴厲的批評。不知慚愧，就是不知道羞恥，所謂「羞惡之心，人皆有之」，沒有一點羞恥心，品德不能增上。佛說「慚恥之服，無上莊嚴」，有慚恥心，是人格美麗的穿戴。恥有所不知、恥有所不能、恥有所不會，恥有所不淨，在修行的道路上容易成功。

慚，是對不起自己；愧，是對不起他人。如果我們經常行事覺得對不起自己、對不起別人，甚至不但對聖賢、父母，我們自己知道慚愧，甚至對學生、兒女也要有慚愧心，不能給予兒女很好的教導，不能給予學生廣博的智慧。能可以有這些慚愧心，自然覺得對世間萬事萬物有所欠缺；由於知道欠缺，就會發心，有了勇氣。所以慚愧知恥，就能增上我們的品德。

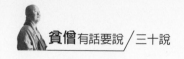

十、要能守時守信

時間就是生命，你不守時，就是不愛惜生命。你不愛惜自己的生命，也不愛惜別人的生命，就不知道時間的寶貴。人無信不立，人格的養成，要從誠信開始；妄言、造謠，對別人的辛勞、功德不知道尊重，對別人的道德、人格輕易的毀謗，不必要別人來判斷，自己想想，也應該知道罪孽深重啊！

一個人要養成守時守信的習慣，如：與人約會，或者參加會議，或者與朋友往來，一定要遵守時間。守時的人生，才是美德；誠信的人生，更是為人生披金掛銀。因為我們讓人稱讚一句：某人很誠實，某人很有信用，那就表示你是一個道德君子。做人，為什麼不做道德君子呢？

除了上述「十要」以外，還要愛護常住、要有宗門思想，要能隨眾、勤勞、謙虛，具有因果觀念等等，這些都是成功之道。

前面講的「十要」，是積極的修道，下面十種「不要」是消極的品德。積極的修行，比較不容易做到；消極的修行，應該比較容易受持。但是，無論什麼修行，你不「行」，就不是道了。所以「十不要」的道，下列說明：

一、不可好買名牌

既已辭親出家，捨俗入道，就要與世俗的人士有不同的想法。別人好財，我們施捨；別人好名，我們無爭；別人生氣，我們忍耐；別人討巧，我們愚拙。所以，對

於一個修道的人，羨慕世俗，尤其好買名牌，喜愛風潮，不能淡泊生活，不能簡單養道，是不容易成功的了。

既已學道，就不需要外物名牌來莊嚴自己，要從內心修學戒、定、慧學，來給予自己莊嚴。因為從內心美好的心念，來為自己莊嚴身相，那才是真正的名牌。

二、不可輕慢他人

在教團裡，我們上有師長，要觀德不可觀失；我們有同參道友，要互相勉勵、互相提攜；我們有後輩晚學，現在雖有缺點，將來他會成就大事。就是信徒，也是我們的衣食父母，如果我們的冤家對頭也可以成為逆增上緣，你何能對他人輕心慢意呢？

輕慢他人，就是自己驕傲；凡是成熟的稻穗，都是低頭的；凡是長成的水果，也都是垂下的。你要做一個真正的修道人，在生活裡，舉止行為一有傲慢，必然遭人輕視；只有低眉合掌、鞠躬問訊，口中常說「請、謝謝、對不起」，給人讚歎，自我謙和，修道才能進步。

三、不可嫉妒好事

說到嫉妒，就好像火一樣，嫉妒的火一燒起來，好人，會燒成變態的人；好事，也會燒成沒有價值。所以嫉妒的火，是人性裡醜惡的東西。人性裡見不得人好，見到人好，就嫉妒他，見到好事，就不歡喜，這都是自己醜陋的心態。

應該要知道，別人好，對我們有利；我的朋友升官了，

我可以沾光沾光；我的同事發財了，他買華屋大廈，我也能進去拜訪。總之，別人擁有，雖不是我的，但我可以沾光享有，我何必要嫉妒他呢？難道天下都變成窮人，自己一個人發財才算富有嗎？修行的人，見到人家擁有，要隨喜讚歎。

所以，要想自己做好人，不嫉妒好人、不嫉妒好事。對於好人，要讚揚他，對於好事，也要歌頌它，世間這麼美好，我們為什麼不歌頌好人好事呢？

我和煮雲法師相處，他的習氣毛病很多，但是他有一個偉大的地方，就是不嫉妒別人。光是這一條，在一般人學習當中，就不是人人能做到的了。

四、不可侵犯他人

佛陀制訂的戒律，無論出家的、在家的，主要的，就是不可以侵犯他人。戒，是自由的意義，你要自由，別人也要自由，好人好事都要自由。所以佛教的五戒：不殺生，是不侵犯別人生命的自由；不偷盜，是不侵犯別人財產的自由；不邪淫，是不侵犯別人身體的自由；不妄語，是不侵犯別人信譽的自由；不吸毒，是不侵犯自己智慧、健康的自由。

侵犯別人，是不好的行為，你侵犯別人，別人自然也會以同樣的方式回報你，這樣就會對立、仇恨。如果都能像佛教所說，大家持戒，不侵犯別人的自由，互相尊重、互相包容，像現在新聞有報導的自由，但也要尊

重信仰的自由；你有居住的自由，也有移民的自由。大家都要尊重自由，這才是美好的人生。

五、不可語言官僚

　　語言，一言以興邦，一言以喪邦。一句話，看起來簡單，好朋友之間，因為一句好話，結了好因好緣，後面的因緣果報都很順利；因為一句壞話，怨恨成仇，彼此難以相安。所以，說話要謹慎。現在有的人「烏鴉嘴」，都是講一些不好聽的話，讓人聽了討厭。是好人，就說好話，說壞話，必然是壞人，所以佛光會提倡「三好運動」：身要做好事，口要說好話，心要存好念。尤其說好話，又不要花錢，對你也沒有什麼損害，讓人家歡喜，何樂而不為呢？

六、不可去做非人

　　非人，這句話是很不好聽的，意思就是說你不像人。你的言行，不像人的言行，惡念、鬥爭、壞心、害人等等。在佛經裡，佛陀會不會罵人？佛陀雖然不直接罵人，但他也指出世間有「五種非人」，意思就是說不像人，也就是「應笑而不笑，應喜而不喜，應慈而不慈，聞惡而不改，聞善而不樂」，我們修道人怎能不自我警惕呢？

　　人，所謂為人，就要守禮、守信，在儒家有四維八德，在佛教有三皈、五戒、六度萬行，這些都是做一個人的原則，是人，就要像人，不可以做「非人」，讓人恥笑。

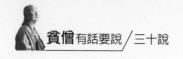

七、不可承諾非法

有的人，要我們幫助，應該可以幫助，但非法的，不能幫助；有的人，要我們給他因緣，如果是壞事的，不可以助長壞事因緣；有的人，要我們給他助力，如果是侵犯別人，對別人有害的，不可以幫助他。總之，非法，不合法律的事，當然是壞事；不合乎佛法的事，當然是惡事，我們要為世間助長善因、善緣，但不可以助長非法。

在菩薩戒裡有「饒益有情戒」，凡一切事，要與他人有利益、有幫助，成全別人，這是我們修行學道的基本要道。

八、不可打擾別人

有謂「寧動千江水，不動道人心」，打擾別人，讓他動念，尤其動不好的念頭，這也是我們的罪過。所以，和人相處，不可以隨便叫人做事，不可以隨便叫人服務，不可以隨便叫人家做牛做馬，不可隨意化緣，應該要互相尊重。

就是好事，也要獲得人家的歡喜、獲得人家善意的教導；但有的人態度惡劣，就是人家幫忙了，也心不甘情不願；有的人語言粗魯，就是有人幫助了，人家也不歡喜。所以，做一個修道者，不可以隨便打擾別人。

如持地菩薩，走路，不敢放重腳步，怕踩痛了大地；物品，不敢隨意亂丟，怕污染了大地；講話，不敢大聲，怕吵醒了大地，這是菩薩行為，我們應該效法。

佛光山傳授國際萬緣三壇大戒暨五戒菩薩戒，共有出家、在家三千餘人參加。
2011.11.25

九、不可輕易退票

　　信諾，是做人的根本，「君子一言，駟馬難追」，既已答應人家，就應該真心履行幫助。輕諾寡信的人，最後都會被人捨棄；你只要真心誠意，不隨意退票，不背棄自己的諾言，不是皆大歡喜嗎？

　　過去，有人為了父母的疾病要去買一些營養的食物，在東街就問，營養品一瓶三塊錢，但走到西街，卻只要二塊五。這個人心裡想，我在東街已經跟他說過回頭再買，我不能失信於人；雖然討便宜，但是信譽價值更高。就如人在戰亂的時候，大家沒有東西可吃，就採摘人家園田裡的水果，可是有德的君子，他就是不肯。人家笑

431

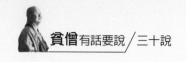

他說，這是戰亂時候，這些水果已經是無主了。這位有德的人說：「儘管戰亂無主，但我心中不能沒有主啊。」

十、不可無理情緒

一些年輕人跟我出家，我最掛念的是，年紀輕的人，不懂得世間的人情禮貌，經常鬧情緒，一句話、一件事，就把它張揚得不吃不睡，讓團體難安。所以，我在〈剃度法語〉裡，就勉勵他們：「為僧之道要正常，不鬧情緒不頹唐；勤勞作務為常住，恭敬謙和出妙香……。」

所以，一鬧了情緒，固然自己的品德給人看輕，也表示自己的修養不夠。情緒，要自我控制、自我駕馭，你自己都管理不住自己的情緒，你還能教育他人、管理他人，成為一位人天師範嗎？

上述這些新戒條，也不只適用於出家修道者可以實踐，所謂戒，就是法律，就是自由，法律之前，人人平等，人人自由；應該都適用於每一個人的。

所以，貧僧這一生自我克制、自我教育、自我要求，對於這十要、十不要，也是數十年的辛苦實踐體會，至今仍然還嫌不足，只有一點一滴再去努力成就了。

三十一說

我的自學過程

如果有人越是能經得起刻骨銘心的苦難，

能夠忍受得了，

他必然越是能夠成功。

貧僧一生沒有進過學校念書，不要說沒有小學畢業，我連幼稚園的畢業證書都沒有，但這不表示貧僧沒有讀書學習。所謂「活到老，學不了」，貧僧到了這把高齡，因為眼睛看不到，還要徒眾輪流讀書給我聽。

自我教育　體察做人做事

回憶幼年，貧僧沒有受過學校教育，也沒有完整的家庭教育，但生性有一個「自我教育」的性格。所謂「自我教育」，就是「自覺」，覺察到自己需要學習做人，需要學習做事，才能成為有用的人才。

所以，回想起幼年時期的我，應該是一個禮貌的孩子，跟隨外婆，經常在各個佛堂走動。好像在周遭的人事，也從來沒有人責罵過我或嫌棄過我，他們都喜歡我這個小孩。大概貧僧的幼年也有討人喜歡的條件吧！

記得我幼小的時候，聽外婆在佛堂裡唱的詩歌：「善似青松惡似花，看看眼前不如它；有朝一日遭霜打，只見青松不見花。」又例如〈因果偈〉說：「善有善報，惡有惡報，不是不報，時辰未到。」時隔八十多年，至今，當時唱詩歌的那許多情況，如同還在我的目前。

我雖是一個男孩子，但我喜歡做家務，掃地、洗碗、燒火，甚至於偶爾做一點簡單的飯菜，非常勤勞地從事家庭工作。因為家貧，不得不幫助父母解貧救難。還在幼童時期，我就喜歡揀拾人家丟棄的廢物，像杏仁的子、李子的核，人家吃了就不要了，我把它聚集起來，賣給中藥店，也能換幾個零錢。

拾糞換錢　人生就是學習

我也經常早晨揀狗屎、晚間拾牛糞，狗屎可以做肥料、牛糞可以當柴燒，還記得換來那幾個小錢給母親的時候，她非常的歡喜，我也很高興。尤其在十歲那一年，七七蘆溝橋事件發生，家鄉給戰火燒得面目全非，房屋也都燒光了，到處都是瓦礫。我和另外一些同伴，就從那些瓦礫中，挖掘一些鐵釘、銅片，也可以賣幾個錢。現在回想起來，也算是一種資源回收吧！

那個時候，倒也不是完全爲了賺錢，我想，人生就是一種學習，自己不能像一般的兒童可以到學校裡念書，但我可以學習做人、學習做事，也不算荒廢童年的時光。

我在初出家時，雖然年齡只有十二歲，但也不是全然無知，可以說，也能認識幾百個漢字。那都是從不認識字的母親，在我講話錯誤、說話不當的時候，告訴我正確的語言應該怎麼說而認識的。我也曾經上過幾天的私塾，應該幫助我認得幾個字。

出家的時候，師父跟母親承諾可以給我念書，實際上，當時身處硝煙瀰漫的戰區，僧團也一樣三餐難繼，平時也沒有人提讀書這件事。偶爾有一位老師要來上課，敲鐘集眾時，大家反而奇怪的相互問道：「爲什麼要打鐘？有誰來教課呢？」

精忠岳傳　成為啓蒙書籍

其實，教我們的老師也沒有學過教育，可能也沒有讀過什麼書，只是因爲年齡比我們大，參學時間比我們

久，我們都尊之為老師。有時候為我們上課，寫黑板的板書，連位置都不適當，教書時解釋詞彙，也感覺到不很高明。儘管如此，我就從不高明的教學中，學習到自己以後應該要怎麼樣寫黑板字、怎麼樣解釋課文的詞句。所以我覺得，有好的師資，固然是我們學子的福氣；沒有好的老師，只要他正派、擁有知識，從不高明、不究竟裡，也能學到一些道理吧！

現在回憶起來，貧僧在棲霞山寺七、八年的歲月，課程確實有些講不好，有的太深奧。例如，老師跟我們講「如來藏」、「十八空」、「八識」、「二無我」，我完全聽不懂意義，或者講《因明論》、《俱舍論》，我聽了真是如聾若啞。記得有一次，老師教我們寫作文，題目是〈以菩提無法直顯般若論〉，很慚愧，就是現在叫我來講說，都非常困難，更不要說那個青少年的我不懂得這個意義了，只得去別的書上抄錄一些來應付交卷。

老師批示下來：「兩隻黃鸝鳴翠柳，一行白鷺上青天。」我還甚為得意老師批了詩句給我。後來學長跟我說：「兩隻黃鸝在叫，你聽得懂牠在叫什麼嗎？一行白鷺鷥在空中飛翔，你了解是什麼意思嗎？」我說：「我不懂。」他說：「所以老師講你寫的是『不知所云』。」我慚愧不已，不敢再隨便亂說。

在棲霞山參學期中，不准外出，不准看報，佛學經文以外的書籍，當然更不可以碰觸了。但有一次在路邊，見到一本不知道誰丟棄的《精忠岳傳》小書，彩色的封面，畫著岳飛跪在地上，他的母親在他的背上刺了四個

字「精忠報國」。這四字，好像觸動了我的心弦，我覺得做人應當如是。後來，我把「精忠報國」的理念用於生活，忠於工作、忠於承諾、忠於責任、忠於信仰。現在回想起來，《精忠岳傳》就是當初第一本對我啓蒙的書籍了。

忍耐苦難　增上緣易成功

老師教的佛法，我雖然不懂，但是在圖書館裡，有一本黃智海著作的《阿彌陀經白話解釋》，讓我看得真是忘我入迷，覺得佛教真好，原來有一個淨土極樂世界，那裡面有自然界的美景、社會人事的和諧，所謂「七寶行樹」、「八功德水」，那麼美好莊嚴、那麼和樂安詳，實在是人生的天堂啊！對於修行學道，就感到更增加信心了。

貧僧非常僥倖地，在十五歲的時候就登壇受比丘三壇大戒。戒期中，除了睡眠不夠、飯食不飽，老師的打罵以外，並沒有什麼特殊的感受。假如說有的話，就是覺得在受戒期中，什麼苦難、什麼委屈，一切都是當然的，因爲自己正在受教。想來，貧僧能熬過青少年時期遭受的專制、委屈，主要的就是靠著自己把打罵、責難都視爲是「當然的」。

在受戒之後，除了偶爾課堂裡的學習，我就更加投身於苦行的行列。挑水、擔柴，光是行堂，每日三餐爲人添飯、洗碗，就做了六、七年。在大陸，嚴寒的冬季，每餐在冰冷的水裡洗幾百個碗盤，手掌都凍裂破綻，還

可以看到鮮紅的肉塊。要再下水洗碗，實在痛徹心肝，但除了忍耐以外，又有什麼別的辦法呢？所以，回憶起人生，忍耐苦難，實在是青年學子學習的增上緣。如果有人越是能經得起刻骨銘心的苦難，能夠忍受得了，他必然越是能夠成功。貧僧覺得，發心苦行也能開悟。

禮拜觀音　明白般若智慧

貧僧在棲霞山受教的期中，自覺有三次最為受用：

第一次，抗戰初期，棲霞山的鄉村師範學校撤離到大後方（重慶）去了，所有散落的書，像《活頁文選》，在路上遍地皆是。後來，我們把它揀回來，成立一個小型的圖書館「活頁文選室」。佛書我看不懂，就看小說，從中國的民間故事《封神榜》、《七俠五義》、《梁山伯與祝英台七世因緣》，一直看到《三國演義》、《水滸傳》，甚至於《格林童話集》、《安徒生童話集》、法國大仲馬的《基度山恩仇記》、小仲馬的《茶花女》，乃至英國《莎士比亞全集》、蘇聯托爾斯泰的《戰爭與和平》、印度泰戈爾的詩集等許多大文豪偉大的作品。雖然還是一知半解，但從中也是獲益無窮。

第二次，除了眼睛看書學習以外，耳朵也很幫忙。那許多年長的前輩，他們雖不是很有學問，但講起佛教來，歷歷如在眼前，往事、歷史，聽得我如醉如痴、心儀不已。例如：圓瑛大師和太虛大師結拜兄弟，仁山法師的大鬧金山，「洞庭波送一僧來」的八指頭陀，清涼寺靜波老和尚的種種軼事，印光大師的《文鈔》，弘一

律師的才子佳人等等。

第三次,最重要的,應該是禮拜觀世音菩薩的體證。承蒙佛菩薩的加被,讓貧僧從少年的星雲,而可以一躍為青年的星雲;從無知的佛子,到對佛法深刻體會的修持;從愚痴懵懂,而慢慢知道一些般若智慧的訊息,這大概是受益最大,我應該感謝諸佛菩薩的慈悲恩德了。

十八歲那一年,也是抗日戰爭的末期,我到了焦山佛學院,貧僧應該懂得自學了。每個月我發行一本刊物,內容都是自己手寫的,並且把它命名為「我的園地」,讀者只有我一個人。內容包括卷首語、社論、佛學講座,也有散文、小說、詩歌,甚至編後記。因為都是自我抄寫、自我練習,文字的力量深深的刻印在心版上,這對我後來寫作,對多方文體看起來都能應付,應該關係很大。

尤其這個時候,胡適之的《胡適文存》,梁啟超的《佛學十八篇》,王季同的《佛學與科學的比較》,尤智表的《佛教科學觀》、《一個科學者研究佛經的報告》,以及《海潮音》、《中流》月刊,對我也幫助很大,我

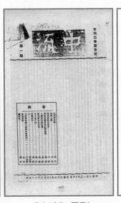
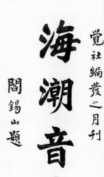

太虛大師　　　　圓瑛大師　　　　《中流》月刊　　　《海潮音》月刊

每讀到好道理，都把它記在筆記本上。甚至魯迅、巴金、老舍、茅盾、沈從文等當代文學大家的作品，也讓我非常嚮往，乃至陳衡哲的《小雨點》、冰心的《寄小讀者》等，我都受了一些影響。

投稿文詩　給予自己鼓勵

在焦山授課的老師就不像過去簡單了。我記得有當初太虛大師門下第一佛學泰斗芝峰法師，有北京大學教授薛劍園老師，有善於講說《俱舍論》的專家圓湛法師，還有一些老莊哲學、四書五經，甚至於代數、幾何等課程。我在那一、兩年中，如飢如渴的飽嚐法味。一有空檔，還有一些小文、小詩投稿在鎮江的各個報刊，給予自己的鼓勵很大。

我在焦山，除了寫過〈一封無法投遞的信〉給我生

佛光山傳法法卷（上）與佛光山三壇大戒戒子及戒師（下）

死未卜、不知何在的父親，以及〈平等下的犧牲者〉，還寫了一篇〈鈔票旅行記〉，雖然自己沒有用過錢，但是貧僧有一個頭腦、有一點新思，真好像自己開悟了一樣，學什麼都感到得心應手。

在焦山期間，還有半年就能畢業，因為對院方的改制不滿，我放棄了畢業典禮，寫信獲得家師的同意，在民國三十六年（一九四七）冬天，帶我回到祖庭大覺寺禮祖，並且在鄉下一個學校裡做一名小學校長，讓我學以致用，給我一個「做中學」的試驗場所。

甚至，後來到南京擔任短期的住持，對於過去青少年期間學習的叢林規矩，加以運用，讓自己不至於荒廢時光。就好像海陸空三軍一樣，我參學過佛門的律下寶華山學戒堂，宗下金山江天寺、常州天寧寺的禪堂，教下焦山定慧寺的佛學院等，雖沒有深入，也都能沾到一

些理事圓融。影響所及，現在貧僧也自己能做戒師了，在佛光山多次傳戒，對於有些規矩也能做一些改進，這不能不歸因於當時參學各宗各派時扎下的基礎。

革新佛教 弘法利生助緣

在南京只有短短一年多時間，我和道友們在華藏寺提倡「佛教新生活運動」，以白塔山辦《怒濤》雜誌的經驗，就推動起革新舊有的佛教，向新佛教邁進一步了。這也算開拓了我的思想，成為我走上弘法利生的最大助緣。

來到台灣以後，雖然貧僧不是什麼很高明的人，但樂於與人同享知識。在中壢圓光寺掛單的時候，就有不少的人，三、五人一組，由我跟他們講授國文、淺顯的佛經。尤其民國三十八年（一九四九）的時代，在新竹青草湖台灣佛教講習會（佛學院）擔任教務主任，一面教學相長，一面服務行政，一面率領學生修持。邊學邊教，一個學期忙下來，應該消瘦不只七、八公斤，可見貧僧對教學的熱忱和用心了。

後來到了宜蘭，貧僧不會音樂，但我為大家做了許多歌詞，如：〈弘法者之歌〉、〈快皈投佛陀座下〉、〈西方〉、〈鐘聲〉、〈佛化婚禮祝歌〉等。我不懂文藝，只是稍懂一點文學，卻在宜蘭開起文藝班授課。也是有限的佛法，竟在那裡講經開座，弘法利生。

漸漸的，經常有各界人士來拜訪，見到我，教書的老師，談一些教育的經驗；商界人士跟我談經營買賣的過程；軍人來了，講一些軍中戰爭的情況；政治家也會

說一些政治的人我是非⋯⋯。這是因為那個時候，正是大陸一些學者、專家、名流集中到台灣來，他們也不容易找到對象談話，知道在宜蘭雷音寺小廟裡，有一個能與人對談的和尚，所以就來找我談論了。

釘模鋪泥　開山身體力行

我得到他們的教導，就和一名學生一樣，每天有很多的老師好像送上門來似的，教我學習百科全書。我就這樣跟著大眾學習，把社會當為學校，不要說「三人行必有我師焉」，可以說，任何人都可以做我的老師了。

這些學習，讓貧僧感到，眼睛像照相機，耳朵像收音機，鼻子好像偵察機，舌頭好像擴聲機，身和心的聯合作用，就可以隨機應變，人身也就好像是一部機器，在思想上可以自由運轉了。

從這些點點滴滴，貧僧感到學習的不只是學問，而且是要具體的實踐。好比貧僧最拿手的是煮飯菜，而參與最多的卻是建築，要建房子得先從搬磚、搬瓦、挑砂石、拌水泥等著手，必須實際去工作，而不是只在旁邊口說動嘴。

民國五十六年（一九六七）的時候，因為一位初中畢業的木工，為我在高雄建設普門幼稚園的因緣，我就帶他一起到佛光山來開山。這位木工就是蕭頂順先生，雖然只有初中畢業，但非常聰明伶俐。他和我都沒有學過建築，也不會畫圖，我們就在地上用樹枝比畫，討論要多高多長。就這樣，從開山初期到現在，幾十年佛光

山的建設都是他們原班人馬，沒有換過。他自己家裡祖孫三代，後來也都在這裡一起參與建設。

我也因此跟著他們一起工作，從釘板模、綁鋼筋，甚至最早叢林學院的道路、龍亭、大雄寶殿丹墀，到後來靈山勝境廣場等，鋪設水泥的時候，還都是貧僧和佛學院的學生們用鐵尺一格一格劃出來的。

自覺覺他 成就理事圓融

至於典座做飯菜，那就等於一名小廚，一定要先從洗碗、洗盤，洗菜、切菜開始，然後才能動鍋動鏟，慢慢成為給人接受的廚師了。

貧僧雖然沒有受過什麼教育，但是喜歡教育，也倡導

佛光山開山之初，大師帶領弟子們披荊斬棘，啟建山林。

教育。就在不久前（二〇一五年一月），全台灣一百七十
多位大學校長到佛陀紀念館來開會，教育部指示貧僧和
全部的校長講話；接著我們的南華大學林聰明校長、佛
光大學楊朝祥校長，也要貧僧跟他們全校師生、幹部講
話。我以自己的經歷，講述自學、自覺的學習過程。

　　自學是孔子的教學，所謂「學而時習之，不亦說
乎？」自覺是佛陀的教法，所謂「自覺、覺他、覺行圓
滿」。也是這些自學、自覺的經驗，成就了現在貧僧的
行事、貧僧的思想、貧僧的觀念、貧僧的做人處事、貧
僧的舉一反三、貧僧的理事圓融、貧僧的僧信平等，甚
至對於佛法妙理的體會，讓貧僧的一生都感到非常受用。

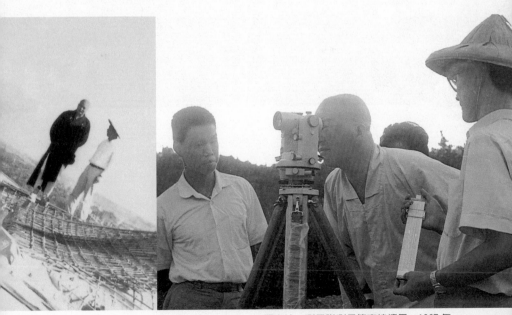

開山時，測量隊測量等高線情景。1967 年

佛光山靈山勝境廣場

三十二說

僧侶修持的回憶

佛光菩提種，遍灑五大洲，
開花結果時，光照寰宇周。

佛光山第九任住持晉山陞座法會暨臨濟宗第四十九代傳法大典。2013.3.12

在貧僧的生命中，一般人都以為我只會寫文章，只會辦活動，只會建寺廟，只會講經說法，只會寫一筆字，只會接待高官顯赫人士，只會出國旅行；但這些辦活動、建寺、講經說法，不算修行嗎？就是沒有修行，殊不知貧僧在佛門裡也有修持的過程。

零碎修行 一生受用無窮

要說修行，這本來是個人自我的密行，也不值得對人公開；只是當今的社會，悠悠之口，對別人不了解，就妄自批評，不得已，徒弟建議貧僧把自我的密行修行，在此一說，也就藉此因緣向大眾略作報告了。

貧僧回憶七十七年的出家生活，對於怎麼樣修行的，整體說來，並沒有數十年如一日，都是一些零碎的修行點滴。儘管如此，貧僧的一生已經感到受用無窮無盡了。

論說修行，我從三、四歲的時候，就跟著外婆在佛

堂行走，跟著大人們念佛、繞佛、上供、禮拜；不過，那個時候只把修行當作遊戲而已，小孩子在佛堂裡奔跑跳躍、胡亂說話，當然談不上修行。真正要講修行，就從十五歲開始說起吧！

十五歲那一年，我奉師父之命求受三壇大戒。記得我還和師父說，受比丘三壇大戒要年滿二十歲，我才十五歲，有資格受戒嗎？他聽了之後說：「你總可以去受沙彌戒吧！」後來，承蒙開堂卓塵老和尚、陪堂明度法師，以及得戒老和尚若舜長老、羯磨教授和尚仁山法師等，都同意我受三壇大戒。在這許多長老的見證下，我十五歲就完成了身為出家人必須具足的比丘三壇大戒了。

回憶五十三天受戒期中，每天不准說話，不准開眼，所謂「眼觀鼻，鼻觀心」。聽講開示，必須跪在地上，經常一跪就是三、五個小時。我記得跪在砂石地上，石子透過衣服，都嵌到肉裡面；等到解散以後，把嵌在肉裡的石子拿出來時，鮮血就隨著褲管流出。那五十三天，感覺好像是五十三年一樣，這是我青少年時期修持最值得回憶的一頁。

當時，每天早晨三點起床上早課，睡眠實在不夠。在佛殿裡拜願，隨著梵唄的節拍，都有個幾十秒鐘的時間匍匐禮拜，我經常在拜下去伏在地上的那幾十秒中就睡著了，糾察老師還用腳來踢踢我的頭，叫我起來。

有時候，這個老師問我：「你有殺生過嗎？」還是小孩子，又正在受戒，哪裡敢說自己有殺生，當然說：「沒有殺生。」老師的藤條隨手立刻滿頭、滿身抽打，喝斥

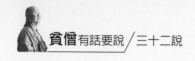

說：「你螞蟻沒有踏死過一隻？蚊蟲沒有打死過一個嗎？你說謊啊！」老師這樣一說，我說沒有殺生，確實也是說謊，覺得老師打得也對。

另外一位老師又問：「你有殺生過嗎？」我這時不敢說謊，只有說真話承認：「有殺過。」他又用楊柳枝一面打、一面罵著：「你真罪過哦，你真罪過哦！」確實也不錯，我真是罪過。總之一句，在受戒期中，這樣說也被打，那樣回答也是被打。所以後來老師經常有一些問話，我也就無奈的說：「老師，你要打，就打吧！」

這就是我青少年的時候所受的僧門教育。是接受呢？還是幽默的抗議呢？現在也記不得了。

受戒結束，必須在頭頂上點燃香疤，表示身心供養佛教，一般人都點十二個香疤，家師可能怕我年幼，出家的定性不夠，就交代為我燃香疤的老師，把香疤點大一點，讓出家人的記號明顯，就不容易離開佛門了。通常十二個香灰點燃以後，慢慢燒到頭上就會自然熄滅，但是為我燒戒疤的老師，等到香灰接觸到我頭頂的時候，他像吹鍋槍吹火一樣，用力一吹，這麼一來，火勢膨脹，十二個香疤連結成一個，我的頭蓋骨燒得都凹下去了。從此沒有記憶力，甚至剃頭都不方便，因為頭頂上有個窟窿。這算是苦難呢？還是修行呢？現在回想起來也很難說。

半夜拜佛　忽然心開意解

不過，貧僧因此變得笨拙，完全失去了記憶力。不

會背誦經文，對於課堂所學的內容，讀了就忘，可以說天天都被老師罰跪、打罵。有一次，又因為不會背書而被打，老師一邊抽打我的手心，一面說：「你真笨喔，你要拜觀世音菩薩求聰明智慧啊！」在童年的心裡，一聽到老師這樣的話，彷彿有了一線希望，毫無疑慮的，覺得應該要求觀世音菩薩，要拜觀世音菩薩。

但是在叢林裡面，哪裡准許個人到佛殿裡去拜佛呢？所以只有在半夜偷偷的起來拜佛。我靜悄悄的，找到一個小禮堂禮拜觀世音菩薩，念著：「悉發菩提心，蓮花遍地生，弟子心朦朧，禮拜觀世音，求聰明，拜智慧，南無大慈大悲觀世音菩薩。」

有人說，如此禮拜，可以蒙觀音菩薩摩頂授記，或者甘露灌頂，貧僧不敢亂說自己都沒有過這樣的靈異奇遇；但半年後，我忽然心開意解，艱澀的經文，如古典文學的《古文觀止》，幾乎是念完一兩次之後就能背誦。有人說，貧僧開悟了。貧僧不敢這麼承擔，悟道要佛陀來印證。不過後來，在一些成長的歲月中，真的福至心靈，很多困難的問題，輕易的獲得了解。這應該算是貧僧第一次覺得佛教的修持功德，實在像高山巍巍乎！像大海浩浩乎！真是佛恩浩蕩！從此謹記心中，信心不斷增上。

南北弘法　電燈桿當念珠

自此以後，貧僧無論在學院學習中，甚至到台灣來，初期的掛單期間，也砥礪自己修持苦行，擔任行堂、典

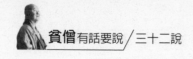

座、挑柴、擔水多年，又再過午不食、刺血寫經等，以及後來也到美國閉關半年，練習這許多傳統的修行。這本來不算什麼，只是在此略說一二，說明在佛門的修持歷程，貧僧都有過體驗。只是，這許多修行內容，由於自我的分別，也有另外一些不同的看法。

　　說到佛教傳統的修持，記得貧僧讀書的時候，在棲霞山七年多，禁足院內，不准外出山門；每年在焦山有兩次打禪七，也曾經發願到蘇州靈岩山念佛，光是在佛門的早晚課，零星的到各處打佛七，甚至，包括連續二十六年，我在宜蘭念佛會都做主七和尚。像這樣一次、

大師主持宜蘭念佛會「彌陀佛七法會」。1956 年

一次的七天，也不只一百次的七天以上了。

　　過去，坐火車南北弘法時，就以路邊的電燈桿當為念珠，每見一根電燈桿，就念一句佛號。見到路上一個行人，就念一句佛號。沒有人，有電燈桿，我就以一根電燈桿念一聲佛號；沒有電燈桿，有土地，我就以一塊田地念一句佛號。貧僧的心願是，要把全世界和我的佛號融和，能夠普遍虛空、遍滿法界。現在佛光山有禪堂，每天鐘板不斷；有淨業林（念佛堂）六時佛聲不斷，當然我無法每天與大眾共修，但過去傳統的修持，在我的生命中，也占據了大部分的時間。

何處修行　服務發心苦行

　　三十歲以後，貧僧的思想有所改變，我覺得修行不是在形式上，也不是在口邊，更不是裝模作樣的，真才實學非常重要。所謂真才實學，除了不斷提倡簡約，自己也實踐簡樸的生活，一飯一菜的簡食，睡覺時只有一張沙發、一張座椅，就是睡在地上，貧僧也都能心安理得、隨緣自在。

　　所謂「修行」，貧僧認為，人間佛教應該重視生活中的行住坐臥、衣食住行，甚至任何作務、勞動也要當成修行。像禪門祖師大德，大都是從作務中砥礪自己，成就修行。好比多年前，我在講演集裡曾經舉過的例子：雪峰禪師在洞山座下任飯頭，靈祐禪師在百丈座下任典座，慶諸禪師在溈山座下任米頭，道匡禪師在招慶座下任桶頭，灌溪禪師在末山座下任園頭，紹遠禪師在石門

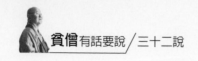

座下任田頭，曉聰禪師在雲居座下任燈頭，稽山禪師在投子座下任柴頭，義懷禪師在翠峰座下任水頭，佛心禪師在海印座下任淨頭，懶融禪師典座，印光大師行堂等等。他們都是開悟的高僧大德，不從這許多作務去體證，怎麼能悟道呢？所以服務就是修行、發心就是修行、苦行就是修行。

在人間佛教裡，貧僧也體會到，居家的修行、工作上的修行、人我關係的修行，以及在五欲六塵裡如何克制自己、超越自己，是昇華自己的修行。好比搭飛機到世界弘法，別人視長途旅行為畏途，覺得飛得很辛苦，但我在飛機上，一樣忙碌，忙著看書、忙著寫文章。不去想時間，只想工作，再遠的路程，也很快就到達目的地了。

因此，我把「修行」改作「修心」，因為修心是要從內心變化氣質、淨化心靈，淨化自己的思想、身心，長養自己的道德觀念、做人正派。就像「八正道」裡的正見、正思惟，所謂「佛法無量義，應以正為本」，等於儒家所說：「寧可正而不足，不可斜（邪）而有餘」，這是重要的行事原則，才能算是真的修行。

人間佛教　佛陀所說皆是

貧僧一生提倡人間佛教，實在說，人間佛教並不是哪一代祖師發明的，人間佛教的發明者是釋迦牟尼佛。因為他沒有對天人說法，也沒有對地獄、畜生說法，他是人間的佛陀，完全對人間弘道傳教，這不就是人間佛教嗎？

世界上的生命都非常可貴，但人類之所以為萬物之靈，是因為在一切眾生中，只有人頭頂著青天，腳踩著大地，頂天立地，不像豬馬牛羊背朝天。此外，只有人有信仰。信仰中，不要相信權威，不要相信傳說，佛說「自依止，法依止，莫異依止」，這是多麼偉大崇高究竟的宣言。

所謂人間佛教，對個人要講究誠信，講究正派，講究慈悲，講究結緣，最重要的，要能給人接受。給人接受的人，雖然不能到達聖賢的地步，至少也不會愧對一個堂堂正正的人生。

個人之外，對家庭要父慈子孝、兄友弟恭，這是傳家至寶。做人處事方面，儒家的四維八德、佛教的五戒十善，都是人間的佛教；甚至於發菩提心、四無量心、四弘誓願、六度萬行、戒定慧三學……，這些都是人間佛教。

實踐三好　人生善美圓滿

十幾年前，貧僧倡導「三好運動」，等於佛教講的身、口、意三業，即：身體要做好事，口裡要說好話，心中要存好念，也是現代人經常說的真、善、美的意思。口說好話，好話就是真話；身做好事，好事就是善事；心存好念，好念就是美學，就是美心。身口意的三好，不就是真善美了嗎？在國際佛光會裡，除了提倡四句偈、八句宣言，尤其重視五和的人間佛教。所謂「五和」，第一、自心和悅，第二、家庭和順，第三、人我和敬，

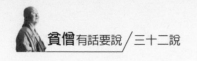

第四、社會和諧，第五、世界和平。

　　在佛陀紀念館，貧僧也用一教、二眾、三好、四給、五和、六度、七誡、八道，作為八塔的命名。真能做到八塔的內容，也就是人生圓滿的境界。人生的圓滿，不就能和佛陀相應了嗎？正如六祖惠能大師所言：「佛法在世間，不離世間覺；離世求菩提，猶如覓兔角。」平常生活，都是我們修正、淨化、昇華自己的修行因緣。

　　佛陀紀念館的興建，主要的就是要宣揚文化、提倡教育，弘揚人間佛教。現在社會上的名人、學者、教授也都在探討人間佛教。尤其，中國大陸特別接受過去太虛大師和趙樸初居士等人提倡的人間佛教，他們熱心推動，我也給予隨緣贊助響應。

　　曾經有一位信徒這麼說：「師父！如果你們都去閉關，或入山修行，誰來接引我們，教化我們？」誠然，修行是非常重要的！但修行絕非以遁世避俗來作為逃脫現實的藉口，也不能以此自我標榜，徒博虛名；更不可巧立名目，譁眾取寵。修行並非空洞虛無的口號，而應該是腳踏實地的自我健全，犧牲奉獻。人間佛教的光芒，今後普照大地，成為僧信的修行準則，不亦宜乎。

三十三說

我的發心立願

人生要發心立願，並且實際去做，

不會減少什麼，

只會增加人間的光和熱。

我們讀清朝省庵大師的〈勸發菩提心文〉，開宗明義就說：「嘗聞入道要門，發心為首；修行急務，立願為先。」發心立願，就成為我們學佛一生的修行要道了。

發心，簡單的說，就是開發心地。心，廣大無邊，你如何開發它呢？你開發多大，它就有多大的收成。心，好比一塊田地，你開發多少，它就讓你種植、生產多少，一粒種子播到心田裡，就不知道會有多少收成了。其實發心的意思，用現在經營的理念來講，就是投資賺取結果。

人間修行 三心名殊等重

發心，有發增上心、發出離心、發菩提心；所謂發增上心，就是你要修行入道，要發心布施、發心持戒、發心慈悲、發心服務……。所謂發心，必須要身體力行，好比發心苦行，發心修持禮拜，發心救苦救難等等。佛陀在往昔生中，發心為眾生犧牲奉獻；地藏菩薩發心「我不入地獄，誰入地獄？」中國有名的溈山靈祐禪師，發心要在溈山下做一頭老牯牛，為人服務。

自古以來，多少人發心捨宅為寺、發心印行經典、發心修橋鋪路、發心興辦義學，但所謂「人天路上，作福為先」，這些都還是屬於發心求福，獲得好報的法門。這就叫發增上心。

出世的發心，就是發出離心，遠離名利、遠離愛染、遠離權勢、遠離欲樂；希望在空無之中，修行辦道。要想超脫六道輪迴，你必須「難捨能捨，難忍能忍」，你要能放棄世間，你才擁有世間；你要放棄親情，你才更

有道情。發出離心，但如果不能放下，當然就不能提起。

至於發菩提心，它就是調和世間和出世間，只要令世間增上，令社會美好，令人民幸福，自己不退轉、不灰心喪志，所謂「以出世的思想，做入世的事業」，這就是菩提心了。在人間佛教的修行上，只要發心，不論是發增上心、出離心、菩提心，雖有次第，但都是同等重要。

開發心地　實踐下化眾生

至於貧僧的發心，沒有出家之前，只知道我有家庭、我有父母，我需要發揮自我內心的力量，為我的家庭造福：掃地、洗碗、種菜、澆花，甚至撿拾破爛等，我發心要改善貧苦家庭的經濟。

及至出家以後，我發心苦行，煮飯、擔水、行堂、勞動，或是禮拜、誦經、參禪、念佛等，都不求待遇或好處。但那時候還年幼，並不太懂得真正發心的意義，只想，做人要成功，必須先要學習所謂的：「天將降大任於斯人也，必先苦其心志，勞其筋骨，餓其體膚，空乏其身，行拂亂其所為，所以動心忍性，增益其所不能。」更何況，諸佛菩薩中，哪一位不是發心立願才成就佛道的呢？

回憶起來，貧僧在學習發心立願的過程，應該先從宜蘭弘道開始說起。我發心要跟人結緣，看到有人進入佛殿，我就跟他微笑合掌、禮貌讚歎；我發心要接引青年，我就熱心招呼他們，為他們講授文學，鼓勵他們唱頌佛歌；為了發心度化兒童，我在辦幼兒園之外，也成立兒

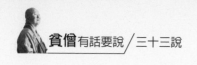

童班、兒童星期學校，啓發兒童立志的因緣，讓他們以學習爲樂。

當然，後來宜蘭念佛會的發展，信徒愈來愈多了。主要的原因是，要肯得給他歡喜，給他招呼，給他熱情接待。不過，這個時候的發心，自覺自己雖有能量、有作爲，我能施捨，我能服務，但也才感覺到自己並不是眞發心。因爲，察覺到自己一點謙卑的心性都沒有，眞正對人的敬意也不夠。我想，這還不算是眞正的發菩提心，也才知道，發菩提心是「上求佛道，下化眾生」；「上求佛道」，有過去修行的歷程，現在要「下化眾生」，才是一個重要的實踐功課。

四給精神 滿足大眾所願

到了佛光山開山以後，又發現到，所謂發菩提心，要發覺人家比我好，我應該要很謙卑；要發覺人家比我有爲，我應該恭敬服務。我感到別人有所需要，我只是爲他作一個墊腳石；我感到別人像是一棵大樹，我只是一點水土的供養。這時候發現，別人都比我更高、比我更大，我自己做事應該抱持「愈苦愈樂、愈難愈好」的心態。

從此，每見到一個信徒，我就先想到他的需要：他會飢渴嗎？我怎樣給他喝茶、吃飯？他想休息嗎？我如何爲他找尋一片樹蔭、一張椅凳，給他乘涼小坐？他要在這裡住宿嗎？我怎麼樣爲他建築房舍寢室？他要閱讀佛書嗎？我要怎樣贈送給他，讓他獲得受益的佛經書籍，

四給（星雲大師　書）

讓他增長般若智慧呢？

　　我也慢慢發現到，我要實踐真正的「給他」，不可以貪求要他給我，所以我就立下佛光人工作信條：「給人信心，給人歡喜，給人希望，給人方便。」同時，我自己也感受到，自己待人的誠心仍然不夠，真心仍然還有不足。所以，我栽花種樹，讓他欣賞獲得蔭涼；我建築會舘客堂，讓他喝茶安住；我供奉諸佛菩薩聖像，讓他恭敬禮拜。我不覺得他受我多少的方便接待，只覺得自己還有諸多不周、不到，沒有滿其所願。

　　我恐怕雨水淋濕，讓人行路不便，就在山門口放置雨傘；我想到人進入殿堂，諸佛菩薩也沒有跟他講話，必須要有殿主、香燈師父，給他歡迎、釋疑；看到道路狹窄，行走不便，我想到應該給予拓寬；看到父母帶著嬰幼童前來，我設立哺乳室、提供嬰兒車給予他們方便。我也想到老人行動不便，我為他們準備輪椅代步，乃至

461

身障人士行動不便，我設想如何讓他們擁有無障礙空間的便利。

甚至，想到佛光山的弟子，身體上總有一些大小毛病，於是我設立醫務室；想到眼睛看書的重要，我在教室裡，增加電燈的亮度。雖然我個人提倡簡食，總想他們過堂吃飯時，能飽餐一頓，獲得禪悅法喜嗎？

我不認為一個信徒前來禮拜，他就是我的弟子、我的徒眾，我都把他們當成諸佛菩薩迎接。一直到現在，我雖然二次中風、手腳不便，但是有人歡喜與我照相，我總是盡量的站起來，讓他知道我對他的尊重。

祈願祝禱　人人富樂平安

我的發心立願，就這樣慢慢的隨著歲月增長。為了山區民眾看病的艱難辛苦，我卯足全力送醫療到偏遠地區；為了偏鄉兒童的讀書，我為他們建圖書館，增加雲水書車。掛念義工來寺院發心交通不便，我鼓勵山上的徒眾，要關心義工的交通往來，現在山上的大巴士、中巴士，就是這樣子設立起來了。對來山的信徒，怕他們走路辛苦勞累，我準備許多電動車，希望為老弱行動不便的朋友服務，給予他們一些方便。

我聽到吃飯的板聲，就想：今天的飯菜，不知道大眾吃得歡喜不歡喜？滿意不滿意？我聽到鐘聲、鼓聲，就想：大眾聽得到嗎？他們能獲得啟發嗎？甚至後來，當我看到天上的烏雲，就想：民眾知道快要下雨了嗎？一到了夏秋季節，我掛念颱風會不會給民眾帶來災害呢？

我祈願天上的太陽不要太過炎熱，我也希望夜裡的月光不要那麼微弱，滿天閃耀的星斗，新鮮流動的空氣，不只是台灣，甚至全世界地球的人類都需要啊！

我也掛念退失道心、離開佛光山的青年，他們的生存有困難嗎？我也關心海內外所有的信徒，他們的衣食都能豐足嗎？所以，我要佛光山的弟子，人人都要培福修德，才能安住身心；人人都要知道照顧信徒、關心信徒，儲財於信徒，讓他們適時適能布施就好。一般的世俗人，對於青年男女都說「但願天下有情人終成眷屬」，但我們學佛的人，應不斷的祈願，使人人都能富樂平安。

所以，現在佛光人見面、招呼，彼此稱念「吉祥」，就是在這樣的提議下，時間久了，達成共識，也就彼此尊敬，互道「吉祥」了。過去，這句話都是在皇宮王朝中呼喊：「皇上吉祥」、「太后吉祥」，現在，我希望把「吉祥」推動到普天之下，唯願所有眾生都能吉祥。

發心立願，是要自我學習、自我精進的。為了讓人人都能有職業，都能有順利的人生，我都鼓勵大家要「給人接受」。我也希望所有的人自立自強，對別人不可以過分要求，自己要做自己的貴人。在世間上，不要有太多的貪欲，「享有」比「擁有」更輕鬆自在。

我普願天下的人，你要有佛眼，看天下都是佛國淨土；你要有佛耳，你就會感覺到天下美妙的聲音，都是諸佛菩薩向我們說法；你要有佛口，自然你的說話，就能給人歡喜；你要有佛手，自然能為人間做許多的好事、善事。最重要的，當然要具有佛心，普願世界和平安樂，

不但世間美麗，自己的人生也就美化了。

　　所謂發心立願，也不是口頭說說，而是要自己去做。六十年前，貧僧在桃園中壢圓光寺掛單的時候，每天要打二百到三百桶的井水，供給寺裡八十多人使用、盥洗。我也經常拉著「犁阿卡」（人力手拉車），走到四十華里以外的市區，購買寺中需要的食物、日常用品；這不是我的工作，也沒有人命令我這麼做，也不是說我應該做。我只是歡喜發心，有機會為人服務，自我期許做一個有用的人而已。

開營缺水　願血液化清水

　　記得佛光山開山之初，在民國五十八年（一九六九），實在還沒有條件設備舉辦活動，只想到，佛教要普利社會，不可以落伍，我就義無反顧，配合救國團，發心開辦「大專青年佛學夏令營」。因為我要廣度青年，為佛教開風氣之先。

　　但世間的事情，並不是那麼順利美好。當我這樣發

犁阿卡（人力手拉車）

心的時候，明天就要開營報到，到了晚間，忽然說深水馬達壞了。我一聽大驚，那我一百多位的青年學子來了，早上起來如何洗臉刷牙？他們早餐飲食怎麼辦？佛教能給人這樣看不起嗎？佛教能這麼沒有用嗎？這哪裡有資格與社會有競爭力，能可以為大眾服務呢？

我趕緊到高雄請來深水馬達的專家來修繕，哪裡知道，問題並不是那麼簡單。到了夜裡一、二點了，已經修了五、六個小時，都還沒有恢復正常。修理的工人已經筋疲力竭，他說：「工具不夠，我回高雄去拿。」我想，萬一他一去不回，那怎麼辦呢？我就說：「我陪你去。」他說：「不必要啦！」我說：「三更半夜，還是我陪你去比較好。」對方自知無法脫身，只有繼續維修。

在那緊要的時刻，我真的發願：「唯願我血管裡的血液，化為清水，能流出來供給大眾飲用。」是佛菩薩加被？是我的誠心感應？在清晨四點鐘的時候，馬達終於修好，我也終於聽到嘩啦嘩啦的流水聲。水，打入名為「大海之水」的水塔裡了。

佛光山第一期大專佛學夏令營

「大海之水」水塔

大師與吳大海

　　但我仍然不放心，摸黑從山下的滿香園，沿著小路爬到東山的水塔，身上都掛著刺竹雜草，但也管不了那麼多了。我攀著扶手，站上水塔的塔頂，用手一探，「啊，這是水了，這是水了，這是真的水了！」

　　在我走下水塔的時候，西山學院的那一端，正好響起四點半鐘起床的板聲。我想，青年同學們！佛教，不是不能做事，佛教，也有人為你們真誠的服務。那一刻，我內心的歡喜，比參禪開悟還要得意哦。

願心昇華　用一甲子悟道

　　貧僧在《往事百語》裡，曾經寫了一篇〈願心的昇華〉，講述自己出家至今七十多年發心立願的心路過程。十二歲那年，在很自然的因緣下出家，隨眾早晚課誦、

祈願祝禱。二十歲以前，我也和一般人一樣，在大殿中合掌祝願：

「慈悲偉大的佛陀！請您加持，賜給我聰明、智慧、勇氣和力量，讓我一切順利！」

在我心裡覺得，這樣祈求應該是很理所當然的事。三十歲以後，有一天正在禮拜，忽然想到：我每天向菩薩求這、求那，都是為著自己，那我豈不太自私了嗎？如果每一個佛弟子都像我一樣貪得無厭，佛菩薩豈不是要忙碌不堪了？從此以後，我祈願的內容有了改變：

「慈悲偉大的佛陀！請您加持我的父母師長、親朋好友、一切護法信徒，讓他們身體健康、事業順利、闔家平安！」

佛陀垂目含笑，好像嘉許我的進步，我也自覺心安理得，因為不再是為自我祈求，而是為別人祝願。

可是四十歲以後，終於又有一天，我自己覺察到，每天這樣的祝禱，不也是一種自私的貪求嗎？因為我請求佛菩薩庇佑的對象，無一不是「我的」父母、「我的」師長、「我的」親友……，這還是離不開我執啊！

之後，我的祈願又有了一番新的改變：

「慈悲偉大的佛陀！請您帶給世界和平，請您給人民帶來安樂，請您給社會帶來和諧，請您給眾生得度的因緣。」

每次念完這一段祈願文，自己也會感到非常歡喜，因為自覺修行又進步了，不再只是為自己，也不是為我的親友信徒，而是實踐《華嚴經》所說的「但願眾生得

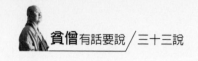

離苦，不爲自己求安樂」。

六十歲過去了，忽然覺得自己實在對不起諸佛菩薩，爲什麼我總是請求他們做這、做那？讓佛菩薩奔忙辛苦，那我做了一輩子的佛弟子，自己是幹什麼的呢？我捫心自問，實在很慚愧，到了年近七十，自己還不能承擔什麼嗎？於是我開始向諸佛菩薩告白：

「慈悲偉大的佛陀！請讓我來負擔天下眾生的業障苦難！請讓我來承受世間人情的心酸冷暖！請讓我來延續實踐佛陀的大慈大悲！請讓我來代替佛陀實踐示教利喜。」

光是這樣一個發心立願，我也花費了六十年以上的歲月，才慢慢有了這麼一點悟道。

掛念眾生　願度汝隨佛行

幾十年來，我到監獄弘法，希望人人改往修來，獲得自由；我到學校講演，希望學生學業進步，智慧增長；我到工廠說法，希望社會經濟發展，人人富樂；我到醫院結緣，祝願大家遠離病苦，健康平安。我曾在農村曬穀場上講說佛法，唯願他們年年豐收，笑逐顏開；我也在神廟廣場上講道布教，希望神明們庇佑大家平安無恙。

我認同〈禮運‧大同篇〉所述：「老有所終，壯有所用，幼有所長。」因此，我辦養老院、育幼院。如今，看到養老院的老人能活到一百多歲，仍然健康如昔，我真是滿心歡喜，爲他們祝願。育幼院七、八百個的小朋友，健康長大，成家立業，他們不也都像兒孫一樣圍繞

身邊嗎？

　　曾經我看到一位小腳的老太太巍巍顫顫，走路困難，真想扶她一把，卻又不敢造次，只有引導她走另一條道路。她看出我對她的友善好意，後來對我布施幫忙，對佛光山的開山建設有很大的助力，那就是馬來西亞吉隆坡人稱「黎姑」的老菩薩。

　　當我看到從玉山上，因為胃出血奄奄一息，而被原住民山胞背下山的張培耕，我給他鼓勵、給他治療；後來他做了我的主任祕書，給了我們一、二十年的弘法助緣。

　　我想，人生要發心立願，並且實際去做，不會減少什麼，只會增加人間的光和熱。何必像小說裡所述，只有那許多神怪可以呼風喚雨？由我們自己來散發光熱，不也是一樣的有光有熱嗎？

　　如今我已是年近九十的殘障老人，常常有人問貧僧：「大師，你還有什麼願望沒有了的呢？」我本來就沒有什麼願望，所謂願望者，都是因為感到需要而有。我出家了，我要怎麼做，需要什麼，我就發心立願；別人需要什麼，要我怎麼做，我也發心立願。你問我還有什麼願望未了？在我來說，我還沒有斷盡煩惱、證悟菩提，當然還沒有圓滿我的願望。對你而言，就是你還沒有隨我得度，稍有一些掛念。如此而已。

祈願祝禱

三十四說

我寫作的因緣

不敢說這幾千萬言的文字，
對人間、社會、佛教有什麼貢獻，
但總是我生命時間累積的成果。

說起貧僧寫作的因緣，回憶起來，可以說是酸甜苦辣。

現在雖然有人讚美我寫作的題材廣泛、內容豐富、文章型態多元，詩歌、散文、小說，我都能沾它一點邊，甚至有徒眾替我算過，出版的書有五百多本、總共將近三千萬字，而且翻譯成不同國家的語言就有數十種。當然，這些著作都是我的生命。

寫作人生　從棒喝中成長

佛法說，人的生命「豎窮三際，橫遍十方」，但那只是理論上的。在事相上，有人的生命在交友酬酢裡；有人的生命在酒色財氣裡；有人的生命在爭權奪利的政治漩渦裡；有人的生命在計算謀略的功名富貴裡。當然我們的生命投資在哪裡，成果就在哪裡。不敢說這幾千萬言的文字，對人間、社會、佛教有什麼貢獻，但總是我生命時間累積的成果。

當然，一個沒有經過學校、受過正規教育的人，一個生活在封閉寺院、沒有什麼社會經驗閱歷的人，不閉門造車，只是憑閱讀和想像寫了一些文章，雖然還是存在很多限制，但這一路走來，寫作陪伴我，在人生的旅途上，見到星辰日月，就想要去歌頌；見到花草樹木，就想要去讚美；講到山河大地，就想到與生命同在；說到芸芸眾生，全都是至親好友。唐朝李白的「大塊假我以文章」，世間上的人相、眾生相，人我間的是是非非、好好壞壞、善善惡惡，不都是我們寫作的材料嗎？

李自健繪

　　初學「寫作」，簡直不敢想像，於我而言，那是一個挺高的境界，自覺高攀不上。我在少年的時候，有一個朋友跟我說，他將來一定要寫兩本書，我一聽從心底要對他合掌崇拜，覺得好偉大呀！能寫兩本書，那是多不容易的事，我連兩百個字都寫不起來！而今，我那位朋友的兩本書，也不知道到了什麼程度，但是貧僧在無意中，因緣假予我，現在寫了也不只兩百本以上的書了。

　　記得初時摸索寫作，也有一段令人難忘的心路歷程。有一回，老師出的作文題目是〈以菩提無住直顯般若論〉，雖然當時連題目都看不懂，還是非常用心地寫了好幾張作業紙。老師閱畢發回，評語欄中寫著一首詩：「兩隻黃鸝鳴翠柳，一行白鷺上青天。」

　　同學們看到，在一旁嘲笑：「老師的意思是說你，

不知所云啊！」

　　下一次的作文課，題目是「故鄉」，我認眞地構思布局，在交出去前看了又看，自覺是得意之作，數天後發回，老師的評語又是兩行詩句：「如人數他寶，自無半毫分。」

　　一個初學的人，寫得好，老師說你抄襲；寫得不好，老師就怪文句不通。幼齡的童心受到這樣的挫折，可能洩氣，後面就放棄，當然就沒有未來了。但貧僧就是有一個性格，好像「皮球」，你一打壓，它就會跳躍。所以我可以經過初期老師的棒喝、教訓，通過了這個階段，柳暗花明，戰勝了崎嶇，看到了前途美景。

投稿刊登　鼓舞信心增上

　　我在十八、九歲後，進入當時全國最高的佛教學府「焦山佛學院」讀書，而其他的同學、學長們，也都是一時之選，才華很高。我因爲不甘落後，就更加用功。焦山位於揚子江的中心，我就時常在傍晚時，到退潮後的沙灘上散步，一走就是幾里路，也確實讓我感受到王勃的〈滕王閣序〉：「落霞與孤鶩齊飛，秋水共長天一色」的美感，也在這種心和境的相應之下，開始寫了些不成文的小詩。並且還有很好的運氣，往往投稿都有刊登，因此也增加自己不少信心：「原來我能、我可以寫作！」

　　也由於寫作，在經常「抒發己見」的因緣下，我想起在南京大屠殺遇難的父親，當時與父親已多年不見，自從他杳無音訊後，我就成了孤兒，因此在滿懷思念中，

就寫了一篇〈一封無法投遞的信〉,紀念父親。很感謝我當時的國文老師聖璞法師,他背地裡,將我的文章謄寫在稿紙上,並且親自投郵到鎮江的《新江蘇報》,五千字的文章不但發表了,而且分為上、下篇,刊登了兩天。

不但如此,他在上課的時候,還花了兩個鐘點念給同學們聽,同時講解我文章的內容、寫作的技巧,最後他在文章後面評語說:「鐵石心腸,讀之也要落淚。」老師偷偷的投稿,是因為擔心假如報紙不肯發表,會讓我灰心、喪志;等到文章發表了,他就歡喜地向同學們宣讀、公布。這種慈愛,我感動至今,難以忘記!所以,貧僧覺得,鼓勵可能比責備更有力量。

大約在民國三十四年(一九四五)八月,有一次,聖璞法師在一個星期六的作文時間,出了一道題目:〈勝利聲中佛教徒應如何自覺〉。我覺得,不一定在勝利聲中才要自覺,在失敗的時候,也要有自覺。甚至人生無論什麼時候,都要有自覺,自覺才能進步,自覺才有希望。

我雖出身貧窮,但我不斷自覺,力爭上游。我不強求,只要有上進的機會,我決不放棄。這個時候,鎮江一下子出現很多的報紙,社會上一片欣欣向榮。我們只是一個學生,尤其是個出家人,對社會能做出什麼貢獻呢?我認為,就是寫文章。

所以,我雖然沒有見過鈔票,但是我從報章雜誌、文章書籍裡增廣見聞,於是我寫了〈鈔票旅行記〉;我即使從未離開過寺院,也不懂得現實世界裡生命的爭戰,只知道我們寺院裡面有一隻貓子抓老鼠,我見景生情,

寫下了〈平等下的犧牲者〉，就想為小生命鳴不平。當然這些文章都發表了，所以也很感謝那時候的因緣。

佛教雜誌 歡喜創作園地

但是我到了二十歲以後，也曾有一個挫折。因為我有一位學長智勇法師，他跟我共辦了《怒濤》月刊，他寫作之快，就如過去古人說「下筆千言，倚馬可

妙果老和尚

待」，一篇萬言的文章，他總能輕而易舉地交卷。那本《怒濤》月刊，可以說大部分都是他的稿件。我忽然感到自卑，覺得我愧不如也。

之後，凡是他叫我寫文章，我就說「你來啦！」他要我寫個評論，我就說「你代我寫！」在他前面，我不敢舞文弄墨了。本來共同合作《怒濤》月刊，是因為志同道合，想為佛教創立未來的新風氣，在意志上，但我卻覺得慚愧，感到不能與他相比，所以一度覺得不必丟人獻醜，遲遲不敢寫作。我們編了十八期的《怒濤》以後，在南京華藏寺為新佛教開始了一段革新運動。後來，我就到了台灣。

與智勇法師分別後，我覺得寫文章沒了壓力，好像就有一點活躍起來。尤其在掛單的中壢圓光寺，正是台灣佛學院舉行畢業典禮的時候。創辦人妙果老和尚，要

我替他代筆，寫一篇〈回顧與前瞻〉的文章，要登在畢業紀念冊裡。為了報答他的收留，我就快速把文章完成了。

看過文章後，老和尚不放心，因為他是台灣人，對漢學不是有很深的研究，就把文章拿給教務主任圓明法師看，問他：「你看這篇文章是誰寫的？」圓明法師看了以後，坦白跟他說：「應該是出於東初法師之手。」我當時才二十三歲，所以妙老一聽，就非常稱心快意，覺得我能代他六、七十歲的高齡，寫出他的教育理念，還能夠跟有德有望的東初法師相比，因此他對我就更為重視愛護。不但讓我替他到法雲寺看守山林，帶我到苗栗客家村莊去傳道，尤其，他當時是新竹縣佛教會的會長，服務地區包括苗栗和桃園，我就幾乎成為他的祕書，幫他處理這些地區的佛教文件。

那時候的事務也不是很繁忙，年輕人總想有個事情可做，我又非當家、又非知客，在寺院裡面除了早晚課誦，百無聊賴，因此，就為台北的《今日青年》、《今日佛教》投稿。後來，佛教裡有了《覺生》、《覺群》、《菩提樹》、《人生》等雜誌，我感覺到我的園地很多，就不斷在這些園地裡播種，那時候沒有一點圖利的心，只要自己的文章能印成鉛字，看起來就很夠味了，可以說，比吃珍饈美味的飲食還要令人歡喜。

編輯《人生》 獨自寫稿發行

記得，我替老和尚看守山林的時候，白天，我只能看看森林裡穿來插去的猴子和松鼠，計算著時間，等候

寺中送來的飯食；夜晚，我只有聽聽風吹松柏以及貓頭鷹的叫聲，就住宿在山間的草棚中。為了不讓寶貴的青春與生命無謂的虛度，我就在那只能容身一人的草棚中，伏在亂草堆旁，寫成了《無聲息的歌唱》，這也是我的第一本著作。甚至，在新竹青草湖從事台灣佛教講習會的教務工作時，利用零碎時間，翻譯了日人森下大圓的著作，出版《觀世音菩薩普門品講話》。

所以後來《中央日報》也要我去做記者，甚至《今日青年》的發行人秦江潮先生，還親自從台北到圓光寺來面邀我，到他的雜誌社擔任編輯。但，這些邀約我都推辭不去，為什麼？因為我要把和尚做好。因此，後來讀到古德「昨日相約今日期，臨行再三又思惟，為僧只宜山中坐，國士宴中不相宜」的詩偈，就頗為印心，古代大德辭卻社會的功名富貴，入山深居，在淡泊裡養護身心，我好像也有了過去古德的這種心情、言行。雖然當

《今日佛教》雜誌

《人生》雜誌

時，我一無所有，貧無立錐之地，但我知道自己，必能
在佛教裡有所貢獻。因為我不懶惰、不推諉、不敷衍，
無論什麼事情，只要與佛教、常住的利益有關，我都直
下承擔。

　　也因為這樣的性格，我後來為《人生》雜誌義務編
輯了六年；在《今日佛教》八個社委中，被推為首席。
不但編輯、寫稿、發行，都是我一個人，那時候，也不
知哪裡來的精神毅力，甚至還去幫忙其它的佛教雜誌寫
稿。大概因為這樣的關係，獲得《覺世》旬刊創辦人張
少齊長者的欣賞，他邀請我擔任《覺世》旬刊的總編輯。
就這樣，貧僧一路走上了寫作的道路。

　　記得到宜蘭弘法三個月以後，信徒在監獄用三十塊
買了一張便宜的竹椅，從此每天晚上，等到大家就寢以
後，我就把佛前的電燈拉到房門口，趴在縫紉機上寫作。
在現代人看來，或許感到不可思議，但是當時的我，非
常珍惜這份難得的機會。那年我二十六歲，生平第一次
使用電燈，在此之前在棲霞山、焦山、宜興、中壢、青
草湖等地，都沒有電燈，所以儘管群蚊亂舞，蟑螂四出，
我都不忍上床，有時寫到次日破曉，耳聞板聲，才在心
滿意足中休筆。

護教文章 同道指責沓來

　　由於那時候年輕，只要起早待晚，就可以完成寫作。
還有很多的餘力，就去度化青年、教育兒童，為佛教辦
些活動。後來，為了佛教雜誌太過保守，文章乏人閱讀，

就自己冒險寫了《玉琳國師》、《釋迦牟尼佛傳》，這兩本書引起的熱烈回響，其盛況眞如洛陽紙貴，出版至今超過六十年了，仍然持續不斷地再版，發行早已超過百萬冊了。其實，那時寫作也沒有稿費可拿，完全是基於護教的心情，可以說是無心插柳的意外收穫。

　　然而這些基於護教而發表的文章，也爲我帶來一些漣漪。例如，一篇文藝短篇小說〈茶花再開的時候〉，秦江潮先生專程來爲我指教；一封寫給京劇名伶顧正秋女士的信，抗議她在永樂戲院演出有損佛教形象的戲劇，引發了軒然大波。

　　尤其我寫了一封信給朱斐居士，批評他不該把太虛大師的《覺群》周報，改作紀念印光大師的刊物，也引起了對我很不利的反應，導致他把《覺群》停刊，另創《覺生》雜誌。另外，一篇短文批評《中華佛教美術》所刊出的佛像，把頭腳切斷，是對佛教不敬，招來東初長老對我的不滿。甚至佛教同道間的指責，也從四面八方紛至沓來。

　　所以這之後，我感覺自己志不在寫作，因爲空洞的言論，對佛教也於事無補。因而就想進入佛教會，參與佛教界實際的改革運動。可惜，因緣不具。因爲當時許多主事教會的長老，並不喜歡我這樣性格活躍的人，所以那些年我在佛教會裡，他們時而要我，時而拒絕我，讓我感到進退艱難。我後來想，「良禽擇木而棲，忠臣擇主而侍」，我應該找一個佛教領袖，跟隨他，助他推展佛教革新。

我的寫作　因青年而廣大

　　那時，我也曾經考慮過中國佛教的路線，然而它封閉保守，日後一定走下坡；南傳佛教，雖信心具足，但毅力不足；日本佛教，雖有佛學議論，但戒律不嚴。所以佛教究竟往哪裡走？我決定往太虛大師「人間佛教」的理念走，所以「人間佛教」始終是我走的道路。

　　然而，太虛大師在哪裡呢？法舫大師在哪裡呢？我所尋找的這許多長老：甲，自私自利，只顧自己；乙，怪你怪他、天天罵人；丙，朝令夕改、變化無常；丁，膽小如鼠、不夠擔當。當時我非常苦悶，因為我沒有頭、沒有領袖。

　　所幸，之後在宜蘭，遇到一些有為的青年。我們組織歌詠隊、弘法隊，成立青年團、設立文藝班，其中裘德鑑、楊錫銘、周廣猷、朱橋、林清志、吳天賜、李新桃、

大師帶領宜蘭青年歌詠隊到廣播電台錄音，藉法音宣流傳遞佛法。1954.10.17

張優理、吳素眞、張慈蓮等青年；以及後來一群縣政府的員工、電信局的小姐，如：蕭慧華、李素雲、黃惠加、曾素月、曾韻卿、朱靜花、林美森等二十餘人，都成了我弘法布教的生力軍。他們本來在社會上都有很好的職業，由於信仰了佛教，一心想爲佛教奉獻。

尤其中華印刷廠的吳天賜居士、蘭陽女中的李新桃小姐、宜蘭稅捐處的張優理小姐、藥廠裡面的吳素眞小姐，這些青年都願意辭去職務，來爲佛教服務。我覺得我們有了團隊，於是，就叫吳天賜、李新桃去辦佛教文化服務處；請張優理在宜蘭創辦佛教幼稚園；讓吳素眞到高雄興辦幼教事業，協助高雄佛教堂的發展。就這樣，我的「寫作」因他們而擴大了。

爲了新佛教的弘傳，我們朝向一致的理念，奮力推動。於是，我們編寫了《佛教童話集》、《佛教故事大全》、《佛教小說集》、《佛教文集》等，甚至編印了《中英對照佛學叢書・經典之部》、《中英對照佛學叢書・教理之部》、《中英佛學辭典》，以及新式標點的「每月一經」、佛教美術的圖集等等，這一切無非是希望能把佛教的文化，普及於社會大眾。可以說，每個人都傾己所能，如火如荼想爲佛教注入活水。

辦學育才　佛教注入活水

即便如此，我還是感覺到人才不夠，力量有限，因而決定辦教育。所以，民國五十二年（一九六三），我們在小小的壽山寺，辦起了佛教學院。想不到，學院每

年招生，人數都超額，小廟無法容納了，只得設法遷校。當時，也不敢妄求山明水秀的好地，只想有塊簡陋的小地，蓋個鐵皮屋，能給大家遮風避雨，也就心滿意足了。就在這樣的機緣下，民國五十六年（一九六七），我們到高雄大樹鄉麻竹園開創了佛光山。

因此，我為佛光山訂下「以教育培養人才、以文化弘揚佛法、以慈善福利社會、以共修淨化人心」四個宗旨，佛光山就朝這四個目標推展，因而人才不斷的增長，事業不斷的擴大，所謂「有志一同」，信徒有緣人集體創作，就百千萬慢慢地聚集了。此後，我不光是寫作維生了，我以弘揚佛法、普度眾生為我的目標。然而在佛門裡，我並無大用，主要我五音不全，無法唱誦讚偈；加上我書法不好，寫字也見不得人；只有想到教書，所以就擴展佛教學院。

但是擴展佛學院後，老師要月俸，學生要吃飯，我那時候年輕，實在沒有力量負擔。不過，感謝佛陀，佛法不誤人，只要有心，再大的困難都能逐一化解。當時，佛光山除了不斷的建設以外，信徒也不斷的增加，我們除了每十天發行四十萬份的《覺世》旬刊，也發行《普門》雜誌、《佛光學報》。總的來說，我那時寫作、教育、弘法、共修、活動，樣樣都做，從不推辭；所謂「破船多攬載」（揚州歇後語），什麼事情來了，只要於佛法有利益，為了佛教，我一切心甘情願。

就這樣，佛光山在世界的舞台發展、活躍了起來。然而「譽之所至，謗亦隨之」，雖說弘法路上風雨兼程，

好好壞壞總無常態，但我一心想為佛教打些基礎，廣結善緣，因此在忙碌中，我不僅忘了榮辱毀譽，也時常忘了自己。

其實，在建設佛光山之前，我曾以撰寫的《釋迦牟尼佛傳》，向日本大正大學申請就讀博士班，校方審核通過，還寄來了入學通知書。當時，我之所以想去日本留學，其目的，是因為那時候所有從台灣去日本留學的男眾比丘，幾乎全軍覆沒，還俗去了。我就想，我要改變這個歷史，為男眾爭一口氣，我一定回來給你們看。但是後來，想到皈依的弟子那麼多，如果我現在去做學生，當初就不應該做人家的師父；現在既已收了這麼多徒弟，怎麼可以再去做人家的學生呢？這裡確實有著一些矛盾，所以博士就不要了，從此打消去日本留學的意思。

由《玉琳國師》改編而成的電視連續劇《再世情緣》。1992 年

走樣電影　無奈承受苦衷

也在這個時候，電視台、廣播界開始有人來找我，希望把我寫的小說如《釋迦牟尼佛傳》、《玉琳國師》等，讓他們拍成戲劇。其中《玉琳國師》被上海滬劇團改編

成話劇，在台北紅樓演出；空軍廣播電台將它錄成廣播劇，在電台播出；甚至也被改拍成台語電影，名爲《千金小姐萬金和尚》。再後來，導演勾峰先生以《再世情緣》爲名，拍成了電視連續劇，在中國電視公司八點檔播出，引起很大的轟動，海外地區也爭相播放。

我記得當時，爲了配合各個電台的播放，我天天不計辛勞地爲他們寫稿。然而我的弘法熱心，也爲我招來了苦難。例如：金國戲院附設的製片廠，想將我的《釋迦牟尼佛傳》拍成電影，佛教電影化是多麼重要的事，我當然很歡喜的接受，況且我也不計較版權、待遇，承蒙他們邀請我做顧問，我當然也義不容辭了。

電影開鏡的時候，我特地趕到他們在彰化的攝影棚，想不到第一個鏡頭，導演就讓悉達多和耶輸陀羅擁抱接吻，我趕緊告訴導演這個不能，那個梁姓導演疾言厲色的罵我：「你不懂！你太落伍了！」給他這麼一個教訓，想說既然我不懂，就只有離開了。

電影上演後，就爲了這一個鏡頭，有些出家人要衝毀我的佛教文化服務處；到馬來西亞放映時，當地佛教徒聚集包圍整個戲院，要求不准上映。頓時，風雲變色，怨怪四起，整個佛教界都說我不好，但其實我有苦衷。

後來做監察委員的游娟女士，也向我表明，她要將《釋迦傳》編成連續劇，在台灣電視公司演出，我當然應允。但後來在電視播出的時候，我自己都看不懂，好像裡面的人物、情節都不是我的，都是戰爭、打鬥，我書裡的內容並沒有這些啊。當然，罵我的信件也如雪片

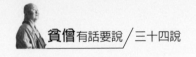

般飛來，我也只能無奈了。

因此，我曾經一度覺得，新佛教實在很難！我遷就社會，社會給我這麼多難堪，讓我難以承受；我為了佛教，但卻沒有力量與製作方溝通、爭取、協調。後來慢慢到了老年，聽到楊惠姍演的一部電影叫作「我就這樣過了一生」，我想，我為了寫作，以及因寫作而衍生的種種事件，也可以說，我就這樣忍了一生。

以文會友 寫作題材豐富

不過，也不是沒有好事，例如：我以文會友，文學為我帶來了好多的朋友。像早期在宜蘭的楊尊嚴、楊勇溥、朱橋、楊錫銘、周廣猷，他們協助我譜曲、音樂弘法、《蓮友通訊》的編印發行。之後，包括郭嗣汾、公孫嬿、瘂弦、柏楊、高陽、司馬中原等好多的人，都跟我成為很好的文友；甚至何凡、林海音跟我也有很好的交情；其中孟瑤、劉枋女士，還在佛光山長住過十幾年。承蒙他們當時不嫌棄我是一個出家人，經常在新北投普門精舍我的一個小房子裡聚會，可惜我實在才、財兩缺，既沒有多餘的錢財招呼文友，也沒有很好的才智與他們應對，自慚條件不夠，就不敢和他們多所來往，因為對於這許多文人，我感覺高攀不上。

記得民國五十二年（一九六三），我將第一次出國訪問歸來的見聞，寫成《海天遊踪》。因為這本書，我結交了更多海內外的讀者朋友。當時雖然忙碌，但為了回報讀者的好意善緣，我每周固定一天或者半天，一定

到三重的文化服務處，親筆回覆書信，而且每次都要回覆六十到一百多封。雖然徒弟們自謙，他們回覆書信沒有我的老練，其實我自知，自己不成熟的文體，只能算粗製濫造。

不過我對於寫作，不論書信、遊記、散文、小說、詩歌，各種題材，都很願意嘗試，所以後來寫《講演集》時，就感覺到自己的材料很豐富。然而平心而論，我最早期的〈星君仙女下凡塵〉以及〈宗教同盟大會〉等作品，都無法登大雅之堂。當時只是初學，但為了弘揚佛法，即使作品生澀不成熟，我也不顧忌地獻醜了。

不計批評 主持公平正義

貧僧想起五〇年代初期，那些護教的文章遭人批評謾罵的時候，其實我並不計較，因為自青年時期開始，我參與多種佛教雜誌的編輯工作，就是一心想做個佛教的評論家。我自覺自己有公平正義的性格，應該能為佛教界的是非、邪正、善惡，留下公正客觀的歷史批判。

例如，我曾建議中國佛教會派人出國布教以推動國際佛教、加強教會與訓練人才、建立信徒資格審查、確立佛教考試制度等；或者呼籲政府訂定國定佛誕節、主張寺院住持與管理人應由僧眾一人統一擔任、以「改良拜拜」代替「取締拜拜」，尤其對於政府頒獎表揚慈善，直言不諱地說，此乃促使佛教墮落之舉，政府應該鼓勵佛教從事文教弘法等。這些，都對當時保守的台灣佛教，確實產生很大的衝擊，但對日後佛教地位的提升，豈能

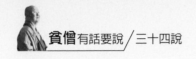

說沒有助益呢？

　　但後來，貧僧因為辦了佛學院，想到自己為了主持公平正義，而批評別人，別人也必定對我有所批評；為了擔心傷害徒眾的信心，感覺到此路不通，為了保護徒眾，只有規規矩矩的興學、做人了。

　　這之後，也由於佛光山的發展，信眾們希望將我的著作，製作成電視節目，讓佛法更為普及生活化。雖然在民國八十六年（一九九七），我們開設了「人間衛視」，但在這之前，電視弘法，也是經過許多辛酸苦難。例如，我們曾與台視經理劉震慰談妥，買下每周一個小時做佛教節目，但開播前節目卻被取消了。我問：「怎麼會這樣不講信用？」台視的人也很無奈說：「並不是我們要刁難你，是蔣夫人說佛教不准上電視。」

　　另一次，跟中華電視台共同製作「甘露」這個節目，我們還特意在播出前，在報紙刊登廣告，周知信眾收看。可是冷不防地，播出當天一早，我接獲通知說：「這個節目不准播出！」我急忙趕到電視台，請教負責人：「節目怎能說不播就不播呢？」想不到他回答我：「和尚不能上電視！」我說：「電視連續劇裡，不也常有很多的和尚出現嗎？」他竟然理直氣壯地回答我：「他們是假和尚！」真和尚不可以，假和尚卻可以，你說這個世界還有什麼公道可言呢？

電視弘法　傳真善美理念

　　究竟是他們怕蔣夫人？還是他們排斥佛教呢？真相

我不得而知。不過,等到蔣經國總統主政之後,我在電視台裡面,也就無所顧忌可以講說弘法了。尤其當時台灣的電視台只有三台,他們各台都互不來往,只有我每天「遊走三台」,因此三台上都有我的「法語」播出。

那時候,我在中視播出《信心門》、《星雲說》;在華視播出《星雲法語》;在台視播出《星雲禪話》、《每日一偈》、《星雲說喻》,甚至《星雲法語》還曾經在民視播出一段時間。這一切的好緣分,應該感謝周志敏女士的幫忙,周女士是電視公司內部的節目主持人、製作人,在電視圈裡有一定的力量,她對我電視弘法的貢獻,可說居功甚偉!

如今,我的文字不僅印成鉛字,它也變成電台的廣播、電視的節目、電影的戲劇,甚至化作 2D、3D、4D 的

佛光衛視頻道(後更名為人間衛視)開播前舉行記者招待會。
右三為周志敏女士,右一為趙大深先生。1997.9.9

各種圖書、動畫、短片，透過現代的網路科技，無遠弗屆在整個世界，以各種語言傳遞真善美的理念，這不是很值得欣慰的事嗎？

對於弘法與寫作的理念，貧僧一向主張要有文學的外衣、哲學的內涵，因為文學要美，哲學尤其要有理，內外相應，無論是長篇或者短文，必然是好文章。胡適之先生說，《維摩詰經》是世界上最長的白話詩，而《華嚴經》、《大寶積經》，都是長篇或短篇的小說。在我覺得，佛學就是文學和哲學的總合。

所以，曾有人問貧僧，為什麼我這一生，這麼熱愛文字寫作？我告訴他，文字，是生生不息的循環，是弘法的資糧，人不在，文字般若還在。一個人因為一句話而受用，這輩子乃至下輩子，都會對佛教有好感。透過文字媒介，不只是這個時代，不只是這個區域的人，都可以接觸到佛陀偉大的思想，幾千、幾萬年以後，此星球他星球的眾生，也可以從文字般若中體會實相般若的妙義。

編寫教材 佛陀教法傳世

因此，後來我不但帶領弟子彙編《佛光大辭典》、《中國佛教經典寶藏精選白話版》、《法藏文庫》，自一九七七年起，近四十年來，我們持續編修《佛光大藏經》，日後全部出版，這將是千餘冊的巨作。另外，我還編寫了《往事百語》、《佛教叢書》、《佛光教科書》、《人間佛教系列》、《僧事百講》等數百本與人間佛教

相關的教材，希望提供僧團培育青年之用。

尤其二〇〇〇年，《人間福報》創刊之後，我開始在頭版撰寫專欄，逼著我不得不每天供應他們文章。十五年來，我從來沒有缺席過一天，《迷悟之間》、《星雲法語》、《人間萬事》、《星雲禪話》、《星雲說偈》，都各自連載了三年，有徒眾打趣說，這應該去申請寫作的金氏紀錄了。

當初，貧僧從一個二十歲不到，為佛教改革與前途振臂疾呼的僧青年，到台灣駐錫弘講、建寺安僧，靠著一枝禿筆生存立足，及至後來創辦佛教的文教事業，將佛陀教法透過文字與出版品，流傳到世界各個角落。我這一生，也由於文字編寫的因緣，擴大了視野，廣交各界的能人異士，可以說，寫作豐富了我的生命。

而今，貧僧老矣，眼睛看不到，連書也不能看了，不過在國史館的邀約因緣下，我還是口述了一部一百六十萬字的《百年佛緣》。最近又靠口述，寫了《貧僧有話要說》，其實這不是預想中的事，我只是因為一些佛教團體，給社會媒體批評傷害，基於保護佛教的心情，我才寫了《貧僧有話要說》。發表以來，承蒙各界給我的鼓勵，我本來只想寫二說、三說就好，在盛情之下，如今也寫了四十說了。

本文所言，應該就是我這一生，寫作的大致過程。所以有人問貧僧生命何在？我說我的生命，就在文字寫作裡，就在講述傳教裡，就在信仰修持裡，就在廣結善緣中。至於其他像創辦大學、建設寺院等事業，那都是

靠僧信二眾的團隊，大家集體創作而來，我個人就不敢
居功了。

《百年佛緣》新書發表會。2013.4.2

三十五說

我的生活衣食住行

不想在衣食住行上有所計較，
隨緣、簡單，就是美好的生活了。

在這裡，要向各位報告貧僧的生活衣食住行的關係，雖是閒話，也是讓貧僧的生活情況給各位了解。別的長處貧僧不敢說，對於財富自己並不看在眼中，這是貧僧對自我期許的一點成就。事實上，世間上的窮和富都用金錢來衡量，有錢為富者，無錢就是貧窮。

尊長贈衣　理應繼承風範

回顧貧僧這一生，自從哇哇墮地之後，就沒有錢買過新衣服穿。我上有哥哥、姐姐，在幼童時，都是穿他們穿過的衣服。十歲的時候，母親好意說要為我做一套新衣服。衣服做好了，在我過生日的前一天交給我，她說：你明天過十歲的生日，就穿這套新衣服。我非常的歡喜雀躍，就把衣服放在枕頭旁邊，心想明天天亮，我就有新衣服穿了。

時值夏天，夜晚蚊蟲肆虐，我一個兒童不懂，把一公尺多的蚊香，一頭點起來，另外一半放在衣服上，就睡覺去了。到了半夜，蚊香把衣服給燒了，也把我驚醒。就這樣，新衣服沒了，也不敢怨嘆別人，自覺沒有福分可以穿新衣服，也就不去妄想人間的新舊了。

十二歲出家，這是臨時起意，一時沒有衣單可穿，師父就借了師兄的兩套舊衣服給我。我也不以為意，總認為人生能有衣服遮體，還有什麼新舊之分呢？但是師兄穿過的舊衣服，我再穿它，就經常破洞百出。當然我也不敢去跟師父訴說，只有自己到字紙簍裡撿紙，把衣服的破洞糊起來，鞋底破了，就用厚紙板釘起來。我還

記得那兩件破舊的衣服，陪我度過了兩個寒暑。有人說，
「小孩子屁股有三把火」，怎麼度過那兩個嚴冬的，現
在已不復記憶了。

後來命運轉變，若舜老和尚是我的得戒尊長，他圓
寂了，師父慈悲，在他的衣單中撿了幾件給我。幸運的
是，那許多衣服陪我過了好幾個春夏秋冬，說也奇怪竟
不破爛，我才明白，衣服的壽命長短，會因質料有所不
同。在我的心裡，除了繼承圓寂長老的衣服，自覺也應
該要繼承他的風範，學習他的德行。

菜少蟲多　餐餐吃豆腐渣

衣單貧僧沒有罣礙過，但年輕人的肚子總覺得經常
填不飽。棲霞寺是一個窮寺，本來就沒有條件辦學安僧，
但由於家師和那許多重要職事熱心佛法，荷擔如來家業，
而辦起了律學院。那時候，正在抗戰期中，經常鍋裡的
水已經滾沸，卻還沒有米可以下鍋，等待著常住的職事
到街上賒借一石米糧回來。

當時，一年四季，很少吃到一餐可口的飯食；有時，
中午過堂的一飯一菜，菜碗裡的菜葉子很少，浮在湯水
上的小蟲子卻很多。說一句過分形容的話，用吃的菜湯
去洗衣服，也不會把衣服洗髒。可憐我大概由於沒有油
水，每一餐飯食沒有個六、七碗，不會有飽足的感覺。

那個時候，每天三餐我們吃的都是豆腐渣，豆腐是
留給客人吃的。如果豆腐渣在鍋裡炒一炒、烤一烤倒也
還好，但我們庫房總務總是把它放在太陽下曬一曬，然

後用鹽拌一拌給我們食用。曬的時候，鳥雀來吃，昆蟲也來分食，到了我們吃的時候，經常摻有鳥雀的糞便、幼小昆蟲的屍體，甚至有時候，臭氣難聞，也只有憋住氣吞它兩口，因為知道人總需要一點鹹味。這就是我在棲霞山參學六、七年的歲月。

十八歲貧僧負笈鎮江焦山佛學院，生活大有改善。當時有一句歌謠說：「金山腿子高旻香，常州天寧好供養，焦山包子蓋三江，上海某某寺哩啦腔。」意思是說，你盤腿盤得好，要能夠一坐兩、三個小時之久，才有資格進入金山江天寺禪堂，或者在揚州高旻寺打坐，一支香也要數小時。常州天寧寺三餐的飲食供應有水準，焦山定慧寺每一年要打七個禪七，七七四十九天，晚間的大板香，禪坐一點四十五分以後，會分給每個人一個菜包子。我們年輕的學僧，哪裡懂得什麼參禪悟道，只為了吃那顆菜包子，除了白天的坐禪以外，甘願每天晚上都坐上那支一點四十五分的「大板香」。

一飯一菜 不喜奢華享受

在宜興祖庭大覺寺、在南京華藏寺，都是一些辛酸窮困的歲月。但說也奇怪，從來沒有感覺到生活清苦或為僧艱難。偶爾感受到佛法的禪悅法喜，也就讓我們覺得心安理得。

貧僧二十三歲到了台灣，到處掛單，無人接受，承蒙中壢圓光寺妙果老和尚的接納可以住下來。每天無油的高麗菜，吃了一年多之後，實在難以下嚥。所幸，逢

新竹青草湖靈隱寺辦學，台灣佛教講習會（佛學院）請我去擔任教務主任。青草湖是一處風景遊覽區，平常遊客很多，有將近兩年的時間，客人吃剩的菜餚，就由我們講習會師生繼續食用。同學們自嘲說，我們吃的都是「蜜絲佛陀」。這是因為那個年代，女士們大都擦「蜜絲佛陀」的化妝品，那些剩下的菜餚裡，自然有脂粉口紅味了。儘管如此，我們也不覺得貧窮，我和學生們說，她們是「蜜絲」（Miss），我們做「佛陀」就好了。既然「我是佛陀」，還有什麼感到貧窮的呢？

我自幼出家，叢林過堂吃的都是一飯一菜，早已過慣簡食生活。有一次，警務處處長陶一珊先生，因為看了我的《釋迦牟尼佛傳》，說要請我吃一餐飯。那時候，我住在宜蘭，我說，我要去高雄經過台北再去看你。後來，他在永和家中擺了滿滿一桌子的菜，說是請餐館送來的，但只有我和他兩個人吃，實在覺得非常可惜。

餐後，我要動身南下，處長特地找人替我買了一張火車票。我環視四周的設備，有床鋪、盥洗設施，一應俱全，我想，那應該是總統乘坐的專用車廂吧！從此，我就不敢再和他來往了。為什麼？這種隆情厚意，實在不是我受當得起的。再說，好因好緣是要承繼於將來的，何必在這一時就把它享受完呢？

乞佛燈光 裁縫機上寫書

貧僧二十六歲到了宜蘭，一生沒有用過電燈的我，忽然在宜蘭市區龍華派的雷音寺這間小廟的佛前，有了

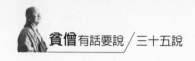
一盞每個月繳交台幣十二塊錢的照明電燈，等到晚上九、十點鐘，信徒解散後，我跟佛陀要求，分一些燈光給我。那個時代，民間還不可以私人接電線，電線不夠長，我只有把燈泡拉到寢室門口，一半可以照亮佛殿，

大師就著小小的裁縫機寫書

一半可以讓我在裁縫機上寫下《玉琳國師》和《釋迦牟尼佛傳》，但房門就關不起來了。

在此之前，我雖然出版過《無聲息的歌唱》、《觀世音菩薩普門品講話》，但是並沒有太介意它們的銷路；到了這兩本書，雖然不敢說洛陽紙貴，銷路卻是一直很好，馬來西亞、新加坡、菲律賓、香港等地，都是幾百本、幾百本地購買。直至如今，這兩本書不但是暢銷書，也是長銷書。

我的經濟因為這兩本書有了些許改善，自覺有些得意，就拿著書到台北重慶南路各家書店，請他們代為流

《釋迦牟尼佛傳》

《玉琳國師》手稿

《玉琳國師》

《無聲息的歌唱》

通。沒想到，無論我怎樣央求，那些書店的老闆都不肯接納，他們說得也對，佛書沒有人看，也沒有地方放。甚至我跟他們說，書給你們，賣了錢都歸你，我不收分文。他們還是推辭說，佛書沒有地方放啊！最後，我只有掃興而歸。

貧僧在宜蘭念佛會初期的生活，吃飯的桌子，是由兩片木板臨時組合起來的，中間的細縫，經常讓筷子從縫裡滾下去。湯匙是自己用鐵皮手工敲打做成，質量很輕，微風一吹，都會把湯匙吹落在地上，撿起來還可以用來喝湯。睡覺的床鋪，是由竹子編成的竹床，只要一坐上去，就會吱呀吱呀作響，幾公尺外都能聽到。記得民國四十二年（一九五三），嚴長壽先生的尊翁嚴炳炎老先生，他非常愛護我們青年，有一次到宜蘭來看我，和我同榻而眠。我告訴他：你可不能翻身哦！不要讓竹床的聲音給外面的人聽到了。前不久，我把此話告訴嚴長壽先生，他也對當時艱難的生活，唏噓感嘆不已。

雙腳代輪 享受走路弘法

除此之外，為了上廁所，要走十五分鐘到二十分鐘的路，才能到宜蘭火車站方便一下，至於如何解決盥洗問題，我已不復記憶了。

自從在宜蘭安定下來，三個月後，信徒在監獄買了一張便宜的竹椅給我，我也從長條凳而有了竹椅可坐。從此，我的衣食住行都有了改進。

漸漸的，我在宜蘭成立度化青年或兒童的歌詠隊、

學生會、文藝班、兒童班等。那個時候，就有人說我弘揚的是「人間佛教」，我們早上禪坐、晚上念佛，時而講經，時而說法，有心的信徒也都會前來參加，所以我訂出：「行在禪淨共修，解在一切佛法」，把傳統和現代的佛教相結合。

所以，苦，是我們的增上緣，吃苦才能進步，吃苦才有人緣。頭陀苦行、清貧生活，可以長養道心，又有什麼不能接受的呢？

至於外出弘法，我靠著兩條腿，在台灣不知走過多少千百里路。那時候為了節省開支，總是以雙腳代替車輪，行走山線、海線，穿梭鄉間的山路小徑，往往從此地到彼處，花上四、五個小時是常有的事。但我不以為苦，反而覺得走路實在是人生一大享受。

慢慢的經濟稍微舒緩，也買了一台腳踏車代步，或是乘坐火車、公車，甚至受邀至各地弘法，信徒也會準備交通工具，從過去的黃包車、三輪車，到後來的小汽車、大巴士，一直到現在的輪船、郵輪、飛機、高鐵、磁浮列車等，甚至於到軍中弘法時，我還坐過戰車、坦克車、軍艦、直升機等。

車不自用　接待貴賓訪客

說到汽車，近幾年來，世界各地都有信徒說要送我車，尤其說是名牌的車子，但都被我一一拒絕了。我跟他說，這千萬不行，你送我那麼好的車，要是我外出去辦事，下了車，心裡就老要掛念車子會不會被碰撞，反

而成為負擔。曾經有一個信徒不顧我的反對，硬是把車子送到佛光山來，我只有把它交還給常住，讓這輛車用來接待功德主、貴賓們了。

大約三十多年前，佛光山擁有一部九人座的「載卡多」，每次車子一發動，總是有很多人要跟隨。為了滿大家的願，後來就將它改裝成二十六人座的車子。奇怪的是，當時這輛車竟也能通過公路總局監理所的檢查。

這輛車用了多少年後，該是要「退休」了，總想，它有功於我們，所以一直不忍心讓人家以收購廢鐵的方式把它買走。後來就在佛光山找了一個地方讓它「養老」。

總之，我在台灣上山下海，國內國外，搭乘過的交通工具可以說種類五花八門，可以參閱我在《百年佛緣·我的交通工具》一文，裡面有詳細的說明。所謂「行船走馬三分命」，貧僧的生命也沒有什麼價值，為了弘法，也顧不了那麼多的安全不安全的問題了。

過去貧僧的衣食住行都已成為過去，現在的已完全非昔日可比。

菜脯泡飯 堪稱人間美味

現在的衣服，都是徒眾替我張羅，春夏秋冬各有不同的厚薄，但幾十年來，無論寒暑我已習慣四季都穿著一樣了。此外，也有許多信徒會用衣服跟我結緣，如溫哥華心慧法師送的「萬佛祖衣」袈裟，但那花花綠綠、五彩的佛衣，我披搭過一次，就不敢穿了。四、五年前，《紅樓夢》曹雪芹先輩任職的江寧織造廠，現今還在南

京的雲錦博物館，送了我一件雲錦袈裟，以及韓國頂宇
法師送我的金襴袈裟，那麼漂亮、那麼有氣勢，當然我
也不敢披搭。現在都已經送到佛光山寶藏館去珍藏了。

　　至於現在的吃，各地信徒不斷地都有一些水果、餅
乾等禮品送給我。我哪裡能吃得了？尤其我罹患糖尿病
四十多年，哪裡能吃呢？每次這許多食品送來，我也輪
流送給佛光山各個單位，大家平均受用。好在我那許多徒
眾、學生都是貧僧，分一點給他們，他們也喜不自勝了。

　　如今我也已經退居，在佛光山是二線人物了，所以
齋堂裡並沒有我的座位。不過，我在開山寮裡，有一個
專任侍者每天會準備飯菜給我吃。只是，每當我吃飯的
時候，經常有十幾二十個人不約而同前來趕齋。我就很
掛念：這麼臨時，他怎麼能準備出那麼多人的分量呢？

　　但是我這一位侍者覺具法師，他不但是南華大學的
碩士，還真是聰明能幹，多少年來，煮飯燒菜，總是從
容不迫。人多，有人多的作法，人少，也有人少的辦法，
從來沒有為難過前來趕齋的徒眾。

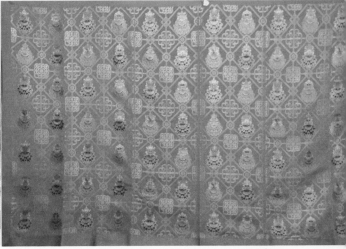

萬佛祖衣袈裟　　　　　　　　　　　　　　　　雲錦袈裟

　　總之，我對於飲食並沒有特別偏好，即使罹患糖尿病，也沒有特意要求徒眾弄什麼給我吃，若要問我人間美味，應該就屬蘿蔔乾和茶泡飯了。

沙發當床　已是長久習性

　　現在的住，在我擔任佛光山住持十八年後，三十年前，第二任住持心平和尚為我建了一間開山寮，地方寬大，連庭院大概也有三、四百坪。後來，覺得院子太大，只有我一個人活動實在可惜，於是就把舊的法堂拆除，建了一棟「傳燈樓」，我的法堂開山寮也在這裡。除此之外，傳燈會、書記室、人間佛教研究院等與我有關的單位，共同使用這一棟傳燈樓，有時候佛光山宗委會的宗委們也會在這裡開會。

　　在佛光山，所有的建築都不是我的，只有傳燈樓是我居住的地方。為什麼名為「傳燈」呢？因為我曾講過，雖然我從佛光山住持的職務退位了，可是師父跟徒弟的關係不能退位，因此，在師徒傳承的「傳燈」關係上，

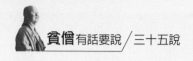

我自是要非常用心的。

　　不過，住的地方雖然是擴大了，貧僧還是習慣以一張沙發就作為床鋪，或許這也是貧僧的習性吧！記得在六十歲生日的時候，徒眾們刻意地為我張羅一張床，但我從來沒有用過；後來到了美國西來寺也同樣為我準備床鋪，但不管什麼樣子，都因太軟睡不習慣，而寧願睡在地上，就可以一覺到天亮了。諸如此類，都是我在「住」方面的經驗談。

　　而現在的行，更是方便了，貧僧有了自己的交通工具。佛光山供應我一部國產車輛，可以坐上七、八個人。事實上，乘坐的人從來沒有少於四個人，無論到哪裡都是滿滿一車。包括慈惠、慈容法師等長老，他們在佛光山身負重要職務，現在也都有自己專用的車輛可以進出，但他們都歡喜來搭我的便車，所以我這部車也就經常超載，還曾經坐到十個人以上。雖然貧僧不願意違法超載，人多也沒有辦法，寧可以受罰，也要滿足弟子們想要同行的願望。

　　關於衣食住行，在貧僧年輕的時候，心中也想過，等到將來有錢，要買什麼衣服、吃什麼東西；真正到了現在，已經有力量能購能買，但已不想在衣食住行上有所計較，隨緣、簡單，就是美好的生活了。

三十六說

我修學讚歎法門

讚歎要講究巧妙，
能讓人回味的讚歎，往往不落俗套，
是有智慧、有內涵的。

我們一生，多少總會給人批評毀謗，也會獲得一些好話讚美；有時候我們也會批評毀謗人，當然也有好話讚歎人，大抵人間就是如此。不過，語言很容易出差錯，一不小心，所謂「言多必失」，所以，修讚歎法門就非常重要。

記得五十年前，壽山佛學院剛開始，只有幾十個學生、幾十位老師，在一個只有八十坪的壽山寺裡，大家教學求學，各安己分，雖然當時我們一無基礎，生活也清苦，但師生和樂融融。一位擔任高雄六十兵工廠附設醫院院長的唐一玄教授，也是知名的佛學家，我請他為學生教授《六祖壇經》和《法華經》。

讚歎法門 就是給人歡喜

唐教授佛教著作甚多，但與我的觀念風格不同，對我一向批判多於讚美。但有一次，他竟然很高興的跟學生講：「你們院長他舉重若輕。」我過去聽過多少人說我勤勞、發心、負責、公平無私，我都不以為意，覺得那是人家的客套話，我不能不承當，但唐老的這一句「舉重若輕」，不覺得也讓我暗暗感到歡喜，我真能舉重若輕嗎？這是給我最大的勉勵。

因而就想到，人都喜歡聽別人讚歎。所謂讚歎法門，就等於現在人說的拍馬屁，但是拍馬屁也很好，哪一個皇帝不喜歡人喊「萬歲萬萬歲」？哪個企業家不喜歡人家稱他王董、李總？這正常的稱呼，正常的讚歎，是人我關係的增上，也沒有不好。不過把它形成老套，就覺

得不夠藝術了。所以，我從唐一玄教授的話裡，覺得我也應該修學讚歎法門，讓別人歡喜。

我記得有則故事，說一個很漂亮的女孩，是個瞎子，有個青年一直追求她，但她不願意，她認為自己眼瞎，不適合婚嫁。經過多年，這位青年的殷勤最後感動了女子，她終於說：「好吧，我願意嫁給你。」青年一聽喜出望外，就拿了一面鏡子給女子，說：「妳看看妳多漂亮啊！」青年以為這是一句讚美的話，想讓女子歡喜，但女子覺得受到污辱，立刻把鏡子朝地下一摜，說：「你知道我是瞎子，卻這樣諷刺我，我不嫁給你了。」這個青年人急忙道歉說：「對不起，對不起，因為在我心目中，我從不覺得妳是瞎子。」這個女瞎子心念一轉，覺得天下人都認為我是瞎子，只有他認為我不瞎，我不嫁他嫁誰呢？所以一句話，這樣說那樣說，就有不同的分別。

當今最高明的禪門教育，所謂「不說破」，即退而求其次，指東說西；再退而求次，以鼓勵代替責備。例如：稱初來佛門，行事冒失的人「初參」，或者說參學已久的老油條是「老皮參」，又或者說人「不知慚愧」、「不知苦惱」，這些話既具有教訓意味，又不失厚道，能令人心生警惕，恰似淨水一般，能滌人習染。而讚歎法門也像「不說破」的禪門教育，它既可以增進人際關係，言外之意有更深一層的內涵。但可惜，現在佛教裡流傳的，無非是：你很發心、你很慈悲、你很莊嚴、你很虔誠、你很肯出功德布施……，我覺得這許多俗套的讚歎，並不會太引起人的歡喜。

誇獎對方 語氣真誠溫馨

比如每當佛光山開信徒會議，我的台灣話雖然不好，但我學習「同事攝」，總會在會議中說兩句不標準的台灣話，給大家歡喜。我的開場白經常是：「各

賴義明、薛雲英伉儷

位『頭家』（老闆），歡迎回山，我們『辛勞』（員工）在此，向頭家們報告。」意思是說，寺院不是我們出家人的，是信徒所護持建設，他們理應成為老闆，我們只是服務效勞的人。我覺得一個出家人能懂得自謙，懂得以弘法利生服務信徒，那必定能有很多成長。

尤其，我覺得讚歎人的時候，不一定要把話說的非常明白。舉例來說，二十幾年前，員林賴義明居士，他把家產送給佛光山做道場，把兒子送來佛光山出家，有一天我偶然看到他，想起過去須達長者布施祇園精舍，讓佛陀說法傳教，我就不禁說：「我們的須達長者來了。」賴居士為人低調，是個本分的人，據說他聽到我這句話，也歡喜了好幾十年。他覺得能與須達長者相比相映，感到與有榮焉。

最近，覺培法師為了尼泊爾震災救難，日夜辛苦，時常半夜兩、三點還在接聽國際電話。於是我想打電話給他慰勞，可是如果我說「你辛苦了，你很發心」，這種話都聽習慣了，我說與不說，差別不大。所以我就講：

左起為柴松林教授、大師、覺培法師

「覺培啊，看起來你就去登記選總統吧，台灣總統應該讓你做了。」他聽了開心大笑，就說：「哎呀！師父，您怎麼這樣講啊！」我認為這就是讚美的藝術，妙不可言。

又例如南京大學的賴永海教授，二十幾年前，就與佛光山合作出版三百萬字的《中國佛教百科叢書》，多年來也一直支持我們人間佛教理念的弘傳，我告訴別人，說賴教授與我們是「一起經過苦難，有革命情感的」，相信這句話如果傳到賴教授耳裡，他必然很有感受，畢竟歲月無情，人間炎涼，有多少人可以同甘共苦呢？我也曾對前江蘇省宗教局的翁振進局長說過：「我們是二十多年所培養的友誼，能算沒有感情嗎？」相信他們都能懂得，我話中的真情。況且人與人之間最珍貴的知交情義，難道不值得稱讚嗎？

讚美藝術　要巧妙有智慧

創辦消費者文教基金會的柴松林教授，數十年來，

與我也是時有往來，他的基金會為消費者主持公道，更在環境保護、殘障教育、公共利益上，貢獻良多。因此我總稱他是「台灣的良心」，一個人能帶動社會的善行風氣，當然值得讚歎。

又例如我曾尊稱高雄縣長余陳月瑛女士，以及現任高雄市長陳菊女士為「媽祖婆」，意喻她們救苦救難，為民服務。世間的人，能與威靈廣大的媽祖媲美，豈不是最大的讚美？就像有人說我是「現代活佛」，我是不是如他所述並不重要，但我不能辜負別人讚歎的好意，的確也讓我更勉勵自己要像佛一樣「行佛所行」、「做佛所做」了。

本山的蕭碧霞師姑已六、七十歲了，雖然身材發福，不似年輕時苗條，但當初我們都勸她選中國小姐，這句話即使經過了五十年，我相信現在還是讓她感到高興，她心裡一定想：「你們要知道，當初我就是那麼漂亮，是有條件選中國小姐的。」

所以，讚歎要講究巧妙，能讓人回味的讚歎，往往不落俗套，是有智慧、有內涵的。比方說，他們這一家是佛化家庭，是慈善之家，我就稱他們是「三好人家」，表示他們家沒有糾紛吵鬧。我寫的一筆字裡，「有您真好」、「有情有義」、「仁心仁德」、「書香之家」、「我是佛」等，具有讚美意涵的文字，歡喜收藏的人最多，為什麼？因為每個人都想將這些稱讚，送給他最感謝的人珍藏。

比方一個慈悲的人，我們也不必說他很慈悲，可以

說「他是我們的觀世音」；這個人很有智慧，我們不必說他聰明靈巧，可以說「他是我們的文殊師利」。我想，懂得佛法的人，聽到這些話，不是很直接的讚歎他，只是做個比喻，大家心中有數，話中讚美的意義能夠到位，我認為，這就是讚美的藝術了。

在我數十年的經驗中，我體會到，讚美別人要適當，不宜信口開河、隨口言說，如果讓人以為你是譏笑他，反而弄巧成拙。好比過去有人說：「你很巧妙，七竅中已通了六竅。」意思是你一竅不通。曾經有人請鄭板橋寫對聯，他就寫「一二三四五六七，忠孝仁愛禮義廉」，意思即無恥。這是罵人諷刺的話，有人認為這是坦誠，其實也不需要如此。如果對方不好，我們可以不必讚美，無言勝過有言。當然，如果對方真有值得讚美的地方，我們可以給予適當的稱讚，因為讚美，就像夏日綻開的花朵，美麗芬芳，讓人心曠神怡，我們何樂而不為呢？

鼓舞他人 適時給予稱讚

我想，讚美別人，最好確定對方值得讚美的條件，而且讓他在這句讚美裡，除了受到肯定，還得到鼓舞增上的動力。

例如有一次，我得知信徒賴維正先生的貿易在歐洲做得非常成功，就寫了「品牌」二字送給他。他最初不知道是什麼意思，甚至還誤會，我是否在評論他有品、無品？為了消除他心中的遺憾，我為他講了一個我偶然在一本小書讀到的故事。

　　有一位先生想開個公司賺錢，他很先進，開了家顧問公司，但掛牌兩個月都沒人上門。有一天有人上門了，因為對方穿著邋遢，他也就沒有很好的口氣問：「你姓什麼？」對方說：「我姓李。」「你要做什麼？」「想發財來請教。」

　　「你做什麼職業的？」「叫化子。」這個老闆一聽，語帶輕視的說：「叫化李，你也要發財啊？」

　　叫化李對於老闆輕蔑的口吻，深不以為然，就回說：「叫化子向人要錢，當然也是希望發財啊！」

　　老闆心想，這是顧問公司的第一筆生意，也就不再計較，便接受了叫化李的請託。於是告訴叫化李：「你到人潮密集的中山公園門口擺個地攤，立個牌寫上『希望仁人君子賜給我生活保暖五毛錢。』假如有人給你一塊，你一定要找他五毛。如果是給兩塊錢，或者更多，你也絕對不可以接受，永遠只能收五毛錢。」

　　叫化李聽了無法接受，就說：「那怎麼行？向人家討錢，當然是越多越好啊！」老闆就說：「那你不能發財，發財都要靠『品牌』。」

　　在老闆一番說示之後，叫化李彎腰辭謝就要離開。老闆見狀，馬上就叫住他，問說：「顧問費呢？」

　　只見叫化李一副理所當然的樣子，說道：「叫化子哪裡有顧問費？等到將來討到錢再給你吧！」老闆想想，他說的也沒錯，事情也就這麼算了。

　　回去後，叫化李依照老闆指示的方法，如法炮製，人家給他一塊，他說等一等，要找五毛。人家覺得奇怪，

就再試一次，給他五塊，他就找四塊五。人家說通通給你，他說不行，我只要五毛。這樣一來，果真遠近好奇，怎麼會有個叫化子只要五毛錢？也就接連不斷地，這個人給五毛錢、那個人給五毛錢，大家都想要來看看這個叫化子的真面目。

不多久，在一個陰雨綿綿的下雨天，叫化李又來到了顧問公司。老闆見他來，就問：「叫化李，你又來做什麼？」「繳顧問費啊！我現在賺錢了。」

老闆心想，這個叫化李還是滿講信用的，果真是有那麼一點「品牌」了。

經過了一、兩年，有一天，老闆朝公園門口經過，只是這回看到的叫化子，已經不是叫化李了。他只有四處尋覓，口中並且還輕聲喊道：「叫化李！叫化李！」

沒想到，蹲坐在那裡的叫化子聽到了，就回答：「你叫我師傅啊！」原來，現在已經換成徒弟在討飯了。

老闆就問：「你師傅呢？」「師傅到百貨公司去開店，他現在已經發財了。但是他說這個地方有品牌，地理位置很好，叫我接替他留在這裡討錢。」

這時，我就告訴賴維正先生說，無論做什麼事業，「品牌」最重要。他聽了之後，滿心歡喜，要我再為他多寫幾張「品牌」，好送給他的朋友。我也一樣歡喜地就答應下來。所以人也好，物也好，字也好，無論什麼，都需要「品牌」；「品牌」之重要，就如稱讚別人，這個人正派、這個人豪爽、這個人公正、這個人有品牌，你只要適當，就叫讚歎法門。

佛陀過去生修行時，曾七日七夜翹足讚歎弗沙佛。（道璞 繪）

成功之人 讚歎語不可少

所以過去諸佛菩薩，幾乎沒有不修讚歎法門的。像本師釋迦牟尼佛和彌勒菩薩，他們同時修道，但佛陀比彌勒菩薩早了九劫成佛，為什麼？因為他多修了一個讚歎法門，如「天上天下無如佛，十方世界亦無比」；或者普賢菩薩「一者禮敬諸佛，二者稱讚如來」；甚至我們早晚課誦都要念到「阿彌陀佛身金色，相好光明無等倫」，讚歎他四十八願度眾生；念到觀世音菩薩，就說「大慈大悲救苦救難廣大靈感觀世音菩薩」；還有「四大菩薩」的悲、智、願、行，不也是對菩薩示現的形象，所給予的稱讚嗎？

想到當初佛陀在教化的時候，他對波斯匿王、頻婆娑羅王等王宮大臣，不亢不卑展現修道者的超然，但多少也要給予一些讚歎，所以稱他們「轉輪聖王」；甚至讓每個弟子都有一種功用，這個弟子說法第一，那個弟子持戒第一，所以「十大弟子」各有專長。佛陀對弟子都要讚歎，何況我們對朋友、信徒，對一些對我們有貢獻的功德主，能不讚歎嗎？

　　所以我曾說，一個人如能想出一百句藝術讚歎的美語，這個人必定成功。而不要只是「你很發心」、「功德無量」的老話。例如：「他禪坐如同佛祖」、「他走路真似行如風」、「他的威儀就像立如松」；我也曾讚歎忠誠護持的信徒是「阿鞞跋致」，意思是我對他們不退轉的精神，很受感動。

　　林肯在競選美國總統前，競選過州議員、參議員、眾議員，通通都失敗落選，那他如何成功當選美國總統？因為一句話。當時他最強的對手是卡特賴特牧師，在一場演講會上，牧師一再宣說上天堂、下地獄的教義，他當眾請問林肯選擇要到哪裡去？林肯坦誠地回答：「我只想進國會、到白宮。」說完，全場聽眾一致鼓掌，深為林肯的雄辯風趣折服，認為這句話真是經典，整個美國一時喧騰，民眾真的把他送進了白宮。

口出妙香　言語適時達意

　　我還記得在宜蘭的時候，有位海軍送了我一台收音機，平常我也沒有收聽的習慣，但不知為何有個半夜，我忽然打開收音機，聽到了甘迺迪被刺的消息。當時距離他死亡的時間只有幾分鐘。我就想到，在報紙看過，他也是憑一句話而當選，那一句話是：「我要帶動美國進入一個新境界。」我剛開始還不認為這句話有多了不起；不過，美國人畢竟是有思想的，他們因為想要開展、創新，所以渴盼新境界的來臨。因為這句話符合美國人的口味，所以他能當選。也是在聽聞他遇刺的那個晚上，

我才進一步去思索「何謂新境界」，也因而更開啟我新佛教運動的實踐。

多年以前，曾經在一篇文章裡，讀到這麼一句話：「語言，要像陽光、花朵、淨水。」當時深深感到十分受用，於是謹記心田，時刻反省。隨著年歲增長，益發覺得其中意味深長。經典裡說「面上無瞋是供養，口裡無瞋出妙香」，或說「良言一句三冬暖，惡語傷人六月寒」，可見得一句話，能恰如其分，適時達意，有多麼關鍵性的重要。

例如，我常讚美人說「你非常從善如流」、「你很與人為善」、「你能夠和而不流」、「你有慈心必有好報」，我總期許自己對人的讚歎，能像陽光一樣，不只要溫暖人心，更在這句話裡，為其應機說法，留下一點禪機、一點勉勵、一點祝福，甚至是一點幽默。讚歎法門，也是我的一瓣心香供養吧。

的確，讚歎需要具備藝術。例如在《禪林寶訓》裡說，被稱作紂王、幽王的人，不會因此感到歡喜，因為他們荒淫無度，殘暴的形象令人不敢苟同。如果被人稱作伯夷、叔齊，反而覺得歡喜，因為他們是為了守衛正道而餓死首陽山，有廉潔道德的形象。或者，我們說這個人有如岳飛、文天祥，必然表示此人有風骨氣節，即使他們是失敗的英雄，但他們為國盡忠，英烈千秋。所以，從這些比喻的話語裡，我們就能看出此人究竟有德或無德了。

至於如何運用智慧，適當的讚歎人，端看此人修行的藝術了。

三十七說

我一生「與病為友」

修道人要帶三分病痛，
才知道發道心。
所以，疾病也是我們修道的增上緣，
不要排除它，與病為友，
才是最好。

貧僧從小說來應該是一個健康寶寶，但眼耳鼻舌身心六根，也好像經常大病、小病不斷。算起來，一生的歲月裡一直都在「與病為友」。

人生，健康是非常重要的，但生病也是很難避免，所謂「英雄只怕病來磨」，再怎樣有錢、擁有多少親人，當疾病降臨到你的身上，你也沒有辦法拒絕。有錢的人，可以醫藥治療，甚至到國外就醫；有些疾病需要物理治療，甚至有些麻煩的疾病也需要心理治療。因為有的人意志不夠堅強，稍微有一點小病就內心恐慌；假如能夠與病搏鬥，從意志上的堅強，到心理上的建設，疾病也會減少。

貧僧自信健康，但是，人有了這一個四大五蘊和合的身體，吃的是五穀雜糧，怎能不生病呢？說來，貧僧有過的毛病，都與上述方式有關，但無論大小病況，可以說都用「時間治療」。因為沒有金錢財力尋找醫師，那時也無健康保險，只得用「時間治療」，逼得自己與病相互尊重，才能彼此稍獲安寧，所以就把它名為「與病為友」了。

兒時疾病 每遇生日即發

幼兒時期的疾病，早已不復記憶，只記得十歲以前，每到七月生日的時候，整個人就會恍惚，不是頭痛，就是昏沉，好像瘟疫降臨到自身一樣，總覺得這一天過得毫無感覺。不過，只要睡它個半天，就沒有事情了。所以，我後來就不太喜歡過生日。說得迷信一點，每到生日這

一天，大概是過去世的子孫在祭拜吧，不然，怎麼會只害病一天，就忽然痊癒了呢？

在記憶裡，出家前，每一年都會有一到二次眼睛紅腫疼痛，大人們也沒有說必須去找醫師治療，在我幼小的年齡，也不懂得有病還可以去醫治。「醫生」、「治療」這兩個名詞對我來說都非常陌生。但也奇怪，每一年的眼疾，只要一個星期，幾乎也不多一天，也不少一天，就自然會好。現在回想起來，這不都是如朋友相聚一樣嗎？當然，好聚好散，也就沒有什麼嚴重的後果了。

貧僧的童年並不嗜好零食，也沒有餘錢買零食，並沒有像一般兒童因為喜歡吃糖而有牙痛的疾病。但出家前後，最常見的毛病就是牙疼，不是這顆牙齒發炎，就是那顆牙齒蛀牙。最初的牙痛也是幾天，不要一個禮拜就好，但到了十五、六歲，因為蛀牙，牙齒有洞，每逢飯食，米粒卡在洞裡，壓迫到神經，疼痛實在難忍。

因為出家的生活非常嚴謹，也不敢告訴別人，總覺得牙齒是很堅硬的東西，怎麼會有洞呢？這實在是一件很丟人的事情。每次吃飯也不敢咀嚼，只有囫圇吞食，以免除疼痛。若再加上舌頭破爛，前後也有好多年，可以說，不與病為友又奈何呢？

十七歲那一年，也懂得舞文弄墨了，我在日記上描述了牙齒疼痛的情況，給一位愛護我的老師看到以後，他就怪我，你怎麼不早一點說明呢？他轉告給我師父志開上人知道，我師父才對我說，你可以到南京治療。我在棲霞山出家，距離南京城還有數十公里，我從來沒有

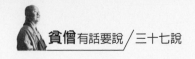

去過，師父就從棲霞山坐火車帶我到南京，找到牙醫為我治療。

這是我第一次聽到牙齒有病可以治療，也是我這一生中，第一次接觸到醫生。當然，牙醫師用石膏填補蛀牙，後來也就沒事了。之後的歲月，難免也有掉牙齒、神經疼痛的情況，如今年近九旬，口中的牙齒，還是有幾顆可以幫助咀嚼飯菜，我不同牙病為友，哪裡到現在還能有這種功能呢？

至於有人說，飯食不經過咀嚼，不容易消化，對腸胃不利，在貧僧一生當中，其它的疾病不斷，但是腸胃從來不曾跟我為難，彼此尊重，倒也沒有犯過什麼毛病。不過，在貧僧的記憶裡，還在大陸的時期，比較嚴重的就屬瘧疾了。

每逢瘧疾來襲，再熱的夏天，一冷起來，就是蓋了幾條棉被，都抵抗不住。時冷時熱，真是苦不堪言。那時候的我，也不懂得如何應付，只有來的時候讓它來，去的時候就讓它去，大概都是十天、半個月，或者二十天，就自己痊癒了。

在我要離開棲霞山前，應該是十七歲那一年，瘧疾發病的情況最為嚴重，持續了一、二個月之久。我當然不懂，也不敢投訴，在那個時代，好像也沒有聽說別人有這種疾病，我沒有醫療常識，不知道病的原因，只好任其自然發展。每天到了一定的時間，寒熱交加，實在難以抗拒，好像死亡就要降臨。

有一天，正在奄奄一息、意識模糊的時候，有一位

和我差不多年齡的沙彌，大概是我師父的侍者，他送來半碗鹹菜，在我的病床前說，這是你的師父叫我送來給你吃的。

那個年代歲月，哪裡有什麼好的飲食？尤其重病的人，那半碗鹹菜，真是比什麼珍饈美味還要有價值。我邊吃邊流淚，在心中發願：師父，您怎麼知道我有病呢？您怎麼送這麼好吃的鹹菜給我呢？我誓願將來一定要做好出家人，弘法利生，報答您慈悲的恩惠。

說也奇怪，那一次嚴重的瘧疾沒有奪走我的生命，後來就不藥而癒了。甚至，以後數十年的歲月中，再也沒有得過瘧疾。尤其到了台灣之後，政府為了杜絕瘧疾，如果有人患了這種嚴重的病，不但為你醫療，還可以去領賞。我真是沒想到，國家社會還有這種好的方法厚待病人。

半碗鹹菜，佛光緣美術館提供。

　　貧僧還有一段深刻的記憶，二十歲要離開焦山的時候，出了一場嚴重的天花，除了頭部以外，全身潰爛。在那個時候，寺院裡很少人看病，就是病死了，就用木板釘個像方型桌子大小的箱子裝起來，送到後山，火化了事。

　　那一次的疾病，因為皮膚長了膿疴瘡，每一次脫衣服，皮肉和衣服都黏在一起，實在痛徹心扉。後來也不記得是哪一位同學，給了我兩顆「消治龍」的藥片，一吃痊癒。大家傳說，那是因為在中日戰爭時期，許多死屍泡在河水裡，使得水源受到污染，不少人喝了這種有毒的水而染病致死。

　　有一天，同學們都吃飯去了，我因為全身潰爛膿血不能走路，就坐在學院裡看守門戶。有一對年輕的夫婦，大概是遊客，見到我便問：「你幾歲了？」我忽然想起當天是我的生日，就回答他說：「我今天二十歲。」確實，那一天正好是我七月的生日，但他大概以為我說的是「我今年二十歲」。那一刻，我也才想到，在古剎叢林度過的人生時光裡，我已經活到二十歲的年齡了。

　　臨離開焦山之時，一位普蓮法師跟我們講授生物學，在課堂上，不知道怎麼提到各種病症，其中有一種叫「疑心病」。他說，很多疾病，本來沒有事，都是自己疑心而增加了致病的原因。他舉例說，像本來沒有肺病的人，因為懷疑自己有了肺病，就真的難以治療了。

　　我回到祖庭後，感到飲食沒有營養，自覺自己害了肺病。從此以後，這個念頭多年持續不斷，每天心中不

時想著：「我有肺病、我有肺病。」甚至，二十三歲到了台灣，也都還念念想著：「我有肺病。」我也曾自我安慰，又沒有人傳染，我又沒有吐血，肺部也不疼痛，哪裡會有肺病呢？但奇怪的是，「我有肺病」這個想法，怎麼樣都不能去除，甚至貧僧覺得這個念頭會加速自己的死亡。

民國三十八年（一九四九），在無可奈何當中，忽然聽到有一個人說，番茄可以治療肺病。我一聽，覺得有救了。它不是很貴的水果，又是盛產時期，於是，我買了一抽屜的番茄。早上也吃，中午也吃，晚上也吃，我在想，吃了這麼多的番茄，肺病應該會好。貧僧到底有沒有肺病也無從得知，不過自此之後，「我有肺病」這個念頭就消失了。

抗拒疾病　勇氣信心可用

貧僧說這段話的意思，就是要告訴大家，我們身體的毛病，當然需要醫生治療，假如沒有那個條件，只要自己有信心，具有抗拒疾病的觀念，有勇氣勝過疾病，信心、耐力、勇敢、無懼、樂觀，也能有醫療的功用。

到了二十八、九歲，也就是一九五五年左右，貧僧為中華佛教文化館擔任環島宣傳影印大藏經的任務，自備了一台重達二十公斤的錄音機。我們一路從宜蘭，經花蓮蘇花公路、台東，到達屏東，沿途都是顛簸的石子路，我唯恐損壞貴重的錄音機，為了保護它，都把它放在我的雙腿上。

　　半個月後，到達屏東東山寺。按照佛門規矩，到了寺院，都要先在佛殿裡銷假禮拜，忽然就在禮佛跪拜的時候，我的兩隻腳疼痛難忍，幾乎站不起來。不過，已經養成堅忍的性格，也不以為意，等到四十天之後，勉強回到宜蘭，就癱瘓在床上不能動彈了。只要稍微一動，我的雙膝，就如針刺般的疼痛。

　　信徒聞訊，好意請了省立醫院的醫師替我檢查。醫生診斷後，大致說明：這是急性的風濕關節炎，會傳染全身，恐怕有死亡之虞，最好把雙腿鋸斷，還可以保住生命，不讓病情擴大。貧僧聽後，也沒有一點恐懼，反而心想，鋸斷雙腿也好，就免得在外奔跑、走路辛苦，從此可以安住在寺中專心讀書、寫作，那也是人生快慰的事。

　　要鋸斷雙腿，必須事先做一些準備，拖延了大概一個月後，感到雙腿的疼痛好像減少了，覺得也不必要鋸斷它。後來又聽信徒說，風濕病需要保暖，不能吹風受涼。從那時候起，一直到現在，無論怎樣炎熱的夏暑，貧僧都穿著厚厚的衛生褲，從未離身。那一次，沒有經過醫生治療，也沒有打針吃藥，後來兩條腿還是很正常的供我使用。我保護了兩個膝蓋，雙膝也沒有為難我，這不就叫與病為友嗎？原來，疾病來臨的時候，你不必太畏懼它，可以把它當作朋友，互相尊重，互相體貼，互相照顧，疾病和身體也會共存共榮的。

　　在佛光山開山後，有一段時間，不時的要去小便，經常感覺肚子餓、口渴，有一個夜晚發病，完全昏迷，徒眾感覺事態嚴重，將我送到高雄阮外科醫院。承蒙院

長阮朝英醫師為我看診，在他仔細檢查後，他說貧僧患了糖尿病。我並沒有糖尿病的常識，後來才知道這叫多渴、多尿、多餓的三多症，也叫消渴症。他又對我說：「你的胃長得跟別人不同，應該說，五百萬人當中，都不容易有和你一樣特殊的腸胃。」貧僧聽了這話，也不覺得有什麼，心想，大概是他安慰病患者的好意吧！

被宣判得了糖尿病後的好幾年，貧僧一直感到體力不支，全身無力，經信徒介紹，和台北榮民總醫院新陳代謝科蔡世澤醫師結上了因緣。蔡主任告訴我可以先吃藥，如果血糖還是升高的話，再施打胰島素治療。就這樣，貧僧每天依照醫師指示，打針吃藥，從此，糖尿病陪伴我一生。靠著蔡醫師給我糖尿病的知識，我對它沒有過分的防備，它也沒有給我過分的威脅，像朋友一樣，互相好意相處，想來，這應該是最長久的朋友了。

當然，因為糖尿病的關係，起居之間，也影響到一些日常作息。醫師交代徒眾要照顧我的身體，並且告誡我要注意飲食，什麼能吃，什麼不能吃，這讓我感到非常的困擾。因為一般都說，患有糖尿病的人不能吃過多的米麵，避免澱粉醣類食物增加血糖的指數；但不吃米麵，食不飽腹，日子實在難過。後來，我也沒有太去忌口，每天照常生活，有飯吃飯，有麵吃麵，隨緣過日子。一直到現在，貧僧血糖的指數，大約都在一、二百之間。

後來的大夫看到這些數據說：「現在你年齡大了，這還不至於有什麼關係。」我在想，過去年輕的時候，也大都是在這一、兩百之間的數值，你怎麼不早點告訴

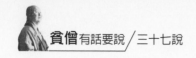

我呢？貧僧覺得糖尿病不是問題，但是要勞動、工作、運動，因為每天運動，消化了醣份，不會造成血糖過高的現象，那就應該不是什麼嚴重的事了。

當然，到了老年，因為糖尿病的關係，又附帶眼耳鼻舌身心都受它的影響，等於朋友交往久了，難免有彼此的意見，忍耐一些，也能相安過去。不過，這又是後話了。

除了糖尿病以外，記得好像在五十歲左右，佛光山的朝山會舘、大雄寶殿，經過十年建設，粗胚已經完成。有一次颱風來襲把樹木吹倒，我爬上屋頂，希望把它扶正，不小心從屋頂跌落到地上。當時不覺得怎麼樣，只是背部疼痛了幾天，也不以為意。

台北榮總主治醫師江志桓（右）、前台北榮民總醫院副院長心臟科權威姜必寧（左）。2003 年

健康檢查 瘀血疑為癌症

後來，政府倡導進入中年的公教人員和民眾，都要做健康檢查。在徒眾們一直催促下，貧僧也去台北榮民總醫院做個體檢。檢查完之後，已接近傍晚下班時間，一位主任醫師認為我的檢查結果有問題，邀約好多位相關的醫療人員來為我診斷。他吞吞吐吐，好似難以啟口，最後問我：「你們出家人畏懼死亡嗎？」

這個問題問得太突兀，我是來檢查身體，為什麼講到死亡這個議題呢？這真是很難回答，但我又不能不回答他。如果我說怕死，他會笑我是一個沒有用的修行人；如果我說完全不怕死，螻蟻尚且貪生，何況是人？那我也太過矯情了。我就回答他說：「死亡不怕，應該疼痛比較可怕。」他聽了以後終於開口：「你的背部有一塊可疑的陰影，應該是不好的東西。如果真是惡性的，生命只有兩、三個月而已。你明天再來重新檢查一下吧。」

貧僧聽了一點也沒掛懷，反而跟他說：「不行，我明天在宜蘭要主持一位比丘尼的告別式。」他說，那就後天好了！我說，後天也不行，因為我在南部高雄開山，已經約了工人要會議。他就怪我：「你的健康也不是不重要啊！」當然，我謝謝他的好意，就說：「那等我從高雄回來之後再說吧。」貧僧確實對自己的色身健康不是那麼樣的重視。

我回到普門寺，時候已晚了，徒眾們等得心急，紛紛問我檢查結果如何。我說，今天做了切片檢查。他們

很訝異，問我什麼是切片檢查？我幽默的跟他們說，就是割一塊肉下來，用刀切成一片一片檢查。他們緊張的問我：割的哪一塊肉？嚴不嚴重？其實，我只是嚇唬他們一下，莞爾一笑而已。

我在高雄完全忘記了檢查這件事情。十多天後，醫師透過台北普門寺打電話追蹤我的行程，好心要我一定前往醫院複檢。貧僧漫不經心，不感到有什麼嚴重性的回到台北榮總，十幾位醫療團隊的醫師已經在等候。那時，貧僧因為寫作、建寺、弘法，已經有了一點名氣，承蒙他們對我特別照顧，做一個徹底檢查。

照過片子之後，他們問我：「你有跌跤過嗎？」我想不起來是否有摔倒的往事。後來醫生說明，你背後的黑斑瘀血嚴重，我才記起那一次從屋頂跌到地上的事。他們一聽，才鬆一口氣說：「啊，那就不要緊了，背上的黑點應該是跌傷的瘀血。」一場癌症的疑慮，也就煙消雲散，好像這個朋友還沒有認識相處，就離開了。

隨著年歲的增長，人生的各種問題，也會不斷的來訪問。記得是在一九九一年八月，佛光山在台北舉辦供僧法會，早上貧僧在浴室沐浴更衣，準備前往參加。忽然房間內的電話響個不停，我跑著去接聽，還沒拿起話筒，響聲就停了，於是我又回到浴室繼續盥洗。這時，電話鈴聲又再響起，貧僧擔心電話那頭的人等急了，趕緊又跑著去接聽，沒想到電話還是沒有接到，因為地上有很多肥皂水，我一不小心整個人滑倒在浴室裡，跌斷了腿骨。徒眾們緊急把我送到台北榮民總醫院，承蒙主

任陳天雄爲我開刀,放進四根鋼釘固定。

　　睡在病床上,我疼痛難忍。到了半夜,見弟子心平法師坐在旁邊的椅子上看顧,我跟他說:「心平,你來睡在床上,把椅子讓給我坐,我睡在這裡非常不舒服。」他不敢違逆我的意思,就睡到床上去,我就坐在椅子上歇息。過了一會兒,他忽然起身說:「師父,不行啊!等會兒護士來打針,把我當成病人,打錯了就不好了。」疼痛,讓我整個人糊里糊塗的,後來如何解決這一段公案,我也不復記憶了。

大腿鋼釘 過海關響不停

　　從那時候起,四根鋼釘就留在貧僧的大腿裡,到今天已經二十多年。每一次出國,進出海關做安全檢查時,我身上沒有任何金屬物品,但儀器總是叫個不停。海關人員在我身上怎麼搜查,就是找不出什麼東西。人來人往,引起不少人注目,尷尬之餘,我只有跟他們說明自己身上有四根鋼釘,難道要我把皮肉剖開來給你們看嗎?他們不容易懂得我的意思,多次以後,乾脆也不說,任他們隨意檢查了。就這樣,這四根鋼釘一直與我和平相處,過了這數十年的歲月。

　　那一次的跌斷腿,讓貧僧嚐到寸步難行的苦頭,躺在病床上時卻發現,可以不用會客,不用開示,就跟閉關一樣,真是悠閒舒服,成爲難得的享受。但同時,貧僧的管理人也增多了,一下子這個人說:「師父,那個不能吃。」一下子那個人說:「師父,你的腳要這麼動。」

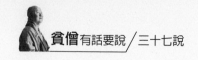

讓我倍感束縛。但看到徒弟們為我擔憂、為我忙碌，不忍心拂逆他們的好意，也只有自己忍耐下來。

所以，一件事情總是有好有壞，有苦有樂，都在自己一念之間，一念善，就上天堂，一念惡，就下地獄，全看我們怎麼去體會。只要看破放下，也就隨喜自在了。

半個月後，有一場在日本東京憲政議事廳舉行的講演行程必須出席，我如實告知主辦單位：「我的腿跌斷了，只能坐輪椅，可能無法前往了。」沒想到，日本《朝日新聞》的名記者吉田實先生以及好幾位國會議員，一再誠懇地表示願意做各種服務，我只有如期赴會。

到了講演會場，竟然發現沒有無障礙空間的設施，最後，由多位日本議員連同輪椅將我一起抬上講台進行講說。貧僧平常少有榮耀的感覺，總覺得自己只是一介僧人，沒有什麼了不起。但在那許多國會議員抬我的時候，忽然興起一個念頭，過去多少年來，中國人都是給日本踩在腳下，現在你們肯得以議員之尊抬一個和尚上台，這也真叫貧僧感覺「難遭難遇」了。

三個月後，我離開了輪椅，反覆練習走路，上下自如，連醫師都嘖嘖稱奇。所以，有病不要緊，只要對症下藥，就能迅速的恢復健康，如果一昧逃避，即使華佗再世，也難以治好啊。

心臟絞痛　為弘法延醫治

要說貧僧這一生最嚴重的疾病，大概就是一九九五年四月時，因為心臟冠狀動脈阻塞，在台北榮總接受了

冠狀動脈繞道手術了。

在那之前，由於一九九二年起，世界各處佛光會陸續成立，我在全球各地奔波弘法，當然糖尿病也沒有離開我，隨著時間，疾病慢慢的腐蝕我的身體，損毀我肉體的結構。一九九四年八月，貧僧在南非弘法，夜裡心臟忽然絞痛，當時，我已明顯感覺到參與這許多活動以及說話，都要花費我許多的氣力，身體的症狀也已經很嚴重的提醒我：需要看醫生了。

我忍著身體的不適回到台灣，台北榮總的江志桓醫師立刻為我作了心導管檢查，確定是主要供應心臟的三條大血管阻塞，一定要我立即準備開刀治療。但是這一年已經排定了許多的行程，我答應歐美的信徒會員前往成立佛光會、主持會議，我不能隨意更動，失信於信眾，因為我的一生是信守承諾、永不退票。

江醫師要我做慎重的考慮，他說：「難道你的身體都不照顧嗎？要開刀的不是別人，更何況你的心臟血管三分之二都阻塞了。」後來，我跟醫師談妥，他們也千叮嚀萬交代，叮囑我哪裡要小心，哪裡要注意，有什麼症狀時，一定要趕快回來。醫師們無奈的妥協，並且護持我完成這一段不輕易更動的行程。結束之後，我又忙於過年，接著又前往菲律賓，出席國際佛光會世界總會第六次理事會。

直到一九九五年四月，貧僧帶著一顆沉重的心臟回到台灣，乖乖的前往台北榮總赴約，在當時的院長彭芳谷、副院長姜必寧的領導下，為我組織了一個醫療小組，

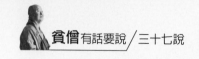

包括江志桓、蔡世澤、陳國瀚等各相關科別的專門醫事
人員，為這一次的心臟開刀進行準備。

當時，姜必寧副院長向我介紹了幾位心臟科的醫師。
他問我：「每一個人都很相當，你要選擇哪一位呢？」我
不常看病，對醫療領域的醫師也不太認識，但我直覺說：
「我選張燕醫師。」在我想，心臟開刀，時間耗費長久，
年輕、體力、醫術敏捷、醫學新知等，都是重要的條件。

在手術之前，他拿了一顆心臟模型，走到我的病榻
前，跟我說：「我叫張燕，是你心臟主刀的醫生，我並
沒有把您當作星雲大師，我只知道您是我的病人，在開
刀前，我必須把心臟的結構、關係、過程，先向您說
明……。」我心想，這麼一位年輕的醫生，說話這麼率直、
嚴肅，不過，我對他很有信心，欣賞他的坦誠、直接。

配合學習 忘了我是病人

手術的日子終於來到，貧僧記得那天早上七點鐘，
一切都已準備就緒，很安心地等待進入手術房。那個時
候，心臟開刀是一件很嚴重的大事，看到站在一旁的徒
眾擔憂緊張的表情，我興高采烈的對他們豎起手來，安
慰他們說：「放心，我一定會凱旋歸來！」這大概也是
緣於我一生，在面臨危險艱難的時候，都有不畏懼的勇
氣吧。

經過八小時，從手術室出來，進入恢復室觀察。等
我醒過來，看到對面的牆上，時辰鐘正指著「六點」，
外面有一些光線，也不知道是清晨還是黃昏。我又閉上

大師與台中榮總心臟血管外科主任張燕。2003 年

眼睛等待，覺得過了很久，又再睜開眼睛看，時鐘指著
「六點五分」。我感覺好像已經過了幾個小時，怎麼只
有五分鐘呢？時鐘成了我與這個世界唯一的聯結物，它
讓我知道，我沒有死亡，自己還活著，因為從時鐘的走
動，表示我的生命還存在。

　　經過第一個夜晚的休養，我的情況恢復的很好，隔
天就送我回到一般的病房。醫生、護士教我要如何小心、
如何復健，不可以摔跤跌倒等等注意事項。到了第二天，
四周無人，一方面也聽從醫生囑咐要有適當的活動，一
方面也感到無聊，於是就下床四處走動，觀察醫院的建
設。後來聽說，看護人員嚇得到處找我，遍尋不著，因
為不知道我到哪裡去了。醫生也很緊張，怪我說，你不
能這麼快就起身走動啊！

　　第三天，感覺自己的身體已經復原，那一天，正是

佛光山叢林學院的「梵音樂舞—禮讚十方佛」要在台北國家劇院演出；我認為，佛教音樂能走入國家殿堂，是一件重大的事情，覺得自己應該前往觀看，鼓舞大家的士氣。但是這個想法不被醫師團隊允許，後來，我說動了替我主刀的張燕醫師，他說他可以陪我前去。就這樣，從院長到醫護人員有十幾人，都跟著我一同去欣賞梵唄演唱，自己也覺得非常得意。

出院以後，貧僧在台北道場設宴感謝這次照顧我的醫護人員，也歡迎有緣人一同前來。原本以為大概二十多人，竟然來了近二百位，忙得廚房裡的人，趕緊增加飯食菜餚，不過，我知道，那一天大家吃得很隆重，從院長、副院長、主任、醫生、護士，甚至他們的家屬，都非常開心。這就是貧僧與病為友的最好記錄吧！

後來，因為張燕醫師說可以運動，我就邀約他一同到加拿大。我告訴他，那裡有洛磯山脈，我久已嚮往想前去一看，邀請你相陪。他一聽也非常高興，可以隨行對我照顧。記得那一次有七、八人同行，大家一同暢遊美西一個星期。不但貧僧與病為友，徒眾們與醫護人員也因病而結成好友了。

這一次的住院，是我在醫院裡住過最久的一次，我像一個剛進學校的學生，對這門心臟學，我是一年級生，努力的學習，每一位醫事人員講的話，衛教的知識，我都很努力配合及學習，幾乎忘了自己是一個病人了。

之後，身體陸陸續續都有一些況狀，幾乎每年都要進出醫院幾次。像一九九八年十月，因為糖尿病血管硬

大師邀請台北榮總院長彭芳谷（右三）及二百位醫護人員於佛光山台北道場素齋談禪。
1995 年

化的併發症，侵蝕了我的心臟，也侵蝕了我的雙腿，讓
我不良於行。在信徒趙元修夫婦的建議下，到了美國休
士頓美以美醫療中心（The Methodist Hospital），由八十
多歲高齡的狄貝克（Dr. Debakey）醫生，為我進行頸動脈
血管阻塞疏通手術。在醫師嚴正囑咐下，手術後一個星
期，我便到澳洲黃金海岸佛光緣中心閉關休養。

　　貧僧想，做一日和尚，撞一日鐘，於是在閉關的時
候，帶著書記們做《佛光教科書》的撰寫編輯。雖然身
體不良於行，還有嘴巴可以宣說佛法，也就一心一意地
指導他們編寫這一套書，希望讓佛教徒有修學佛法的課
本可以研讀。

視力模糊　用心寫一筆字

　　因為糖尿病久了，影響到眼睛視力模糊，右手顫抖，

將近二十年前，就在台北請醫師爲我做眼睛鐳射治療。那時候，老舊的機器替我的兩隻眼睛打了三百多下，不見好轉反而惡化。由於經常往來美國弘法，洛杉磯有一位旅美眼科名醫羅嘉醫師，醫術高明，他也爲我鐳射，打了一、兩百下都沒有聲音。在他悉心治療之下，我維護住了眼睛，戴上眼鏡矯正，勉強還可以看。

一九九九年，七十三歲的我，視力日漸退失，曾經也給國內眼科權威文良彥醫師看診，他告訴我：「在醫界服務二十多年來，從來沒有看過一個糖尿病患者，在接受多次鐳射治療後，還能保有像你這樣的視力。」他這樣的一句話讚歎，貧僧也感到有些安慰。

後來到了美國，因爲眼睛再度出血，在當地，羅嘉醫師又一次爲我診療雙眼，並且進行鐳射止血。他如實的告訴貧僧，生病的眼睛，就像是一件破舊的衣服，破了縫補，只會再壞，並不會變好。他要貧僧對還能用的眼睛，多給予愛護，讓他多休息，讓僅存的功能，維持最好的狀態。

爲了這雙眼睛，承蒙國家宗教局葉小文局長的關心讓我到北京看診，那許多老醫師也給我很多醫療的意見。也承蒙美國邁阿密一位信徒，特地把醫療儀器搬來台灣爲我醫療，他不相信不能爲我醫好眼睛。但是洛杉磯沈仁達醫師告訴我，糖尿病是不會好的，等於頭髮白了，還會變回黑髮嗎？他的這句話，等於宣判了我那一雙因爲糖尿病而引起病變的眼睛死刑。從此以後，貧僧也不太去在乎它了。

後來，由於眼睛退化很快，又加上眼底鈣化，幾年前開始，有人站在前面，貧僧可以知道前面有個人，但是人的五官長什麼樣子，已經看不到了。不能看書，不能看報紙，做什麼好呢？忽然想到，可以寫字。憑著心裡的衡量，一筆到底，不能中斷，因為只要中途停頓，第二筆要下在哪裡就不知道了，所以叫它「一筆字」。這也算是貧僧與病為友另外的一種成長，雖然身體的功能一直在降低，但貧僧也不以為苦，總是在生活中，創造自己的價值，學習做自己的貴人。

除膽斷骨　依然宣講不懈

二〇〇三年三月，貧僧因為膽結石發炎引起劇痛，連夜住進高雄榮民總醫院急診室，因為高血壓一直降不下來，在醫護人員陪同下，又至台北榮總，由雷永耀副院長親自操刀，為我割除膽囊。記得那次，我還在每年

美國眼科醫師羅嘉閣家與大師。2012 年

寫給護法朋友的一封信裡寫下：「……從此，我已是『無膽』之人了，雖然生命去日無多，但在這個複雜的人間，還是『膽小』謹慎為好。」

二○○四年，我這個雞皮鶴髮之軀，視力比起以往更加不及。八月，在美國弘法期間，右眼確定患有白內障，又由羅嘉醫師為我進行水晶體置換手術。

二○○六年四月初，我不慎跌斷三根肋骨，雖然已是耄耋之年，強忍著連呼吸都痛的傷勢，按照既定行程，應邀前去浙江杭州參加首屆的「世界佛教論壇」，並且進行兩個小時的「如何建設和諧社會」講演。

貧僧的堅持，讓身旁的弟子擔心不已，但一想到自己多宣講，可以促進兩岸來往，對未來宗教、文化、種族的和諧共融，能夠略盡棉薄之力，也只有義無反顧的向前去了。因為貧僧自小從戰爭中走過來，知道戰爭的悲慘可怕，兩岸人民同文同種，不可以再有戰爭啊！

同年十月，因為要飛往印度海德拉巴市（Hyderabad）主持皈依典禮，我的主治大夫江志桓醫師不放心，就在他的陪同下，我帶著心律不整，和隨時會有心臟衰竭之虞的色身，前往參加安貝卡博士（Dr. B. R. Ambedkar，1891-1956）五十周年的紀念會，同時主持二十萬人皈依三寶典禮。

二○○七年四月，我又因為一時不小心，造成手腕骨折斷裂。俗話說「傷筋斷骨一百天」，在長庚骨科郭繼揚醫生及復健科吳宜華治療師的協助下，將我的手固定；而那三個月，讓貧僧學習如何使用一隻手生活，也

算是生命中一次獨特的體驗了。也因為貧僧常常頭暈，自然要跌倒，因此跟徒眾們自嘲說，我對跌倒很有經驗，懂得如何跌倒，不會受傷太大，要他們放心。

除了這些大一點的毛病，小毛病也不是沒有，就常有人要介紹什麼醫生、什麼偏方。台灣南部有一位名中醫，每天門診都有大排長龍的病患等候診治，但這位中醫師對貧僧有特別緣分，常要上山來為我治療，我都婉謝。胡秀卿女士是台灣女中醫師公會的理事長，因為她從幼年信佛虔誠，看到我熱心弘揚佛法，主動要做我的隨身護理，但我不覺得有這個需要，所以也拒絕她的好意。

貧僧不會去聽信別人有什麼偏方、辦法，或者什麼特效藥，但確實自己也有一些方法去對治一些毛病，例如：香港腳、痔瘡、暈眩、感冒、止癢等。但在這裡不方便公開，因為個人有個人體質的反應，在這個人適用，在那個人可能就不適合了。光是感冒，就有千百種的病菌引起，哪裡能人人都適用的呢？

疾病臨身　正知正見面對

像有一次，貧僧應邀到基隆做一場講演，因為感冒，咳嗽不停，一位信徒知道了，自稱有特效藥，可以一針見效。我雖然不喜歡打針吃藥，礙於演講在即，也不喜歡拒人於千里之外，就答應他了。哪裡知道，這一針打下去之後，膀子竟然舉不起來了，連脫衣服都困難，只有忍耐，幾乎花了一年的時間，才漸漸好轉。掛念這個信徒會被人責怪，也一直不敢說，至今這個信徒是誰，

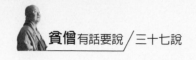

我都不敢告訴別人。

　　後來，一位醫生告訴我，傷風感冒不用吃藥對治，只要多休息、多喝水，就可以痊癒了，坊間一些感冒成藥，只是心理的安慰，實際上沒有多大療效。因此，有人要給我吃什麼祕方、偏方、補藥，我都只有謝謝他們的好意了。在我認為，任何疾病臨身，要先檢查原因，再給醫師治療，唯有正知正見，以正確的方法面對才是最重要的。

　　而對於有些年輕人的觀念，我也很不了解。常常身體有病了，南部不看，一定到北部看，北部不看，非得要到南部看；或者是西醫不看，指定要看中醫；中醫不看，也一定要看密醫。其實，為了健康著想，看醫生還是要慎重一點才好。

　　說起我這一生與病為友的經驗，很感謝早期佛光山大專佛學夏令營的學員，他們當中，有一些人後來在世界各大城市都做了醫師，像美國的沈仁義、李錦興、鄭朝洋，日本的林寧峰等，我在各地弘法、建寺，牙痛、眼睛、皮膚等小毛病，都經過他們悉心為我治療，也沒有什麼大礙。

　　所以，我的「與病為友」的想法，覺得很有用，大病，不會來找我，小病，只要對它稍微關心一點，也不致造成什麼大害，大家相互尊重，就這樣一天一天邁入老年。而多少年來，這許多醫師中，有中醫、有西醫，有信天主教的、有信基督教的，大概為我看過病的人，都成為我的好朋友。

特別是最近三、五年來，貧僧很感謝高雄長庚醫院的陳肇隆院長，他是世界知名的活體換肝專家，有「換肝之父」的美譽，也是過去佛光山大專夏令營的學員。他特地爲我成立了一支十多位專業醫師的醫療團隊。他體貼我的老邁，要醫師就我，我不去就醫師，要儀器就我，不要我去就儀器，免得我舟車勞頓；甚至，他們都用卡車把儀器載到佛光山爲我檢查。承蒙他的慈悲美意，實在讓我感到相當過意不去，有時候覺得比有病的負擔還要沉重。

就像美國信徒趙元修居士，他們一家族都非常誠懇熱心，特別爲我安排到美國明尼蘇達州的梅約醫院作全身檢查，在盛情難卻之下，應允前往。這是一個世界知名的醫療中心，聽說許多國家的領導人、各國的公主、王子都在這裡看病。他們的檢查確實仔細，前後總共十天的診療當中，這裡的和諧、謙讓與親切，讓我深受感動，我寫下了〈梅約醫療中心檢查記〉一文，記錄這裡的所見所聞，並且刊載在《講義》雜誌上。

生死平等 無須恐怖畏懼

儘管如此，看著信徒一家人爲我奔波勞動，不得休息睡覺，聽說還花了幾十萬美金醫療費，讓貧僧感到寧可以病痛，也不要浪費他們的金錢、情意。後來，他們又有好幾次鼓勵我再去檢查，想到貧僧這個老朽之身，實在不值得他們這樣耗費精力，也就婉謝他們的好意，堅持不再去了。

　　二年前，在一次重感冒之後，長庚醫院幾位醫生在佛光山開山寮爲我看診，強迫我一定到醫院做一次核磁共振和超音波的檢查。其實這在過去，已有過多次的經驗，過程也只是受一小時到半小時的折磨而已，沒有感到是好是壞，貧僧也沒有過問結果，就好像這個色身是別人的而不是自己的一樣，對它並不特別關心。因此，像醫生每次檢查後，總要做的一些說明，我聽不懂，也不想要聽，大部分都是由慈惠法師幫我聽，我想，幾十年下來，他應該聽成具備各種醫藥常識的專家了。

　　但這一次，醫生們神情緊張，非得要貧僧去醫院做更精密的檢查。記得那是在一間醫療室裡，十幾名醫護人員圍著我，過程中，一下子這個人要我這樣，一下子那個人要我那樣，一會兒是提手，一會兒是抬腳，這時候翻過來，那時候又轉過去；我心想，橫豎自己也看不到，

早期大專佛學夏令營成員，有的成為醫生，為大師治療。

就聽任他們的安排，統統照做。我知道他們的好意是為了對身體每一個部位做仔細檢查，但在我，忽然感覺到，過去的屠宰場殺豬宰牛，也不過就是這樣吧。

　　我不禁感慨，人生不就是如此嗎？生死存亡一線間，每個人面對老病死生都是平等的，到了最後，什麼功名富貴、權力地位，沒有什麼大不了，也不值得去恐怖畏懼了。

與病為友　生死置之度外

　　因此，貧僧這一生的疾病，可以說也是經常有之；因為不介意，「與病為友」這個想法，讓自己雖有病痛，還不致於如臨大敵，倒也相安無事，過得很順利。如今年近九十，生死早已置之度外，這大概與貧僧從青少年起，就在苦難歲月裡成長，覺得世間也不是怎樣美好、

大師與換肝之父高雄
長庚醫院院長陳肇隆

大師與高雄長庚醫療團隊合影

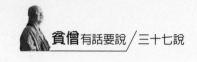

沒有什麼值得留戀有關吧！

　　而在佛教裡，死亡也不是沒有去處，在我們的看法，死亡不是消滅，而是像移民一樣，所謂「往生」，就是從此處移民到彼處；又好像汽車零件，這個零件壞了，換另外一個零件；這個身體壞了，換另外一個身體，這應該都是好事，不必那麼悲傷。

　　但大部分的人認為，生死是人生大事，事實上，在生命過程中，人之生也，何必歡喜？生了不久不是要死嗎？人之死也，何必悲哀？死了不是會再生嗎？所以，生生死死，死死生生，生命是不死的，是一種輪迴，是無窮無盡，看得淡泊，像春天播種，如夏秋生長，似冬天枯亡，這些轉換改變，也是一椿平常的事情而已。好比氣候有春夏秋冬，物質有成住壞空，人生有老病死生，又何必分別計較，那樣看不破呢？

　　因此，佛教講「生老病死」，在我的體會，應該把它改做「老病死生」。因為講「生老病死」，死了好像就沒有了；假如改成「老病死生」，生了以後會死，死了之後還會再生，生了就有希望，就有未來。

　　我非常欣賞一位老太太要過世的情形，國外的兒女子孫都回來圍繞在她的病榻前面，她望望子女說：「我想喝杯酒。」兒孫們為了滿老人家最後的願望，就倒了一杯酒給她喝。

　　喝過酒後，她又說：「我想抽根菸。」一位信仰西方宗教的兒子就說：「媽媽，你患了重病，不宜吃菸。」旁邊的兒女就說：「你不可以這樣講，媽媽歡喜要吃菸

就讓她吃吧！」於是拿支菸給媽媽。

這位老媽媽在喝了酒、吃過菸之後，說了一句「人生真美」，就含笑而去了。到底她是帶著病友而去呢？還是病友陪她同去呢？這就不必深究了。

想到貧僧一生雖與病為友，但沒有罣礙，生病時，也不覺得自己生病，所謂「心無罣礙，無罣礙故，無有恐怖」，就能夠「遠離顛倒夢想」，《般若心經》實在是最好的人生觀。所以，貧僧常說的四句話：「冷不怕，怕風」，這是在大陸過冬的感受；「窮不怕，怕債」，這是貧僧童年的回憶；「鬼不怕，怕人」，這是社會歷練的教訓；「死不怕，怕痛」，應該就是貧僧現在生活最真實的寫照。

至於也有人問貧僧，既是修行人，又號稱「大師」，怎麼也會有這麼多疾病呢？其實，佛陀早就說過，修道人要帶三分病痛，才知道發道心。所以，疾病也是我們修道的增上緣，不要排除它，與病為友，才是最好。用《金剛經》的話來講：佛說有病，即非有病，是名有病。而這《金剛經》的妙義，就需要參詳，才能斷疑生信了。

國際急診管理學會高峰論壇於佛光山佛陀紀念館舉行。2014.12.9

三十八說

我對生死的看法

人的一生，
活的歲數多、歲數少不重要，
重要的是你留下的生命意義。

生命如念珠

死亡，你怕嗎？

同樣的，我再問你：回家，你歡喜嗎？

古人說「視死如歸」，死亡就等於回家，回家是應該歡喜呢？還是可怕呢？這是值得我們去省思和辨別了。

在佛教裡，對於「死亡」的看法，認為人是死不了的，人生是圓形的，生死是循環的，所謂「老病死生」，生了要老，老了要病，病了要死，死了又要再生。等於空間有東西南北，你依循著東西南北轉，轉了一圈之後，還是會再轉回來的。就例如，現在我要向東去，從桃園機場搭機前往紐約，飛行十八小時，就可以到達，如果再繼續飛行，也一樣經過十八個小時，一定又是回到桃園；環球旅行，到最後就是回到原點。

老病生死 重新認識生命

人生了要死，死了要生，這是必然的。只是我們人往往愚痴不懂，當一個人出生的時候，全家大小都是給

予祝賀：「喔！生了兒、生了女，弄璋、弄瓦了！」其實，生了必定要死，死亡並不是等到要死了的時候才知道，從出生的那一刻就知道會死亡。同樣的，死了以後又會再生，既然會再生，人又何必要悲傷呢？所以，對於生死問題的看法，我們要重新估定它在人生裡的價值。

就好像我們的心，有生、住、異、滅。一個念頭生起，還沒能停留，它就變化了、消滅了，緊接著又是另外一個念頭的生起，念念不停。生死也是如此，生生死死、死死生生，是不停的。又例如，季節有春、夏、秋、冬，冬天來了，還怕春天會很遠嗎？物質有成、住、壞、空，有了一個空地，就可以建一棟大樓；大樓壞了，有了空地，又可以再重建啊！地球上，多少人起高樓，也有多少高樓倒塌了又再起，不都能看得出生死、生滅就是這樣一個循環嗎？

我從小出家，經常聽說歷代大師們往生的事蹟，他們有的預知時至，有的自我祭悼，有的先行向各方告假，訴說自己於何時要跟大家別離。也有的以死亡做遊戲，如飛錫禪師倒立而亡、普化禪師遊化四城門後示寂。或許這許多佛門的故事聽得太多，同時，我幼小的時候出生於戰亂，跟死屍可以睡在一起，也曾經目睹陣亡將士們的遍地屍骨，雖不如山，也到處皆是，所以，對於死亡，就沒有那麼樣可怕的想法了。

死亡不可怕，只是死亡的那一個剎那、那一個時刻，死法是值得計較的。死亡的苦樂不同，就像過去的刑法，有的人是千刀萬剮，有的人是五馬分屍，有的人是亂棍

打死，有的人是請君入甕，有的人是砍頭斬腰，非常殘酷。現代的刑法就比較人道，或者吃安眠藥、打麻醉針，再給予一槍斃命，讓死亡不致那麼痛苦，甚至死亡也可以如同睡覺一般的平常。

生生不息 往生猶如移民

人是死不了的，就等於木柴燒火，一根木柴燒完了，又再燒另外一根木柴。一根一根的木柴雖然不同，就好比人生的階段不同，但生命之火是一直燃燒不熄的。又好像我們手上掛的念珠，一顆念珠、二顆念珠……，當你撥數到一○八顆的時候，它又會再回過頭來。生命也是如此，一個階段、一個階段，就像是一顆一顆的念珠；所謂「六道輪迴」，就是這個意義。所以，面對死亡，我們應該要看得很平淡。再說，也有的老人，覺得自己本身的「機械」老朽了，必須要更新，而希望死亡。就像衣服舊了，當然要換新的；房子壞了，當然要重建，人的死亡就如同換衣服，就如同重建房屋，這是不值得什麼大驚小怪的。

人之所以畏懼死亡，就是他不知道死亡以後要到哪裡去；因為沒有目標，所以感到畏懼。假如你知道人死亡了以後，還會再來人間，就不怕了。像我，一再認為我還會再來做和尚，甚至，我也曾經勸天主教單國璽樞機主教說：「來生，你還是去做主教，我也再來做和尚。」因為我們有這樣的目標，就不覺得死亡有什麼可怕。單國璽樞機主教在癌症末期時，還做了一趟「生命告別之

大師應邀出席單國璽樞機主教《生命告別之旅》新書發表會，天下文化創辦人
高希均（右）主持座談會。2008.9.11

旅」，真正表現了一種樂觀的態度。

此外，我覺得人之害怕死亡，除了不知道自己死了
要去那裡以外，還有一個關鍵，就是把這個身體的器官
功能的停止當作是一種死亡，也就是說，有了身體能夠
活動叫做生，身體不能活動、呼吸叫做死。這是一般對
生死的定義。

但是，從佛教的觀點來看，生命是不死的，他只是
以各種不同的形態存在而已。　就像是水，同樣的水，放
到冰箱，可以是冰水、冰塊，加了粉，可以變成是布丁、
粉圓，蒸發到天空，可以是雲層……，水的本質從來沒

有改變過。也就是說，雖然外在流轉的形體不同，但是，生命的本質是不生不滅的，只是因為緣分的關係，到各種空間不同的示現罷了。

總之，死亡就等於現在的移民一樣，從這一個縣城搬遷到那一個縣城，從這一個國家遷移到另外一個國家。當然，你要移民，也要知道自己的資本如何，假如你的資本很多，到了另外一個地方，就可以購買華屋大廈，一樣地享受榮華富貴；假如你的資本不足，移民到另外一個區域，窮愁潦倒也就在所難免。

所以，我們在生死之前，就等於在移民之前，要先作好準備，了解自己未來的資糧豐富、不豐富。假如說，你在死亡的時候沒有目標，或者也沒有資糧，就好像犯了刑法要充軍，究竟要充到什麼地方、會有什麼樣的遭遇，你都不知道，那當然是會感到很可怕的了。

參悟因緣　透徹宇宙萬有

另外，人對死亡會覺得可怕的原因，就是對「生」的不捨，因為他在生的時候，一定有很多的親人、很多熟悉的地方、很多知道的事物，甚至已經擁有了很多的財富。他覺得，這樣一死，什麼都不是我的了，所以就捨不得。其實，人生不會是所謂「一場空」的，在你本性裡面擁有的功德財富，比留在世間上的家業財富更重要，都是你可以帶走的。

也有的人害怕死亡，是擔心死了以後，現生所有的關係都沒有了，到了一個完全生疏的地方，這在佛門裡

叫做「隔陰之迷」。因為換了一個身體，就等於換了一個國家、城市，所有的街道、商店、人事都不同了。但是這也不足悲哀，因為人生就是這樣，這邊去了、那邊來了，你可以重新建立新的因緣、新的關係。

所以，從佛門來看，我們在六道裡輪迴，假如千千萬萬億億年地追算起來，所有世人、一切眾生，誰沒有做過我們的父母兄弟姊妹呢？誰沒有做過我們的妻子兒女呢？如果這樣一想，其實普天下之人，不管你是哪個種族，不管你是哪個國家，不管你是哪個區域，都是有緣人，都是曾經與我有過關係的。所以，佛教講「因緣」、講「緣起」，大家都生存在「緣起」裡面，緣聚則生，緣滅則散，緣起緣滅；這個「緣」的道理，才是生死的關鍵、生死的中心。

也因此，佛教有一個很淺顯的道理，在人間，都叫你要「廣結善緣」。緣結得多了，未來關係就良好；少與人結緣，將來必定到處不便。所以，你信仰宗教、不信仰宗教不是重要，不過，你行善、行惡，你結緣、不結緣，對自己的未來是非常重要的。

其實，世間上的人對自己的過往也有某一些了解。例如，見到某人了，就說：「我們有緣來相會。」可見得他知道有過去的關係。或者說：「我們共結一個來生緣吧！」像夫妻希望來生還能再做夫妻，師徒希望來生還能再做師徒，這就要靠願力了。比方有人說：「我願意移民到歐洲！」、「我願意移民到澳洲！」有時候，願力也能左右人生的趣向。但是在佛教裡，有所謂「信、

願、行」，你有了「願」，能不能如願，後面的行為、行動也是關係重大。

總之一句，宇宙間所謂「真理」，都在一個「因緣」裡面，能參悟「因緣」，就能透徹這個宇宙萬有的種種一切。

往生善處　廣造福結善緣

說到人死了以後，要怎麼做呢？現在的兒女都會為父母、長輩舉行超度法會，為什麼？怕父母墮入到地獄裡受苦，所以要給他們超度。這是錯誤的，是不孝的想法。你為什麼不想你的父母可以升到天堂？可以再生到人間？為什麼你要讓他們墮到地獄裡呢？我覺得，佛教在中國，誦經超度的儀式，固然適應了社會人間的一種訴求，但不一定是合理。

所謂「佛法如舟航」，一個人有了罪業，要沉淪了，能有慈航普度，就不墮落，超度也有這個作用；但是，現在說要念經超度，你如法不如法，你相應不相應，這也是一個問題。

我認為，現在追悼父母、長輩死亡的最好方法，是開辦紀念會，講述他的功德好事；為他造福結緣，做一些或獎學、或救貧的善事，讓他獲得你的善緣祝福。這麼做，就好像你寄款給歐洲、澳洲的親戚朋友，幫助他，可能他就會得到你的助緣。

所以，在佛門裡，紀念亡者不重視形式。例如，慈航法師他死亡的時候，就叫人說：「不必為我放燄口、

不必為我超度，大家就念觀世音菩薩，培養你們各自的因緣吧，我究竟會到哪裡去，我自有我的因緣關係。」

說實在話，在慈航法師的意思是，如果他應該下地獄，你們也救不了他；如果他應該上天堂，你們也不一定是助緣，不能幫忙多少。所謂「各人生死各人了，各人吃飯各人飽」，在佛教講，各人的行業還是要自己負責的。

佛教裡，也有一個測量亡者投生何處的方法。究竟是生到善道呢？生到人間呢？還是生到惡道呢？有一首四句偈這樣說明：「頂望眼生天，人心餓鬼腹，旁生膝蓋離，地獄腳板出。」

至於說人死了做鬼，這是投生到另外的世界，也不是不可能，但不是必然的；投生到驢腹馬胎，也不是不可能，但那也還是業報，可以流轉，並不是說人生的未來就完全沒有了希望。等於牢獄的刑期滿了，出獄後，還是可以過一個正常的人生。不過，人生還是不要犯罪的好，生生世世都做善人、好人、正常的人，那是最重要的啊！

預知時至 生死逍遙自在

前幾年，英國黛安娜王妃逝世十周年，兒子、親友、大眾以唱歌、奏樂來紀念她，那又未嘗不是一個最好的懷念祭悼。所以，我旅行世界各地，看到許多國家的人民，他們對親友的死亡，似乎看得都不是那麼樣嚴重，尤其在生的時候，大家好好相處，死亡了以後，就好好

地告別。不像中國人，在生的時候為了利益鬥爭、為了不同對立，甚至於夫妻之間視如仇人，父母兒女之間嫌隙怨恨，到了死亡的時候，才呼天搶地，哭鬧得天翻地覆，不能自己。兩個極端的表現，就好像戲劇一樣，實在讓人感到人生很虛假。

事實上，你何必等到人死亡的時候再來傷心呢？平常相處，彼此相親相愛一點，不是很好嗎？就算是死亡了，也不必太過悲傷，祝福他，彼此還是會有一個未來的因緣。

在佛教裡，我也親眼看過，多少念佛的人預知時至。例如，台北念佛團的團長李濟華居士，民國五十年左右，在佛堂裡跟大家告別後，就往生去了。香港東蓮覺苑的苑長林楞真，今天跟大家說：「我明天要跟你們告別了。」隔天早上大家一到，看她還在吃早飯，都想：「怎麼可能告別呢？」但是吃過早飯後，她說：「我們大家來念佛吧。」就這樣，她在念佛聲中往生了。我想，死亡能夠這樣的逍遙自在，生死不就都是一樣了嗎？還有什麼可悲哀的呢？

我十歲的時候，不知道父親的死亡；我七十歲的時候，九十五歲的母親在美國去世，我從台灣連夜搭機趕到美國為她處理後事，但沒有感到悲傷，反而覺得母親能夠活到九十五歲，這麼高齡，也是很值得祝賀欣喜的事情。不過，我也自問：是我不孝嗎？怎麼會有這樣的想法呢？還是說，因為我身在佛門裡面，通達了解生死的關係了呢？

佛光山佛陀紀念館玉佛殿西方極樂世界圖

生死無懼　相信因緣果報

　　現在貧僧也老矣，老病死生，不知道什麼時候會降臨到我這裡來？不過，我在過去年輕的時候，最顧忌的，就是怕自己在死亡的時候非常痛苦，讓人家笑話：「一個出家人，怎麼在生死關頭還這麼痛苦、不捨？」因此，我一直在訓練自己，應該怎麼死亡才是最好。

　　現在，我也不知道對自我的磨鍊是到什麼程度了，但是我相信我不計較死亡，只要不痛苦，當它睡覺、安眠就好了；雖然「油盡燈乾」是人生必經之路，我也不至於有很多意外的疑難雜症，沒有恐懼了。至於這個世界上的所有一切，它本來就不是我的，是大家的，所以一切還是歸於大家。

　　不過，說我沒有帶來，也不會帶走，那也不見得。

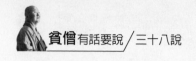

我這一生的各種緣分，你給我的、我給你的，它們不都會隨著我嗎？所以，我有一篇〈真誠的告白〉，那就是我最後要說的話了。

在佛教裡，念佛人嚮往的極樂世界究竟在哪裡？佛教說：「唯心淨土，自性彌陀。」我覺得，念佛的人會再回到人間來，因為人間也有極樂淨土啊！就是參禪的人悟道了，死亡以後，他的聰敏、知識、知見，也會幫助他未來再到人間轉世。這不就是他們今生念佛、參禪所得到的好的結果嗎？所謂「公修公得，婆修婆得」，你要這樣修、要那樣修，必定都有所得。如慈航法師說：「法性本來空寂，因果絲毫不少，自作還是自受，誰也替你不了。」就是這個道理了。

一般人常問：「我的未來要到哪裡去？」我認為多數的人是再回到人間來。但是，同樣是人，也有富貴的、窮苦的、卑賤的不同，就等於一般說的有福、沒有福。換句話說，天堂、地獄都在人間，不過，同樣是人，有的人好像活在天堂裡，也有的人好像活在地獄裡。既然天堂、地獄在人間，所以我說人還是會再來人間的。就等於樹木、花草、豆子在哪裡種下了，它未來就在哪裡生長。

天堂在哪裡？就在人間；地獄在哪裡？也是在人間；常寂光淨土、虛空在哪裡？都是在人間。那麼現在科學家一直在研究一個問題：究竟其他的星球有沒有人？我在想是有的。或者也有人問：其他的星球上有沒有水？有沒有生命？這不用研究，其他世界必定也有同樣的情

況，因為虛空無限，其大無比呀！就好像我們都聽說過的，早在幾百萬年前，就有中國人了。不過，歷史文化要進步很難，從石器時代、銅器時代，慢慢地到了農業時代、工業時代，這是歷經多少時間的周折啊！

生命意義 功德留存人間

話再說來，很多人都在講說「前世今生」，有的沒有根據，道聽塗說，也等於八卦新聞一樣；有的人講「前世今生」，也合乎人生的邏輯，不是完全沒有規律，這就不用去否定它，但也不用去執著它。如果夫妻真的投緣的話，共同發願，是會有來生緣的；如果真的是冤家的話，也必定是要分開，各奔東西的了。

目前還有一個問題尚待研究，古今人事，究竟唐堯虞舜活了多少歲？彭祖真的八百歲嗎？現在也有資料顯示，真有彭祖其人，也真的活到八百歲，但是在那個時代，是以小花甲方法記歲，也就是一年相當於現在的六十天，如果用現在的算法，實際上彭祖是活到一百四十歲左右。這麼一說，唐朝時期的僧人菩提流志一百五十六歲，就更為高壽了。

死亡，古今以來，都是非常神祕的。因為人死亡了以後，不知道會到哪裡去？其實，佛教的〈因果偈〉說：「欲知前世因，今生受者是；欲知未來果，今生作者是。」如果你要知道未來，看看今朝就知道了。

人之一生，過生日要慶祝，結婚要慶賀，死亡也要送葬以示哀榮，甚至於一個人死了，還要做頭七、

二七⋯⋯，七七不夠，還要做百日、做周年等種種紀念。
這就要看你的功德了，你有功德，所謂「立功立德」，
則讓人懷念，如日月長存；你沒有功德，如草木同腐朽，
死亡也顯得不那麼重要了。

　　所以，你想留什麼在人間呢？人的一生，活的歲數
多、歲數少不重要，重要的是你留下的生命意義。

三十九說

我要創造「人生三百歲」

有一則「人生三十歲」的故事，
但貧僧並不相信這樣的傳說，
因為我要把自己活到「人生三百歲」。

有一則「人生三十歲」的故事，但貧僧並不相信這樣的傳說，因為我要把自己活到「人生三百歲」。

「人生三百歲」，你問我哪有可能？彭祖的八百八十歲只是傳說，菩提流志活到一百五十六，那好像是人類最高的年齡吧！但貧僧的「三百歲」，不是指年歲的數字，而是指在人間貢獻的事業、功業，即使人生歲月只有短暫數十年，也要把它擴展到極致，在精神意義上能到達「三百歲」。

先來說「人生三十歲」這個小故事。

美好歲月 三十年是精華

話說有一天，閻羅王在審判人間的孤魂野鬼，善惡因果，他驚堂一拍，喊道：「趙大，你在人間，為人正直，造橋鋪路，守道有德，信仰因果，讓你到人間繼續做人，壽命三十歲。」趙大聽了以後，叩頭謝恩，站在一旁。

閻羅王又再驚堂一拍：「秦二聽著，你過去在世間上，愚昧無明，不明事理，對世間毫無貢獻，現在讓你返回人間做牛，也是壽命三十歲。」秦二一聽，大驚失色，對閻羅王說：「做牛做馬，得拉車犁田，最後還要給人一殺，吃我的肉，剝我的皮，太辛苦了，我不要三十年，給我十五年就好了。」閻羅王說：「還有十五年怎麼辦呢？」做人的趙大立刻跪下，對閻羅王說：「牛的十五年壽命，就給我吧！」閻羅王承認，所以人的壽命從三十歲增加到四十五歲。

閻羅王又再驚堂一拍：「孫三，你過去在人間欺善

怕惡，凶惡無比，不明因果，惡性重大，現在讓你回到人間做狗，壽命三十歲。」做狗的孫三一聽：「閻羅王，做狗只能吃殘羹剩菜，每日替人看守門戶，還要被人吆喝棒打，太苦了，我也只要十五年就夠了！」趙大一跪，說：「閻羅王，狗的十五年壽命也給我吧！」人，於是從四十五歲增加到六十歲了。

閻羅王又再驚堂一拍：「李四，你在人間做人滑頭，欺騙說謊，狡猾多詐，魚肉鄉民，讓你返回人間做猴子，壽命三十歲。」李四一聽大驚：「閻羅王，猴子住在山中，日曬風吹，飢寒交迫，有一餐沒一餐，只能以水果裹腹，還要隨時害怕獵人的弓箭，每日恐怖為生，我只要十五歲就夠了。」趙大又說：「閻羅王，猴子的十五年也給我吧！」就這樣，人可以活到七十五歲了。

現在世間上的牛、馬、狗、猴子等畜生，壽命大概都是十幾歲，牠們的生命都給人爭取走了。因此，閻羅王給人，只有三十歲，可以說人生所有的美好歲月，只有三十年。三十歲以前，幼年父母養育，少年老師教導，不愁吃穿，要什麼有什麼；臨到二十歲，談情說愛，四處遊玩，人生多麼美妙。

行善助人　人生意義價值

但三十歲之後，成家立業、養育兒女，做了家庭兒女的馬牛，這本來就是牛馬的年歲。四十五歲到六十歲，兒女都長大了，出外創業、談情說愛，終日在外流連；回到家裡，老父老母都讓兒女先吃飯，父母就吃他們剩

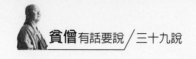

下來的剩飯剩菜；兒女吃過以後揚長而去，在外面吃喝玩樂，到了半夜回來，還要老父老母守門等候他們，這時候就屬於狗的生命了。

六十歲以後，年老了，老病死生不曉得什麼時候到來，就等於猴子每天害怕無常的弓箭射到自己，而這本來就是從猴子得來的壽命。

所以，人生美好的時光只有三十年，三十歲以後，為兒女做馬牛，為兒女看家、守夜，六十歲以後，只怕老病死生的無常，你說人生的意義是什麼嗎？這就是一般社會家庭的情況了。

佛經裡有一則「四歲老翁」的故事頗能發人深省：

有一位白髮蒼蒼，齒牙脫落的老公公，有人問他：「老先生！你今年高壽？」

老先生回答：「四歲。」

對方一臉狐疑地說：「不要開玩笑了，你鬚髮全白，少說也有七、八十來歲了，怎麼會只有四歲呢？」

老先生回答：「唉！說來慚愧，我實際年齡雖然已經八十了，但那只是馬齒徒增而已。我過去的人生是在因循苟且中渾渾噩噩地度過，我真正的人生是從四年前修學佛法開始。這四年來，我才懂得去追求人生的真理，我從行善助人、服務大眾中，體會到人生的意義與價值，所以覺得自己好像才只活了四歲。」

人生究竟是四歲呢？三十歲呢？七十歲呢？都不是標準。最標準的人生，每個人應該都能創造「人生三百歲」。

珍惜時間 工作講究效率

我知道，人生數十寒暑，哪裡有三百歲的可能？但我盡量珍惜生命，沒有假期，沒有年節休息，不但善用人生的時間，並且在工作的時候講究效率。例如，別人建一座寺廟要蓋多少年，辦一所大學，也要花多少的時日，但是我建設了二、三百所寺院，四、五所大學，另外還有中學、小學、幼稚園和其他事業等，我在這許多的好因好緣之下，感覺自己真的像活了三百歲以上了。

回想過去有一位日本企業家松下幸之助先生，就是主張人生要能活到「三百歲」的創始者。他不但身體力行，模範後學，而且積極為日本政經界培養具有奉獻精神的接班人。松下先生的成功，也是從小工、苦難裡慢慢發展起來的，被譽為經營之神的他，有一段經典的話，他說：當員工有一百人時，我必須站在員工前面，帶頭做事，以身教來領導。當員工有一千人時，我必須站在員工中間，指揮協調，分層負責。當員工有一萬人時，我只有站在樓頂上，在員工的後面向他們合掌，感謝他們的勤勞。

實在說，人生數十寒暑，其中的勞苦艱辛，與豬馬牛羊，又有什麼分別呢？因此，為了能度過酸甜苦辣的一生，我們必須超越世間法，超越六道以外的思想，學習聖賢的作為，以智慧、正直、善良、深信因果，盡情發揮生命的潛能，努力在精神事業上過到「三百歲」，甚至能像阿彌陀佛一樣，活出無量壽，散發無量光。試問，你希望活出「三十歲」，抑或「三百歲」的人生呢？

話說回來，現在的人，正常究竟能活到多少歲？在聯合國人口局的統計中，平均日本人八十四點二歲、澳洲人八十二歲、德國人八十點三歲、美國人七十八點六歲、中國人七十五歲。

人生七十 活出精采生命

記得一九五七年，張群先生在六十八歲生日壽宴上，喊出「人生七十才開始」，推翻了「人生七十古來稀」的說法。像日本，有一對著名的雙胞胎姊妹金婆婆、銀婆婆，她們在一○二歲的時候，還到台灣來旅遊；住在我們佛光精舍的李逸塵女士，她是晚清大臣李鴻章的孫女，活了一○六歲；在宜蘭仁愛之家，有一位長輩許蟬

八十三歲的吳修齊居士（中）來山過生日，有心定和尚祝福。

旭活了一一三歲，我去訪問的時候，他還唱歌跳舞給我
們欣賞。世界上哪裡的人壽命最長？據說是新疆。那裡
有一位人瑞即將一百三十歲，被認證是世界第一長壽的
人，而且村莊裡超過一百歲的老人還有很多。

　　過去，統一企業創辦人吳修齊居士每年都在佛光山
過壽，他七十歲的時候，發了一個願心，說：「我如果
能活到八十歲，就把台南一塊土地捐給佛光山。」之後，
他在過八十歲壽誕時，真的把台南藥專旁的一塊農地捐
贈給佛光山，他對我說：「希望可以活到九十歲。」

　　在他說了這一句話後，貧僧深深地為他祝福，希望
佛祖加佑善人，滿其所願，還特地做了一首打油詩祝
賀他：

　　「人生六十稱甲子，

　　　真正歲月七十才開始，

　　　八十還是小弟弟，

　　　九十壽翁多來兮，

　　　百歲人傑不稀奇。

　　　神秀一百零二歲；

　　　佛圖澄大師，還可稱做老大哥；

　　　多聞第一的阿難陀，整整活了一百二十歲；

　　　趙州和虛雲，共活了二百四十歲；

　　　菩提流志一百五十六。

　　　其實人人都是無量壽，

　　　生命馬拉松，

　　　看誰活得久？」

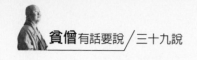

　　後來，吳修齊居士在二〇〇五年，以九十三歲高齡往生，也算是所願成就了。

一期生命 過三百歲人生

　　佛教認為，壽命有階段性，一期一期，就像時辰鐘一樣，從一點走到十二點，再由十二點走到一點，循環不已，會再回來，所謂六道輪迴，生命不死。因此也可以說，人人都是無量壽。

　　實在說，人，何必到了耄耋高齡才在感嘆？為什麼不及早把握人生，珍惜生命呢？尤其，現在的老年人和年輕人都有代溝，主要因為老年人不願與時俱進，思想容易落伍。佛教講的「轉法輪」，就是不斷滾動向前，所謂滾石不生苔。因此，貧僧經常警惕自己：不要做四歲老翁，而應該立志過「三百歲的人生」。

　　況且，人類生命的價值，不是活七十歲、八十歲。像顏回只活了三十歲，他的善德賢名不是流傳千古嗎？僧肇大師也只活了三十一歲，他的一部《肇論》，千百年來不也深深地影響著中國佛教思想嗎？曾經響應辛亥革命，發動反對袁世凱洪憲帝制，讓國家起死回生的護國大將軍蔡松坡，也只活了三十四歲。

　　其實，佛教倡導年輕化，不僅佛陀在三十一歲就已證悟成道、弘法利生，過去很多開悟的禪師也都非常年輕。例如：六祖惠能大師，他二十六歲就悟道了；玄奘大師到西天取經時，也才二十多歲；還有南海普陀山佛頂寺的開山祖師，就是一位沙彌，留下了「沙彌祖師創

位於西安大慈恩寺內的玄奘大師立像及大雁塔

叢林」的美談。因此，中國俗諺說：「有志不在年高，
無志空活百歲。」

　　曾經，有個小孩登基做了皇帝，他在龍椅上哭泣，
可是大臣卻在下面禮拜，喊著：「萬歲、萬歲、萬萬歲。」
事實上，世間哪裡有萬年的王朝？人都希望被稱「萬
歲」，但其實「萬歲」這個名稱，在《戰國策》裡楚王說：
「寡人萬歲千秋之後，誰與樂此矣？」所以人死也叫「萬
歲之後」。

利益群生　壽命久遠無量

　　貧僧認為，壽命有所謂年月的壽命、言論的壽命、
思想的壽命、事業的壽命、文字的壽命、功德的壽命、
道德的壽命。像孔子、孟子、佛陀，就是道德思想的壽

命；像顏回、僧肇、玄奘，就是智慧功德的壽命。因此，我們不要只從時間上、色身上去計較長短，更應該從其他方面去思量久暫，能夠影響深遠，利益群生，才是我們應該重視的壽命。中國古德所說三不朽：立德、立功、立言，不正是無量壽的主張嗎？

回想起來，貧僧二十歲離開佛教學院後，就將自己奉獻給社會大眾，一生都沒有過假期，別說是年假、暑假、寒假，甚至星期假日我比別人還要更加忙碌。從早到晚我沒有休息，不但在教室、講堂、體育館裡弘法利生，在走路的時候、在下課的空檔，甚至在汽車、火車、高鐵、飛機上，我都在辦公、閱稿、讀書。每一天，我都在分秒必爭、精打細算中度過。貧僧曾經自許，如果一天能做五個人的工作，到了八十歲，就有六十年的壽命為人服務，六十乘以五，就是三百歲了。如今貧僧即將九十歲，可以說，七十年來，我孜孜不倦，努力不懈地實現「人生三百歲」的理想，因為三百歲不是等待來的，不是投機取巧來的，是靠自己辛勤創造出來的。

拿寫文章來說，別人一天寫一、兩千字，我從小就訓練自己每天能寫一、兩萬字；除了陪客人吃飯，我吃飯通常只要五分鐘，最多十分鐘，為什麼？為了爭取時間做事。比方看報紙，有人看一份報紙需要一、兩個小時，我可能三、五分鐘就看完了。又比方看書，有人一本書看了幾個月，我可能一天看完幾本書。像最近（二〇一五年四月）鑑真圖書館、大覺寺舉辦「素食博覽會」，他們的籌備工作一個月前就開始，常常幾十人開會、商

量、討論；若是我，可能只要兩、三個人，就能在兩、三天內把計劃完成。貧僧主張：做事要化繁為簡，實在不需要浪費時間。

唐伯虎有一首打油詩，形容人生的短暫，道盡了古往今來許多人心中的遺憾：

「人生七十古稀，我年七十為奇，

前十年幼小，後十年衰老；

中間只有五十年，一半又在夜裡過了。

算來只有二十五年在世，

受盡多少奔波煩惱。」

生命不朽 分秒爭取善用

看起來，屬於我們能運用的人生，實在有限。然而，如果你了解生命的意義，就能從另一個層面展現生命不朽的價值。就像尼拘陀樹，即使只有一粒種子，也能夠繁衍出無限生機。真正懂得生命的人，是不會受時間限制，不會受空間阻礙的。

貧僧的「人生三百歲」，主要希望勉勵人：能夠勤勞、愛惜時間，不要敷衍拖延，消磨時光。我覺得韶光易逝，歲月荏苒，「等待」是生命的殺手。即使是掃地、洗碗、抹桌子，你若慢慢做，也是浪費生命。記得以前我掃地、抹桌的時候，由於灰塵天天有，為了清除灰塵，每天花去我不少時間，於是我就盤算如何快速清理桌上的灰塵？因而就想出，只要先用雞毛撢子拍掉灰塵，等兩、三天，集中一次灑水、抹桌、掃地、拖地，那麼地上的灰塵也

就沒有了，不但節省時間，也能達到清潔的效用。

　　比方看書，我大概不會從第一頁開始，通常都從最後一頁，為什麼呢？因為我先知道結局，就能掌握住主題，也就能順暢快速的讀完它，甚至跳過幾頁也不要緊。就如同看藏經，可以看得懂的先看，不一定從前面看，也可以從後面看。

　　記得在棲霞山讀書時，給我最強烈的訓練，就是六、七年的行堂工作。當時棲霞山有四、五百人，吃飯時，各堂口都是一家家自己拿了去，但我們學院、禪堂、念佛堂一定要過堂，我記得經常都有一百五十人左右。午齋是十二點鐘，負責的糾察師不准我們十一點半進去，只容許在四十五分進齋堂擺碗筷，由於只有四個人行堂，這十五分鐘就必須講求速度，否則來不及。我們其中一個人負責打叫香，由於寺院大，要滿山到處去打，通知大家吃飯了；另一個人，要挑水、擦桌子、擺碗筷；最後兩個人去大寮挑飯、打菜。總之，我們四個人分工合作，非得動作快速不可。像現在本山的行堂，不但提早三、四十分進齋堂，還有幾十個人手，大家耗在那裡，你看我我看你，實在是浪費生命。

　　而我通常在大家念〈供養咒〉時，就把我的一份擺好在行堂的位置，〈供養咒〉唱完，飯菜稍微涼了，我就跟大眾一起吃飯。往往我吃完了飯，別人才開始推出碗來，所以那時我就起身，一路為大家添飯菜。印象中，有的糾察師不准我們在結齋前收拾碗筷、洗碗打掃；若遇到准許的糾察，我經常性的紀錄就是，〈結齋偈〉唱完，

我飯也吃了，桌椅也擦了，碗也洗好了，可以跟隨隊伍一起離開。我爭取時間，就是到這種程度。

掌握時間　精準用心琢磨

　　有一位成功大學的總務長閻路教授，是一位研究自然科學的專家，壽山佛學院就邀請他來上課。他每堂課的教材都是一張表解，從上課鐘一響，他就開始在黑板上畫圖表解，一直到下課鐘響，剛好一面黑板寫完一個講題，功力之深，令人歎服。

　　我於是請教他，何以能此？他告訴我，原本他也不具備大學教授的資格，因為他二十六歲時就做了工礦公司的正工程師，那個時候，教育部的法規認定，正工程師與學校的正教授是同等資歷。有一次，大學請他去講課，他花了好幾個小時準備教材，沒想到，上台二十分鐘就講完了，他急得滿身大汗，不知如何是好，所以覺得應該苦練。

　　於是他買了一面鏡子，依著鏡子觀察自己的表情、姿態，計算每一分鐘講了多少字，五十分鐘的時間又能講述多少道理，他就這樣苦練了兩年，終於練成。他的教學就是利用表解分層，一堂課就是一張表解，從開頭到最後，以五十分鐘為一課，包括：力學、電池學、專科化學等等，內容非常充實，十分獲得學生的喜愛，可說是當時的名教授。實在說，這種神乎其技的教法，在於閻教授對時間的精準運用，一個懂得掌握時間的老師，豈能不成功呢？

　　曾經有一位日本官員，請教澤庵禪師如何處理時間，他說：「我這個官職實在乏味，天天都得接受恭維，而且那些恭維的話千篇一律，我聽得實在無聊，簡直有度日如年的感覺。請問禪師，我該怎麼度過這些時間呢？」

　　澤庵禪師只送給他兩句話：「此日不復，寸陰尺寶。」

超越極限　發揮人生光華

　　的確，懂得運用時間的人，他的時間是心靈的時間，因為能夠縱心自由，達古通今；不懂得運用時間的人，他的生命可能渾渾噩噩，渺小而有限。

　　人生，就是與時間在賽跑。奧林匹克為了讓人發揮潛能，所以舉辦各項跳高、跳遠、賽跑的體能競賽，目的就是要讓人更快、更高、更遠、更好。舉目望去，我們整個世界，就是一個展現生命力的舞台。即使是一莖小草，為了長養生命，它也懂得奮力從石縫裡冒出來，接受雨水的洗禮、陽光的照耀；即使是一棵寄生的樹藤，為了延續生命，它也努力往牆頭攀爬，迎風搖曳。因此我認為，懂得及時努力的人，當下就擁有了「三百歲的人生」。

　　貧僧八十歲的時候，就已經是三百歲了；現在年近九十，應該超過三百歲的目標了。但是我還是要努力，所謂「做一日和尚，撞一日鐘」，勉勵自己像阿彌陀佛一樣，過一個超越時空的人生。

四十說

眞誠的告白—我最後的囑咐

時時以眾為我，以教為命，
在佛道上安身立命。
將此身心奉給佛教，
做一個隨緣的人生。

在貧僧出家七十多年中，經常討論到生死的問題。生了要死，死了要生，等於季節有「春夏秋冬」的循環，物質有「成住壞空」的還滅，人生當然有「老病死生」的輪迴。

對於死亡，我從小就有一個不在乎的想法，數十年的人生歲月，在死亡的邊緣來回也走過多次，如：槍林彈雨中流亡、監獄的蒙難、心臟的開刀，四、五十年的糖尿病，兩次中風，骨頭跌斷，抽筋剝皮……，這許多苦難，貧僧都不計較。

中國有一句話說：「人生七十古來稀」，我在六、七十歲的時候，身體還很健壯，就想，活到八十歲就好了。哪裡知道，又這樣繼續的活下來，當然人生總是生命有階段性，我在八十五歲的時候，就預立遺囑，但只是給佛光山的弟子知道我一些想法。

這篇遺囑我把它定名為〈真誠的告白〉，曾經對徒眾講說過一次，現在拿出來，又叫人念給我聽一遍，就作為〈貧僧有話要說〉的一個總結吧！

下面就是〈真誠的告白〉全文：

真誠的告白──我最後的囑咐

各位護法信徒、各位朋友、各位徒眾弟子們：

在這裡要向各位做個真誠的告白。

我一生，人家都以為我很有錢，事實上我以貧窮為職志。我童年家貧如洗，但我不感到我是貧苦的孩子，我心中覺得富有。到了老年，人家以為我很富有，擁有多少學校、文化、出版、基金會，但我卻覺得自己空無一物，因為那都是十方大眾的，不是我的。在世界上，我雖然建設了多少寺院，但我不想為自己建一房一舍，為自己添一桌一椅，我上無片瓦，下無寸土，佛教僧伽物品都是十方共有，哪裡有個人的呢？但在我的內心可又覺得世界都是我的。

我一生，不曾使用辦公桌，也沒有自己的櫥櫃，雖然徒眾用心幫我設置，但我從來沒有用過。我一生，沒有上過幾次街，買過東西；一生沒有存款，我的所有一切都是大眾的、都是佛光山的，一切都歸於社會，所有徒眾也應該學習「將此身心奉給佛教」，做一個隨緣的人生。

我一生，人家都以為我聚眾有方，事實上我的內心非常孤寂，我沒有最喜歡的人，也沒有最厭惡的人。別人認為我有多少弟子、信徒，但我沒有把他們認為是我的，都是道友，我只希望大家在佛教裡各有所歸。

我沒有什麼個人物質上的分配，說哪一塊錢分給你們，哪一塊房舍土地分給你們，也沒有哪一個人拿什麼

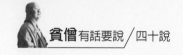

紀念品。你要,那麼多的書,隨便在哪裡都可以取得一本做爲紀念;你不要,我有什麼良言好話也沒有用。我只有人間佛教供你們學習,只有道場供你們護持。

我對大家也沒有何好、何壞,在常住都有制度,升級都有一定的標準,但世間法上總難以平衡,升級的依據:事業、學業、道業、功業,這裡面大小、高低、有無,看的標準各有不同,都與福德因緣有關。所以大家升級與否,不是我個人所能左右,這是我對所有的徒眾深深抱歉,我不能爲你們仗義直言,做到圓滿。不過,你們也應該學習受委屈,宗務委員會決議你們的功績升降,出家道行,自有佛法評量,不在世法上來論長道短。

今後,我所掛念的是徒眾的調職,佛光山它不是政府,但是單位多,又有調職制度,傳燈會竭盡所能安排適能適任,對於個人所長、想法縱有所差,大家都要忍耐。世間難以論平等,我們要把它創造成和平、美滿的人生,但也要看在哪個角度來論平等。未來如有不同意見,大家要依循《佛光山徒眾手冊》,可以更改,但要經過大眾的同意。

我一生,人家都以爲我創業艱難,事實上我覺得非常簡易;因爲集體創作,我只是眾中之一,做時全力以赴,結果自然隨緣。許多人以爲我善於管理,事實上我只是懂得「無爲而治」。感謝大家互助合作,除了戒律與法制之外,我們都沒有權力去管理別人。對於世間的一切,來了,並沒有覺得歡喜,去了,也沒有覺得可惜。總想,人生應該任性逍遙,隨緣自在,能夠與道相應、與法相

契，就是最富有的人生。

我一生，服膺於「給」的哲學，總是給人讚歎、給人滿願；我立下佛光人工作信條：給人信心，給人歡喜，給人希望，給人方便。因為我深知結緣的重要，心裡只想到處結緣、到處散播佛法種子。我立志興辦各種教育，因為從小我沒有進過正規的學校讀書，明白教育才能提升自我，改變氣質。我也發心著書立說，因為從佛陀那裡一脈相承的法水流長，我不能不把心裡的泉源用來供應世間。

我這一生奉行「以退為進，以眾為我，以無為有，以空為樂」的人生觀，凡我出家弟子，都應本諸出離心，以出世的思想做入世的事業，生活要求簡樸，不要積聚。過去三衣一具、頭陀十八物、衣單兩斤半，這許多優良傳統，都合乎戒律，都應該深思熟記。佛光弟子不私自募緣，不私自請託，不私置產業，不私造飲食，不私收徒眾，不私蓄金錢，不私建道場，不私交信者，大家都能這樣做到，佛光山的法脈會更加光耀永遠。所謂「光榮歸於佛陀，成就歸於大眾，利益歸於社會，功德歸於信徒」，大家應該好好奉行。

須知「佛道遍滿虛空，真理充塞法界」，法界一切都是我的，但形相上的無常，一切都不是我的，不要對世俗有太多留戀。人間佛教雖然不捨世間，但是「猶如木人看花鳥」，不要太多留意、太多分別。時時以眾為我，以教為命，在佛道上安身立命。

凡我徒眾，擁有佛法就好，金錢、物質，盡量與人

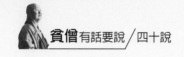

結緣，因為那是人間共有的財富。對於財務經濟，點滴歸公，我們每個人一切都是常住供應，不需紛爭，不要占有，只要大家正信辦道，生活應該不足掛慮。也希望徒眾不要為世間這種衣食住行太多的分心罣礙，此實不足道也。

我希望常住淨財要用於十方，不要保留，這才是佛光山未來的平安之道。除了道糧需要以外，如果還有淨財，一律都布施文化、教育、慈善。佛光山取之十方、施之十方，我們要濟助急難，關心鰥寡孤獨，或隨緣做些施捨予貧困民眾。因為災難、貧苦是人間的不幸，急難救助，這是理所當然要給予一些助緣。

佛光山、佛陀紀念館等土地以及所有的別分院道場，都不是國有的，也不是租借的，都是常住陸續以淨資購買。所有一切全為佛光山常住所有，沒有與人合股共業，沒有牽連，也沒有借貸，常住開山以來，從未向外借貸。

對於那許多別分院道場都要好好輔導、整修，給予信徒方便。如果實在不能維持，得到宗委會和信徒的同意，把它結束，淨財集中到教育、文化、公益基金，私人不可分配。和佛教界、道友都不共金錢來往，要有來往就是布施，沒有償還，不可借貸，免除日後紛爭。

我這一生信仰佛陀，以佛陀為我的導師，為我的道路。未來，大家在佛道的修學上，佛陀、十大弟子都是我們的榜樣，佛教的宗門祖師都是我們的模範。在佛法的弘傳上，世界各地的道場，要儘量給予本土化，請當地徒眾住持；我對人間佛教的所有言教，都要能傳達到

家家戶戶，為人所接受。

我一生，以弘揚人間佛教為職志，佛說的、人要的、淨化的、善美的，凡有助於增進幸福人生的教法，都是人間佛教。苦，要視為我們增上緣的力量；無常，不是定型的，可以改變我們未來的一切，促進人生的美好；空，不是沒有，空是建設有的，要空了才有，我一生一無所有，不是真空生妙有嗎？

我堅信人間佛教必然是未來人類世界的一道光明；說好話是真，做好事是善，存好心是美，讓三好運動的真善美要在社會裡生根。智就是般若，仁就是慈悲，勇就是菩提，要努力做到，讓戒定慧在我們的心裡成長，以實踐菩薩道做為我們人間的修行。

人間佛教的本源發自於佛陀，現在已經成為普遍的氣候；所以佛光山、佛光會的發展，必定會成為佛教界一個正派的團體。但世間的人事各有所執，自古以來，在印度就有上座部、大眾部，傳到中國有八大宗派，在教義上實踐理念各有不同，無可厚非，但如果在人我是非上較量，那完全不能契合佛心。

假如你們有心，為團結佛光僧信四眾，可以效法過去古德聖賢成立一個宗派；但所謂創宗立派，則是看後代行人的作為，如果後來的人對佛教有所貢獻，又眾望所歸，有個當代佛教的宗派來為佛教撐持，做擎天一柱，這也未嘗不可。

對人間佛教弘法事業方法有所不滿意的，所謂「我執已除，法執難改」，要另立門戶，我們也要有雅量接

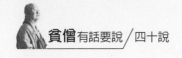

受這種佛光的分燈法脈。只要對宗門沒有傷害，不要給予排擠，還是要給予包容。

我們的理念不在於自我的成就，是在於佛法能夠傳承，不分男女老少。在「佛光大道」上，僧信四眾現在已有規模，佛光山的僧眾比丘、比丘尼要擔綱，佛光會的優婆塞、優婆夷也要出一些人才，有所發揮，彼此不容分散力量，凝聚共識，讓大家有團聚的向心力，使佛光會日日增上，俾使佛光普照、法水長流。對於佛光會會員在社會上合乎八正道精神意義的事業，都要鼓勵，大家相互幫助發展。

佛光會永遠為佛光山教團所屬，僧信和諧，不爭彼此，不必對立，等於空有是一體兩面。佛光山已經推行民主的制度，今後佛光山和佛光會的領導人，都按照常住的循序，不要有所爭論，要以大眾意見為歸。

我倡導「平等」，深信男女、貧富都在平等之中，不可以有所歧視。眾生皆有佛性，情與無情，都能同圓種智，所以我從「人權的尊重」到「生權的提倡」，希望徹底落實「眾生平等」的精神。大家對山上的老樹、小花，要多多愛護，山下的村民、百姓，應該給予關懷；育幼院的兒童要多多鼓勵，精舍安養的老人要時常慰問，對開山的諸長老要給予尊重。

我對兩岸視如一家，我對世界都如兄弟姐妹，我希望把美好的因緣留給人間，把佛法的情誼留給信者，把信心的種子留給自己，把無上的榮耀留給佛教大眾。但願普世大眾，都能信仰因緣果報，希望每位仁者，都能

奉行慈悲喜捨，把一切的心意留在人間。

人間佛教的事業：如辦大學、電台、報紙、編輯出版、雲水書車、養老育幼等，凡有利於社會公共事業的，都應該交由教團擔當，給予支持，不可間斷；滴水坊要把「滴水之恩」做得更加美好，對於佛光祖庭宜興大覺寺，有緣分，要常去禮拜。我對社會的文教、公益數數尊重，所以有一個公益信託教育基金，現在已有十餘億元，除了少數由信眾發心捐贈，全由過去的稿費和一筆字所得。今後，山上的長老可以護持，也希望佛教人士或熱心公益者的遺產都可以參與進來，讓公益基金壯大，更能造福全民，成為國家社會的一股清流。

像真善美傳播貢獻獎、三好校園獎、全球華文文學星雲獎、星雲教育獎等，其他再有項目，只要經濟許可，將來都可以設立。我們對於社會總要增加養分，這是每一個佛教徒不可以推卻的責任。

在教育上，開支最浩繁的，就是常住辦的幾所大學、中學等；若有緣分，無條件的贈予有緣人管理，不可買賣；如果賣學校，對那些募款辦學的人怎麼交代？這對佛光山的名譽不好，會給人批評。對於協助佛光山文化教育發展的社團，如有興辦，應該量力補助，以使其有心人更加團結。如有良言建議，甚至批評，只要是善意的，也不要排拒，要以「聞過則喜」的雅量接受，我們總要接受大家的意見，他人才會更加擁護。

我時常看到園藝組的徒眾們在那裡除草修花，看到環保組的同道們在那裡做資源回收分類，看到工程組的

修繕、都監院的服務、大寮裡的典座，以及殿堂裡的香燈、殿主等，那種投入，任勞任怨，實在是山上成功的動力，我只有感動、感激。沒有大家的發心，何能有今日的佛光山？今後，對於客堂的接待，對於信徒的招呼，對於義工的參與，都要有種種教育訓練，以使我們的教團更增臻完美。

所以，集體創作的精神，要永遠的、無怨無悔的堅持下去，這是我一生的志願。因為誰都不能單獨存在，大家要互助互敬、共存共榮，那才是懂得佛法的核心精神，寧可以個人犧牲、忍耐，不要讓常住和大眾受到損失。

我的鄉親前輩唐朝鑑真大師，經過多少磨難到達日本弘法傳播文化，在七十五高齡，自知歸鄉無望，他寫下遺偈：「山川異域，日月同天，寄諸佛子，共結來緣。」在人生的生命之流裡，如同大江東去，終會有再回來的一日，人的生命一期圓滿，還會有另一期生命的開始。

人類不能獨居於世間，生活需要士農工商的供應，生存需要地水火風的助緣；大自然裡，日月星辰、山河大地，都是我們的生命，大家要愛惜我們所居住的地球，要幫助地球上的一切眾生，因為他們都是曾經給我、助我的人，對我們都有恩惠。我們大家都生活在因緣裡，要彼此相依相助。

我們每一個人都是「生沒有帶來，死也沒有帶去」，回顧自己這一生，我不知道曾為人間帶來什麼？但我帶走了人間多少的歡喜、多少的善緣。我難以忘記多少信徒對我的喜捨、對我的護持、多少同門的祝福，我也難

以忘記刻骨銘心的助緣。我這一生所受到的佛恩、友誼，真是無比浩蕩，我應該在人間活得很有價值。我願生生世世為佛陀奉獻，為大眾服務，以此上報四重恩。

現在，我雖然快要帶走了你們對我的尊重，帶走了你們給我的緣分，帶走了你們對我的關懷，帶走了你們與我的情誼，未來我會加倍補償你們。我一生所發表過的言論，如：「集體創作、制度領導、非佛不作、唯法所依」，又如傳法說偈：「佛光菩提種，遍灑五大洲，開花結果時，光照寰宇周。」希望大家都能謹記、實踐。所謂「有佛法就有辦法」，凡我信者，要實踐慈悲、喜捨、結緣、報恩、和諧、正派、服務、正常、誠信、忍耐、公平、正義、發心、行佛……，這些都是佛法，能夠實踐，你就會有辦法。

我一生雖然遭逢大時代的種種考驗，但我感到人生非常幸福，我享受苦難、貧窮、奮鬥、空無；我體會「四大皆有」，我感覺人生「花開四季」，佛陀、信徒給我的太多了。雖然出家，注定要犧牲享受，但其實吾人也享受了犧牲的妙樂，我覺得在佛法裡的禪悅法喜，就已享受不盡了。

對於人生的最後，我沒有舍利子，各種繁文縟節一概全免，只要寫上簡單幾個字，或是有心對我懷念者，可以唱誦「人間音緣」的佛曲。如果大家心中有人間佛教，時時奉行人間佛教，我想，這就是對我最好的懷念，也是我所衷心期盼。

最後我所掛念的，除了信眾的幸福安樂，要重視世

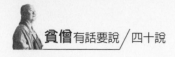

界各地辦的大學，這也是我們的根本；山上的大眾，尤其叢林學院的師生，他們未來都是佛光山菩提種子，要他們健全、發心，人間佛教才能長久與天地同在，與大眾共存。

　　法幢不容傾倒，慧燈不可熄滅，期願大家未來都能在人間佛教的大道上繼續精進，大家相互勉勵，共同為教珍重。

　　我最後要說的是：

　　心懷度眾慈悲願，身似法海不繫舟；

　　問我一生何所求，平安幸福照五洲。

星雲 於佛光山開山寮

（本文於 2013 年完稿）

附　錄

無聲息的歌唱

一、序曲

假若你是詩人，
　　該曉得心靈的波浪；
　　正是那無聲息的歌唱。

不要渲染它，
因為時序輪轉：
——冬天過去必是燕來的時候，
——炎暑去後自是肅殺的秋天。
像你一樣：
　　雖是屠夫，終有省醒的一天，
　　雖是勁風凍結了冰床，
　　說不定春風再吹；
　　在你的心靈中也會激出
一股波浪
——縈繫了那無聲息的歌唱。

放下酒杯的朋友，
來在這裡，眼睛不要發亮，
去聽這心波中的歌唱。

二、歌唱

大鐘

當晶淚滴在心房，
　　　　由心底或可擊出一聲
共鳴的聲響，
噹！睡熟了嗎？
那些夢囈中的「山牆」。

木魚

「山牆」爬著牽牛花，
學著麥克風前的女郎，
唱著：「哥哥的嫁妝！」
誰還知道：
苦行頭陀手敲那山雷——不響。

大磬

不響原是山雷，
歷代的盛衰興亡都已遍嘗；
忍耐度著時光
幻想著光明就在明天！

籤筒
「明天」為人帶來了希望，
有了希望才將生命添加了力量，
有了力量才怕「利」「欲」
化為無望，
——所以，「聰明」人，
才讓竹籤去愚弄。

香爐
愚弄風水的人笑向風水招手，
「看！
這縷縷清煙，
它飄著一股香！」

蒲團
香氣下沉，
薰醒了蒲團的煙塵上揚，
卻薰不青
——紅身披上七道磚牆。

燭台
磚牆被老鼠短舌，
　舐穿了圓眼，
　　送進來一絲暖風，
　　吹得弱光在抖飄。

牌位
抖飄著風，
抖飄著雨，
抖飄著青煙，
只有我呀！
將身子挺得若殭。

戒牒
「殭挺」比不了「禁錮」，
「禁錮」之門也有不鏽之鑰！
詩人再打個「抽象的譬喻」，
讓你去捉摸此天何方？

文疏
何方來？
何方去？
其實呵！
只有它自己才清楚！

紙箔
清楚了點點黑字，
也許不清楚張張潔紙的悲哀，
臭銅叮噹作響，
哪怕三歲孩子也會去嚼：
問苦？問甜？

緣簿

問苦？

　　不是漢子丈夫的勾當！

問甜？

　　又是娘兒們的輕語瑣話！

佛珠

輕語瑣話不必用在

——一百零八粒的珠子身上，

因為每粒拉過，

——輕語瑣話都變成唱讚與誦揚！

海青

誦揚吧！

　　大漢之服比不得西裝；

誰還有心思去哭，

「為妳，為她，去縫嫁時的衣裳！」

袈裟

衣裳遮住了身體，

並不是文明遮住了「文明」；

「文明」世紀，

需要的還是文明。

香板

文明吹著喇叭向前邁進，

無理的打罵都將過去，

溫暖之光，

照遍了黑暗，

註明了世事無常！

僧鞋

無常鞋，

　　馱著人走向旅途，

踏翻了嗎

——「那塵世之路。」

鉢盂

塵世之路，

　　有伴侶陪著寂寞，

方可邊走邊笑，

　　「村犬吠不休！」

經櫥

不休止換來了新紀元，

　　新舊積疊如山；

排著花樣，

　　還是排著花樣！

寶塔
花樣翻新，
花樣翻深，
花樣翻高，
花樣也翻美了。

三、詩之腳

但，
你空虛嗎？
但，
你得到了嗎？
都是些大傻子們。

別拾起富翁丟下的香煙屁股，
——三支併成一支……
去幻想了，
「天外之天」
因爲「天外之天」，
　　　尚等待你的汗珠耕耘。

591

【附錄二】
佛陀，您在哪裡？

佛陀，您在哪裡？
您還在兜率天嗎？
您不是已經降誕世間了嗎？
哦！
藍毗尼園、七步蓮花，
您在那裡嗎？
不！
尼連禪河的苦行，
菩提樹下您夜睹明星，
您不是已經成等正覺了嗎？
佛陀！
　「佛在世時我沉淪，
　　佛滅度後我出生；
　　懺悔此身多業障，
　　不見如來金色身。」
佛陀！
您在鹿野苑大轉法輪，
您在靈鷲山有百萬人天，
您降伏了三迦葉，
度化了舍利弗、目犍連……
您說了四聖諦、三法印、
十二因緣，
成立了佛法僧的教團；
您在祇園的說法，
您在拘尸那城的事蹟，

我都不能恭逢盛事啊！
法身永在，
我相信，
佛陀您還在虛空中──那裡。

我不甘心，
七十五年的出家歲月，
天涯海角，
我四處尋找您；
我八去印度，
在佛陀您的祖國，
我想，可能會遇到您，
我匍匐在菩提迦耶金剛座旁，
高聳的迦耶大塔莊嚴雄偉，
但我沒有見到您的示現啊！
我徘徊在雪山的苦行林，
您還需要再修行嗎？
那裡只剩一些兒童嬉戲，
連牧羊女都失去了芳蹤。
我找到了轉法輪處，
連五比丘的蹤影，
我都沒有見到；
您在王舍城的竹林精舍，
和頻婆娑羅王多次的開示，
法音還留傳在虛空，

法義已結集經文流傳，
但，王舍城找不到您的行蹤啊！
我北去迦濕彌羅國舍衛城，
我知道，
過去您曾和波斯匿王，
指導過治世之道；
但您說的無常苦空的真理，
美麗的祇樹給孤獨園，
現在已成為一片廢墟。
當然，
佛陀您已不在那裡。

佛陀，
您出國了嗎？
法身本來就遍滿虛空、充塞法界，
哪裡還需要出國呢？
哦！
您雖然弘法於印度，
但佛法僧光大於中華；
我在中國的西域敦煌，
只見到您洞窟彩繪的畫像；
我也到過龍門、雲崗，
只見到您石刻的浮雕；
在大足石窟、寶頂山等，
但那裡也只有您的聖像；

莊嚴美麗慈悲，
但我要看到的是您的真身吶！

佛陀，
您究竟在哪裡？
我去參學的金焦山佛殿，
文殊、寶光的禪院，
還有天童和育王，
以及天寧和高旻，
這許多叢林古剎中，
我只聽到人述說您的事蹟，
不知道您到底是什麼模樣？
您並未和我開示啊！

我到過日本比叡山、高野山，
奈良和京都；
我到訪韓國，
慶州、釜山，
佛法僧的通度、海印和松廣，
儘管三寺比賽自己的優點，
都留有您的盛事傳播，
但您也並未現身。
我前往中南半島，
緬甸蒲甘的塔林，
雄偉的大金塔，

也都只見塔寺莊嚴；
在泰國，有金佛、玉佛，
但那是聖像，
不是您的真身啊！

佛陀！
一個捨棄世間五欲六塵的生活，
離開了父母親友的人，
皈投在您的座下，
不能見您，
實在誓不甘心啊！
我讀《法華經》，
想在經文見到您的現身，
但經裡只有法身文句，
您化城譬喻，
您三車比量，
雖是一代言教，
但我想像不出三十二相、
八十種好的佛陀您究竟的模樣？
我在《華嚴經》中，
看到五十三參菩薩的往來，
也懂得「事事無礙」法界的真理，
毘盧遮那佛究竟是什麼樣子呢？
《維摩經》中的維摩居士，
他在丈室中，

594

能集聚幾萬幾千的寶座，
容納了成千上萬的菩薩，
您廣大的神通法力，
又豈是維摩居士能比？

羨慕當時的阿難尊者，
優波離、富樓那等；
他們是何等的福分哦，
都能親證您的法席，
都能聆聽您的出和雅音。
八歲的龍女、
七歲的妙慧童女，
以及月上女等，
還有男眾耶舍、善生、長者子，
他們竟然也能得到您的印可，
未來當能作佛，
我何不能？
我不甘心。

我經常匍匐在大雄寶殿的地上，
我經常挑燈夜讀您的法語，
佛陀，
您可以現身給我看一下嗎？
我在晨鐘暮鼓中，
渴望能聽到您的音聲，

溪聲盡是廣長舌，
山色無非清淨身，
我只能這樣稍微安慰自己。
鬱鬱黃花，皆是妙諦，
青青翠竹，無非法身，
但我是人間虔誠的凡身弟子，
總想親炙您的法席，
何其難吶！
佛陀，您到底在哪裡呢？

佛陀，
我是不會放棄的，
從童年到青年到壯年，
如今，我已是衰殘的老人，
我不能找到您，
我真不甘心啊！
所以，
我周遊世界，
我想在世界上的哪裡
可以巧遇到您；
我坐火車、高鐵、磁浮列車，
窗外樹幹的移動，
草原田野的奔馳，
在那裡，能看到佛陀您嗎？
我坐飛機，

在朵朵飄浮的白雲中，
也沒有見到您的身影；
佛陀，您現身一下好嗎？
我航行過太平洋、大西洋、
印度洋；
海水滔滔，
一片茫茫，
我左顧右盼，
佛陀，您在何方？

我把剃度的恩師，
和當代的大德高僧，
當作您的化身；
我把自己的父母，
和普世的一切芸芸眾生，
當作是您的示現，
人似佛，佛似人；
我也難以清楚；
您說過人人都有佛性，
但似乎是，
似乎又不是，
我還是想親自看見您
偉大的佛陀！

我夢魂顛倒的思念著您，

從台灣彰化，到南都高雄，
我舉辦多少次
「回歸佛陀時代」，
想在一片樹林裡、
丘陵上、曠野中，
看到諸大聲聞羅漢，
親見諸多的龍天護法，
古今差異，
今日時空，
總不是佛陀您那個時代啊！

哦！終於，
《金剛經》給了我消息：
「若以色見我，以音聲求我，
　是人行邪道，不能見如來。」
原來，
不應該在事相上見到您，
也不應該是在幻相中見您，
您是無形無相，
您是在宇宙大化之中，
原來，
您已經走進了我的心裡。
我吃飯，您與我同餐，
我行走，您與我同行；
甚至睡覺時，

我「朝朝共佛起，
　　夜夜抱佛眠」啊！

在四川長江的上游，
樂山大佛向來往的世人微笑；
在河南平頂山，
站立行化的中原大佛，
慈悲俯視著芸芸眾生；
在佛光山旁，
有一〇八米高的
金銅佛光大佛，
他不是坐在山上，
他是映在人的心中。
終於，
我知道了您在哪裡？
您安住在每個人的心中。

從此，
我已不必一再看他，
在我心中已經有了您，
我何須再看呢？
即佛即心，即心即佛，
古今的禪者，
早就告訴了我們消息。
在晚風徐來的時候，

我低吟著：
　「佛在靈山莫遠求，
　　靈山就在汝心頭；
　　人人有個靈山塔，
　　好向靈山塔下修。」
六祖惠能大師不是說嗎？
　「佛法在世間，不離世間覺」，
太虛大師也說：
　「仰止唯佛陀，完成在人格」；
原來，
把人完成了，
才能和您相應哦。

佛陀，
您也已示現了許多靈感，
一九七〇年左右，
宜蘭信徒說，
「大佛開眼了」，
佛光山萬千朝拜的信眾說，
「接引大佛的聖像轉身了」，
您的一顆佛牙光臨到台灣的時候，
在數十家電視轉播中，
全世界的人，
都見證了這一片大地金光，
那不是您顯現的佛光大道嗎？

如今，
佛陀紀念館和佛光山，
就是由佛光大道連接起來的聖地啊！

原來，
一花一世界，
一葉一如來，
您行走在佛光山的成佛大道上，
您或者在佛館的菩提廣場經行，
那四大菩薩，
那許多羅漢，
那諸多祖師，
不都是把您供奉在天上天下嗎？
哦！
　「天下唯心，法界悠然，
　　盡未來際，佛在心裡。」

星雲　二〇一三年三月十一日
　　　　於佛光山開山寮

佛光山寺大雄寶殿三寶佛

佛光山佛陀紀念館佛光大佛

【附錄三】

佛光山
開山的故事

一九六七年五月十六日，
佛光山開山奠基典禮，
信徒說：「師父，
　　怎麼選這個地方建道場？
　　這是個連鬼都不到的地方！」
我說：「鬼不來不要緊，
　　只要佛來就好了！」
有人說：「這是鳥雀都不來的地方，
　　哪裡人可以來居住呢？」
我說：「西方極樂世界，
　　鸚鵡舍利、迦陵頻伽，出和雅音，
　　不是有諸上善人嗎？」
又有人說：「貧瘠的山溝，
　　沒有水，如何生活？」
我說：「西來泉涓涓，
　　我們來了，法水更加流長。」
他說：「交通這麼不便，
　　這種荒山野外，就是建寺，
　　哪有什麼信徒朝拜？」
我說，
　　「以後，
　　不一定這就是大高雄的中心。」
大家問：
　　「今後，要叫它什麼山呢？」
我回答：

「在台灣，就叫它『佛光山』吧！」
就這樣，
佛光山開山了。

從此，
推土機，
穿梭不斷的為山溝填土；
開山機，
來去不斷的挖土平地；
鐵牛車運磚運瓦，
混凝土的水泥車，
不停的從東山到西山，
不斷的從山下到山上；
東方佛教學院（一九六八）
完成了，
西方的佛光精舍（一九七六）
也建成了。
大悲殿（一九七一）、
大智殿（一九七五），
遙遙相對，
散發著智慧和慈悲；
地藏殿（一九八三）在山下，
普賢殿（一九八五）在山上，
一個在山下，
一個在山上，

四大菩薩的殿堂，
就像四大名山一樣。
山門口的彌勒佛（一九七一），
好多部的吊車吊不動；
別寺的地藏王，
經過山前就不肯走，
只得請他留下來，
萬千的信徒，
因此增加了信仰的力量。

放生池（一九七一）的堤壩
給洪水沖走，
一次、二次、三次……
叢林學院的學子，
不管它多少次，
倒塌了，再重建，
最後終於完成了。
東山坍方了，
西山的泥土流失了，
第八軍團的軍工，
一天、一天、又一天，
參加了復原的工程！

為了表現叢林十方，
不二門（一九七一）

雄踞在五山的中央，
東山的旭日升起，
西山的夕陽西下，
升起的，未曾升，
西下的，也未曾下；
這是生死不二，
這是東西不二，
這是理事不二，
這是行解不二啊！

東邊有深溝，
西面有窪地，
兩邊溝渠怎麼辦？
那不是地獄，
那不是閻王，
那是法界，
那是《阿彌陀經》
的淨土洞窟（一九八一）啊！

靈山勝境（一九七一），
朝山者如鯽；
頭山門（一九七一）前，
提醒著：
「問一聲汝今哪裡去，
　望三思何日君再來？」

我們希望大家「回頭是岸」。

佛教學院院舍落成了，
山頂上的「大海之水」
（一九六八），
可以灌溉了；
連周遭的果農都說，
雨水，落在我們的地上，
道路，開在我們的路旁；
苦了我們，
從此買地，
必須費上很多的淨財資糧。

感謝《玉琳國師》的出版，
購買佛光山的土地；
感謝觀世音菩薩，
自己化身千百億，
建設了大悲殿堂。
東山的龍頭上，
接引大佛（一九七五）巍峨高聳，
開光時，我曾說：
「採高屏之沙石，
　取西來之泉水，
　集全台之人力，
　建最高之大佛。」

602

可敬的大佛，
經常自己出外化緣，
修建自己的眞身。
感謝佛陀，
還有東方的藥師如來，
西方的阿彌陀佛，
成就了
「兜率娑婆，去來不動金剛座，
　琉璃安養，左右同尊大法王；」
一九八二年，
大雄寶殿完成了。

自此，佛光山上，
早晨，一〇八聲鐘響，
晚間，風調雨順的鼓聲咚咚。
後山的鳳梨園、
四周的荔枝樹，
經年累月，花果飄香。
到這個時候，
佛光山的第二期工程完成了。

有人說，
佛光山像一朵蘭花瓣的山；
也有人說，
佛光山是如來佛的五指山；

更有人說，
佛光山像五台山；
不二門前不是一台嗎？
靈山勝境不是二台嗎？
朝山會館（一九七三）
廣場是三台，
大雄寶殿成佛大道是四台，
如來殿（一九九四）
的丹墀不就是五台嗎？
是五指山，
也是五台山，
更像蘭花瓣的佛光山。

你看，
東山第一蘭花瓣，
比丘書聲朗朗；
中間這一瓣，
善男信女朝山集合的地方；
過了寶橋（一九七一），
就是今日的叢林書坊，
萬千佛子，
都從這裡走向世界各方。

夾在第五、第四瓣的丘陵，
躲藏在高大樹林間，

有普門中學（一九七七）的
青少年，
育幼院（一九七五）的兒童在
那裡成長；
還有老人居住的精舍
（一九七六），
高高的建在峨嵋金頂上，
那就是清淨的第五蘭花瓣。
五指山？五台山？蘭花山？
其實通通都是佛光山。
《彌陀經》的極樂淨土，
不是在紙上，
就在佛光山的中央。

山門前，高屏溪，
流水奔向了大海，
有人說，
錢財都往外流，
我說，
法財之水，
本來就應該奔流四方，
讓佛法走向世界五大洲放光！

鐘樓、鼓樓，
雄峙在大雄寶殿的左右兩旁；

高聳的雲居樓，
是居士聽經聞法的地方，
也是用餐滋養色身的齋堂。
有人問：
佛光山的建設經費從哪裡來？
其實，佛光山的帳簿和因果，
都掛在雲居樓（一九九八）、
如來殿的牆壁上。
在菩提路中央，
不是看到「選佛場」
（一九九六）？
東邊有七重欄楯、七重行樹，
右邊隔了美術館（一九八八），
就是四眾弟子修持的禪淨法堂
（一九九一）。

如來殿的後方，
原來藏著花園廣場，
再往前走，
八十米寬的佛光大道，
把佛光山和佛陀紀念館
（二〇一一）
連成一座道場；
中間的聖賢紀念堂，
可以領導左右兩方；

那台灣欒木，
已高入雲彩之上，
只要向前走幾步，
就可以看見
一〇八米的金銅佛光大佛
在虛空中放光。
佛陀紀念館與佛光山兩相遙望，
任你走訪哪一端，
都能示教利喜，
都能法喜充滿。
聽經聞法，禪房安單，
酥酡妙味，千奇百樣，
在每個佛光人的心上，
這裡是大眾安頓身心的地方。

從購地開山以來，
南北信徒、海內外七眾弟子，
不但人來人往、雲集朝山；
還有媽祖、王爺許多神明，
都是祂們聚會的地方；
人能拜佛，
神明為什麼不能拜佛呢？
這是大家共同認知的思想。

佛光山，
你不要看硬體的建築，
要看內在的文化發光；
你不但要看殿堂輝煌，
更要知道他們的教育書香。
大家要知道，
這裡是人間佛教選佛場，
僧伽千二百五十人聚，
博碩士應化在四方，
百千萬的僧信二眾，
以文化弘揚佛法，
以教育培養人才，
以慈善福利社會，
以共修淨化人心，
三好、四給、五和等，
都是佛光山的宗旨和榜樣。
你聽：「佛光山上，殿宇輝煌，」
你聽：「佛光山上，聖賢流芳……」
要讓佛法
從此在人間宣揚。
這就是
佛光山開山的故事。

【附錄四】
人間佛緣
百年仰望

《百年佛緣》要出版了，
有人問我今年幾歲？
我反問地球：您活了多久？
地老天荒，我在哪裡？
萬千年的流轉，我又在何方？
盤古、女媧，
或許我有見過，
因為隔陰之迷，
現已無從思量；
嫦娥、玉兔，
只是從故事裡飛奔的美麗篇章。
問唐堯虞舜已難知道，
探文武周公也無法端詳。

老子騎著青牛西去，
有人說紫氣在東方；
莊周一夢，
蝴蝶飛向北方？
如夢幻般的人士，
在我近百年的歲月裡，
南北東西已不是地老天荒；
是在六道裡流轉？
是在法界裡流浪？
問往事記載，已一片蒼茫；
這八十多年的歲月，

我歷盡了多少滄桑。

北伐動盪的時代，
我帶著懵懂無知的生命
來到世上，
嚴父慈母的恩惠，令人難忘；
但家徒四壁，
已知道未來前途難有希望。
扶桑的炮火，蘆溝橋的烽煙，
親人的離散，舉國的人民，
失去了生命的保障；
到處逃亡，四處流浪，
逃亡到哪裡？
流浪到何方？
所幸，佛陀向我招手，
披剃出家，
從窮苦的偏鄉，
一下子登上人間天堂。

石頭城伴著紅葉，
深山古寺的叢林，
寂寞的童心，
虔誠，如梯如崖，
我要不斷攀爬，
不斷成長向上。

往事歷歷，樁樁難忘，
三刀六槌的學習，
十八般頭陀的苦行，
是我奮發的力量。
師長們的楗槌打罵，
原來是一雙慈悲的手掌；
細細的思量，
才能懂得他們一如菩薩的模樣。
綿延不斷的揚子江，
伴著金焦伽藍，
訴說世間生滅的無常；
宜興大覺寺祖庭的師恩，
讓我永誌心上。
我在自覺之中打開心房，
所有的困難都視為應當；
辛酸的生活裡，
信仰始終讓我屹立增上。

遺憾的是，
內戰的槍響，苦難的降臨，
加重了兄弟姐妹的傷亡。
戰亂的烽火，流竄南北四方；
是砲彈？是機關槍？
是生死吧！
把我送到台灣福爾摩沙。

船行在茫茫海中央，
天色已濛濛微亮，
倏然乍醒，
原來我還活在世上。
眼前是一座美麗的寶島，
但海峽兩岸又成為對立的戰場；
政治上的冤屈，
讓人對未來感到驚慌。
我輩像初生的嬰兒，
衣食住行的缺乏，
讓我在人海裡徬徨；
像飄零的落葉，
只想在草叢裡躲藏，
又像一隻孤鳥，
需要有樹枝作為棲身的地方。
政軍以外，
也有許多好心人給我幫忙；
桃園妙果老，
一句「你住下來」，
讓我的前途又點燃了希望；
吳鴻麟老先生為我設籍落戶，
孫張清揚女士為我補辦行裝，
從此以後，
台灣成了我的第二個故鄉。
但社會的動盪，人心的倉皇，

恐怖的歲月，又翻新了花樣；
二二八的陰影，
治安單位猜疑的眼光，
終於，我被關進了牢房！

所幸，新竹青草湖出現了曙光，
我和青年學僧以佛法為慈航；
台北是十里洋場，
生活是個困難的地方；
幾番輪轉，
宜蘭士紳李決和等向我呼喚，
我徜徉蘭陽平原自然人情的風光，
儘管語言不通，生活雖有差異，
但與宜蘭人的相處和樂通暢，
社會青年們紛紛加入我的行列。
我開始了傳教弘道，
經常和警察捉迷藏。
為了覺群週刊，
我說太虛大師不是印光，
佛教教派的執著分歧，
讓我幾乎又要亡命他方。
名伶演戲傷害佛教，
為了護持正法，
我發出無畏的呼嘯，
無視於當時的安危存亡。

我數度環島、雲遊四方，
領略寶島人文風情、自然景觀；
我蹻過溪水河川，
也曾在農村睡過豬舍牛房。
我翻越高山峻嶺，
到八仙山為砍木的工人說法，
又到太平山和青年們講道；
神廟前、曬穀場，
都是我布教的地方。
宴會、迎送，不是我的專長，
為了佛法的傳揚，
只有南下高雄港灣，
和南部的青年們交流來往。
我在壽山建了第一座道場，
這是青年慧命養成的搖籃，
當然，不會忘記旅居的蘭陽，
別人說，
我在宜蘭，是福如東海，
我到高雄，又說我壽比南山；
有同參法侶的陪伴，
弘揚佛法並不孤單。
高雄名打狗，阿猴稱屏東，
嘉義諸羅山，
埔姜頭是台南永康，
這許多縣市，甚至於全台灣，

都能讓我發心為教爭光。
花蓮曾普信、彰化林大廙、
南投曾永坤，
雲林郭慶文、台中林錦東，
他們是當地佛教會的領導，
都成了我最初的友好，
讓我在台灣多了一些鄉親父老。
藝文界的朋友，
郭嗣汾、公孫嬿、朱橋、
司馬中原等，
藝文之美，拓展了我的時空。

我舉辦「回歸佛陀時代」，
我推動「把心找回來」，
「慈悲愛心人」已遍布四方；
我又發願為佛教創辦社會大學，
這是我出家以來的願望；
倡導百萬人興學，
涓滴愛心，
成就了西來、南華、南天
和佛光大學，
這許多人間菩薩，
把大學留在世上，
把智慧留給自己，
把功德留給兒孫。

張大千、李奇茂、馬壽華、
王雲五、田雨霖、史國良，
許許多多藝術家的書畫，
都讓我搬進了義賣場，
為社會教育的發展，
大眾熱心的助長，
成就我辦學弘道的願望；
重新編修大藏經，
只為法的流傳；
覺世旬刊、今日佛教、
普門學報，
人間衛視、人間福報，
都讓我的理想走向四方。

五大洲的信眾，
幫我在各地開闢道場；
慈莊法師在美國協助大法西來，
慈惠法師和依如、
滿蓮法師在香江啟建佛香講堂，
滿徹在柏林購下青年會的樓房，
慈容法師、滿謙法師
在歐洲、澳洲都建立新的道場；
依來第一個前往南非闢土開疆，
馬來西亞的覺誠，
在亞馬遜河旁、聖保羅的山上

建設如來的道場，
一批批窮苦的如來之子，
向世界訴說他們衷心的希望。
在倫敦，
我接受了天主教的修道院，
在洛杉磯，也接辦了基督教堂，
我倡導世界和平，
我要讓普世的宗教同樣發光。

我不長於佛教的梵唱，
也沒有語言的特長，
靠著優秀的翻譯團隊給我協助，
慈惠法師的台語和日語，
英語有滿和、妙西和妙光，
覺梵的粵語、妙愼的泰語，
葡文有覺誠、西文有覺培、
韓文有依恩和慧豪，
還有德語、法語等人才，
都讓我周遊世界自由自在，
弘揚佛法於十方。

成住壞空的世間，
讓人感覺生命如螻蟻細微，
大自然環境的變化與崩潰，
讓我一次次與災民，

610

同在無依的生死邊緣，
面對屋倒人亡，失怙傷悲。
印尼、南亞的海嘯，
印度、孟加拉的水災、
蜀地汶川的地震，
哥斯大黎加的風災、
宏都拉斯的水患，
在那滿目瘡痍、
觸目驚心的現場，
我協助他們，
身心安頓、家園重建，
我鼓勵他們，
活著就是力量，生存就有希望！

台灣是個美麗的寶島，
也有美中不足的地方；
地震、颱風、洪水，
經常造成各地的創傷；
我也因此四處奔走，
號召大家一起賑災救亡。
從一九五九年的八七水災，
到一九九九年的九二一大地震，
捐建學校、救濟傷患，
就像扛起如來家業一般；
莫拉克八八水災，

和原住民災民
建立了信任和交往，
多少年來，
在彼此的回饋與幫忙中，
我們的心意都能相通。

在無窮的時光隧道裡，
我想人都有老病死生，
想到自己將來之後，
不知有什麼缺陷陋習
給人說短論長？
我問徒眾，我個人版稅有多少？
他們回答「三千多萬」，
真讓我訝然；
我的一生都像公有的
物品一樣，
怎可有那麼多私人餘款？
二〇〇九年，
我把它送進了銀行，
作為捐獻社會公益的資糧。
天下文化高希均、王力行，
幫我成立
真善美新聞傳播貢獻獎；
台灣文學館館長李瑞騰博士，
助我推動華文文學的發揚；

佛光大學楊朝祥校長，
為我在台灣的校園裡，
讓三好運動發光，
並讓卓越教師
受到肯定與表揚。
好心人士的捐款，
托缽行腳的助長，
公益善款日漸增長。
我生也沒有帶來，
未來也沒有什麼東西帶去，
百年的歲月，
就像煙火一樣，
總是那麼剎那匆忙。
弘法一甲子的時間過去了，
台灣是個自由民主的殿堂，
但社會的分裂，
不斷讓人感到兄弟鬩牆的悲傷；
本來都是一家人，
甚至大陸同胞也是同根同源，
仇恨、對立，都不是好的榜樣。
余光中先生說，
一灣海洋，
使中國成為兩個地方；
我希望我們中華民族國盛家昌，
未來成為一個富而好禮的家邦。

回憶七十五年前，
慈母准許我出家做和尚，
我為《百年佛緣》寫下：
「吾母送子入佛門，
　　要在性海悟法身；
　　　兒今八十有七歲，
　　弘法利生報親恩。」
我在心靈的深處訴說著：
天下為心，法界悠然；
盡未來際，耕種心田。
我的心願是人間佛教的弘揚，
佛說的真理法印，
人要的幸福家庭，
四大菩薩的悲智願行，
十大弟子各有專長，
要我們都能悟道利生；
我寄望佛光僧信弟子，
人人都要立志，
把人間佛教推展到世界各地，
深深印在每個人的心房；
寄語諸佛光人，
正派、慈悲、承擔、服務，
要把佛光山打造為佛國淨土，
佛光永普照，
法水永流長，

這就是我們永世的願望。

南無佛，南無法，南無僧。

星雲　二○一三年二月一日
於佛光山開山寮

星雲大師
繁體中文著作一覽表

第一時期 1953~1957 年（26~30 歲）

1. 《觀世音菩薩普門品講話》/作者：森下大圓/譯者：星雲大師
　/佛光文化服務處

2. 《無聲息的歌唱》/一九五九年，佛光出版社

3. 《佛教的財富觀》/佛教文摘讀者印經會出版社

4. 《玉琳國師》/一九五九年，佛光出版社

5. 《釋迦牟尼佛傳》/一九五九年，佛光出版社

第二時期 1958~1967 年（31~40 歲）

1. 《十大弟子傳》/佛教文化服務處

2. 《八大人覺經十講》/佛教文化服務處

3. 《海天遊踪》/佛教文化服務處

4. 《覺世論叢》/佛光出版社

5. 《海天遊踪》/佛光出版社（再版）

第三時期 1978~1987 年（51~60 歲）

1. 《星雲大師講演集（一）》/佛光出版社

2. 《佛光山印度朝聖專輯》/佛光出版社

3. 《星雲大師講演集（二）》/佛光出版社

4. 《十大弟子傳》/佛光出版社（再版）

5. 《佛光圖影——佛光山做了些什麼？》/佛光出版社

6.《星雲禪話（一）》／佛光出版社

7.《星雲禪話（二）》／佛光出版社

8.《星雲禪話（三）》／佛光出版社

9.《星雲大師講演集（三）》／佛光出版社

第四時期 1988~1997 年（61~70 歲）

1.《星雲禪話（第一集）》／台視文化公司

2.《星雲禪話（四）》／佛光出版社

3.《每日一偈（第一集）》／台視文化公司

4.《每日一偈（第二集）》／台視文化公司

5.《佛光普照》／福建莆田廣化寺印

6.《每日一偈（第三集）》／台視文化公司

7.《大師法語集 1》／佛光出版社

8.《每日一偈（第四集）》／台視文化公司

9.《禪與人生：星雲大師講演集》／江蘇古籍出版社

10.《話緣錄（一）》／巨龍文化

11.《星雲法語》／華視文化公司

12.《星雲大師講演集（四）》／佛光出版社

13.《清淨琉璃：星雲大師講演集》／希代書版

14.《夢琉璃：星雲大師講演集》／希代書版

15.《因緣琉璃：星雲大師講演集》／希代書版

16.《琉璃禪：星雲大師講演集》／希代書版

17.《星雲大師開示語》（一）／圓神出版社

18.《星雲大師開示語》（二）／圓神出版社

19.《情愛琉璃：星雲大師講演集》/希代書版

20.《紅塵琉璃：星雲大師講演集》/希代書版

21.《星雲說偈（一）》/佛光出版社

22.《星雲說偈（二）》/佛光出版社

23.《大千琉璃：星雲大師講演集》/希代書版

24.《七色琉璃：星雲大師講演集》/希代書版

25.《喜樂琉璃：星雲大師講演集》/希代書版

26.《慈悲琉璃：星雲大師講演集》/希代書版

27.《星雲百語》（選錄）/佛光山宗務委員會

28.《話緣錄（二）》/巨龍文化

29.《星雲禪話（第一集）》/吳修齊印贈

30.《星雲禪話（第二集）》/吳修齊印贈

31.《星雲法語》（一～二冊）/佛光出版社

32.《星雲禪話》/聯經出版

33.《星雲禪話（第一輯）》/聯經出版

34.《星雲百語（一）心甘情願》/佛光出版社

35.《真心不昧》/皇冠文學出版

36.《提起放下》/皇冠文學出版

37.《剎那不離》/皇冠文學出版

38.《雲水隨緣》/皇冠文學出版

39.《星雲日記1：安然自在》/佛光出版社

40.《星雲日記2：創造全面的人生》/佛光出版社

41.《星雲日記3：不負西來意》/佛光出版社

42.《星雲日記4：凡事超然》/佛光出版社

43.《紅塵道場》/映象文化

44.《星雲日記 5：人忙心不忙》／佛光出版社

45.《星雲日記 6：不請之友》／佛光出版社

46.《星雲日記 7：找出內心平衡點》／佛光出版社

47.《星雲日記 8：慈悲不是定點》／佛光出版社

48.《星雲日記 9：觀心自在》／佛光出版社

49.《星雲日記 10：勤耕心田》／佛光出版社

50.《星雲日記 11：菩薩情懷》／佛光出版社

51.《星雲日記 12：處處無家處處家》／佛光出版社

52.《星雲日記 13：法無定法》／佛光出版社

53.《星雲日記 14 說忙說閒》／佛光出版社

54.《星雲日記 15：緣滿人間》／佛光出版社

55.《星雲日記 16：禪的妙用》／佛光出版社

56.《人間好時節》／音樂中國出版社（盒裝附卡帶）

57.《星雲日記 17：不二法門》／佛光出版社

58.《星雲日記 18：把心找回來》／佛光出版社

59.《星雲日記 19：談心接心》／佛光出版社

60.《星雲日記 20：談空說有》／佛光出版社

61.《歡喜人間：星雲日記精華本（上冊）》／天下文化

62.《歡喜人間：星雲日記精華本（下冊）》／天下文化

63.《佛光緣‧人間佛教》／佛光出版社

64.《星雲百語（二）皆大歡喜》／佛光出版社

65.《星雲禪話（第二輯）》／聯經出版

66.《星雲大師談人生》／皇冠文學出版

67.《星雲禪話（第三輯）》／聯經出版

68.《星雲百語（三）老二哲學》／佛光出版社

69.《觀世音菩薩普門品講話》/佛光文化（二版）

　　（作者：森下大圓/譯者：星雲大師）

70.《石頭路滑——星雲禪話（一）》/佛光文化（改版）

71.《沒時間老——星雲禪話（二）》/佛光文化（改版）

72.《星雲大師法語——菁華》/聯經出版（禪如整理）

73.《禪話禪畫》/佛光文化（高爾泰、蒲小雨繪）

74.《星雲禪話（第四輯）》/聯經出版

75.《八大人覺經十講》/佛教青年協會印

76.《佛光世界（一）國際佛光會總會長的話》/佛光文化

77.《星雲日記 21：慈悲是寶藏》/佛光文化

78.《星雲日記 22：打開心門》/佛光文化

79.《星雲日記 23：有願必成》/佛光文化

80.《星雲日記 24：收支平衡的人生》/佛光文化

81.《星雲日記 25：感動的修行》/佛光文化

82.《星雲日記 26：把握因緣》/佛光文化

83.《星雲日記 27：真修行》/佛光文化

84.《星雲日記 28：自在人生》/佛光文化

85.《星雲日記 29：生活禪》/佛光文化

86.《星雲日記 30：人生的馬拉松》/佛光文化

87.《星雲日記 31：守心轉境》/佛光文化

88.《星雲日記 32：求人不如求己》/佛光文化

89.《星雲日記 33：享受空無》/佛光文化

90.《星雲日記 34：領眾之道》/佛光文化

91.《星雲日記 35：說話的藝術》/佛光文化

92.《星雲日記 36：學徒性格》/佛光文化

93.《星雲日記 37：善聽》／佛光文化

94.《星雲日記 38：低下頭》／佛光文化

95.《星雲日記 39：忙中修福慧》／佛光文化

96.《星雲日記 40：神通妙用》／佛光文化

97.《星雲日記 41：生死一如》／佛光文化

98.《星雲日記 42：檢查心念》／佛光文化

99.《星雲日記 43：隨喜功德》／佛光文化

100.《星雲日記 44：放光》／佛光文化

101.《有情有義──星雲回憶錄》／圓神出版社

102.《一池落花兩樣情》／時報文化

103.《感動的世界》／佛光出版社（筆記書）

104.《八識講話》／佛光山宗務委員會

105.《金剛經講話》／佛光文化

106.《金剛經講話》／香海文化

107.《星雲大師佛學精選》／明河社出版（香港）

108.《佛光菜根譚》／佛光文化

109.《佛光菜根譚：慈悲智慧忍耐》／佛光文化

110.《佛光菜根譚：做人處事結緣》／佛光文化

111.《佛光菜根譚：勵志修行證悟》／佛光文化

112.《佛光菜根譚：貪瞋感情是非》／佛光文化

113.《佛光菜根譚：社會人群政治》／佛光文化

114.《佛光菜根譚：教育教理教用》／佛光文化

115.《佛光菜根譚（一）》／香海文化

116.《佛光菜根譚（一）》／佛光文化

117.《佛光菜根譚》／平安文化

118.《禪詩偈語》／台視文化

119.《星雲大師慧心法語》／九歌出版社（星雲大師講述／
禪如整理）

120.《生命的田園（一九九九年）》／暢通文化（日曆書）

121.《佛光菜根譚》／佛光文化（再版）

第五時期 1998~2007 年（71~80 歲）

1.《星雲法師說禪》／台視文化

2.《星雲法師解禪》／台視文化

3.《修剪生命的荒蕪》／時報文化

4.《中國佛教禪修入門》／智慧出版社

5.《慈悲的智慧：星雲大師的生命風華》／佛光文化
（筆記書‧三）

6.《往事百語》／佛光文化

7.《生活禪心：星雲大師處世錦囊》／佛光文化（筆記書‧四）

8.《往事百語（一）心甘情願》／佛光文化

9.《往事百語（二）老二哲學》／佛光文化

10.《往事百語（三）皆大歡喜》／佛光文化

11.《往事百語（四）一半一半》／佛光文化

12.《往事百語（五）永不退票》／佛光文化

13.《往事百語（六）有情有義》／佛光文化

14.《圓滿人生 ──星雲法語（一）》／佛光文化

15.《成功人生 ──星雲法語（二）》／佛光文化

41.《佛光菜根譚（三）》/香海文化

42.《與大師心靈對話》/圓神出版社

43.《佛光菜根譚（四）》/香海文化

44.《佛光菜根譚》（筆記書）

45.《迷悟之間》（電子版）/香海文化

46.《迷悟之間（一）真理的價值》/香海文化

47.《迷悟之間（二）度一切苦厄》/香海文化

48.《迷悟之間（三）無常的真理》/香海文化

49.《迷悟之間（四）生命的密碼》/香海文化

50.《迷悟之間（五）人生加油站》/香海文化

51.《迷悟之間（六）和自己競賽》/香海文化

52.《迷悟之間（七）生活的情趣》/香海文化

53.《迷悟之間（八）福報哪裡來》/香海文化

54.《迷悟之間（九）高處不勝寒》/香海文化

55.《迷悟之間（十）管理三部曲》/香海文化

56.《迷悟之間（十一）成功的理念》/香海文化

57.《迷悟之間（十二）生活的層次》/香海文化

58.《佛光菜根譚 1：寶典》（中英對照）/香海文化

59.《佛光菜根譚 2：自在》（中英對照）/香海文化

60.《佛光菜根譚 3：人和》（中英對照）/香海文化

61.《佛光菜根譚 4：生活》（中英對照）/香海文化

62.《佛光菜根譚 5：啓示》（中英對照）/香海文化

63.《佛光菜根譚 6：教育》（中英對照）/香海文化

64.《佛光菜根譚 7：修行》（中英對照）/香海文化

65.《佛光菜根譚 8：勵志》（中英對照）/香海文化

66.《自覺與行佛》/國際佛光會中華總會（佛光讀書會叢書）

67.《禪門語錄》/佛光出版社

68.《覺有情：星雲大師墨跡》（中英對照）/佛光山文教基金會

69.《迷悟之間》PDA 版/佛光山文教基金會

70.《佛光教科書》電子版/佛光山文教基金會

71.《人間佛教系列（一）佛光與教團》（佛光篇）/香海文化

72.《人間佛教系列（二）人生與社會》（社會篇）/香海文化

73.《人間佛教系列（三）佛教與生活》（生活篇）/香海文化

74.《人間佛教系列（四）佛教與青年》（青年篇）/香海文化

75.《人間佛教系列（五）人間與實踐》（慧解篇）/香海文化

76.《人間佛教系列（六）學佛與求法》（求法篇）/香海文化

77.《人間佛教系列（七）佛法與義理》（義理篇）/香海文化

78.《人間佛教系列（八）緣起與還滅》（生死篇）/香海文化

79.《人間佛教系列（九）禪宗與淨土》（禪淨篇）/香海文化

80.《人間佛教系列（十）宗教與體驗》（修證篇）/香海文化

81.《人間佛教系列》PC 電子版/香海文化

82.《當代人心思潮》/香海文化

83.《人間佛教的戒定慧（上）：星雲大師講於紅磡香港體育館》
　　/國際佛光會香港協會

84.《人間佛教的戒定慧（中）：星雲大師講於紅磡香港體育館》
　　/國際佛光會香港協會

85.《人間佛教的戒定慧（下）：星雲大師講於紅磡香港體育館》
　　/國際佛光會香港協會

86.《當代人心思潮》（中英對照）/香海文化

87.《佛光菜根譚（第一冊）三際融通》珍藏版/香海文化

第六時期 2008 年 ~（80 歲之後）

1. 《人間佛教叢書（第一集）人間佛教論文集（上冊）》
   ／香海文化

2. 《人間佛教叢書（第一集）人間佛教論文集（下冊）》
   ／香海文化

3. 《人間佛教叢書（第二集）人間佛教當代問題座談會
   （上冊）》／香海文化

4. 《人間佛教叢書（第二集）人間佛教當代問題座談會
   （中冊）》／香海文化

5. 《人間佛教叢書（第二集）人間佛教當代問題座談會
   （下冊）》／香海文化

6. 《人間佛教叢書（第三集）人間佛教語錄（上冊）》
   ／香海文化

7. 《人間佛教叢書（第三集）人間佛教語錄（中冊）》
   ／香海文化

8. 《人間佛教叢書（第三集）人間佛教語錄（下冊）》
   ／香海文化

9. 《人間佛教叢書（第四集）人間佛教書信選》／香海文化

10. 《人間佛教叢書（第四集）人間佛教序文選》／香海文化

11. 《合掌人生》／講義堂出版

12. 《當大亨遇上大師：星雲大師改變生命的八堂課》／
    麥田出版（星雲大師、劉長樂合著）

13. 《人間萬事（一）成就的條件》／香海文化

14. 《人間萬事（二）無形的可貴》／香海文化

40.《星雲大師一筆字書法（十四）》/佛光緣美術館總部

41.《人間萬事》電子版/香海文化

42.《般若心經的生活觀》/有鹿文化

43.《釋迦牟尼佛傳漫畫版（上）》/佛光文化（林鉅晴編繪）

44.《無聲息的歌唱》/香海文化（改版）

45.《環保與心保》/國際佛光會世界總會

46.《成就的祕訣——金剛經》/有鹿文化

47.《星雲四書（一）：星雲大師談讀書》/天下文化

48.《星雲四書（二）：星雲大師談處世》/天下文化

49.《星雲四書（三）：星雲大師談幸福》/天下文化

50.《星雲四書（四）：星雲大師談智慧》/天下文化

51.《釋迦牟尼佛傳漫畫版（下）》/佛光文化（林鉅晴編繪）

52.《合掌人生（一）在南京，我是母親的聽眾》/香海文化

53.《合掌人生（二）關鍵時刻》/香海文化

54.《合掌人生（三）一筆字的因緣》/香海文化

55.《合掌人生（四）飢餓》/香海文化

56.《雲水天下——星雲大師一筆字書法》（特輯）/
　　國立歷史博物館

57.《雲水天下——星雲大師一筆字書法》（特輯）/
　　佛光緣美術館總部

58.《人海慈航：怎樣知道有觀世音菩薩》/有鹿文化

59.《往事百語（一）》有佛法就有辦法/香海文化（附 CD）

60.《往事百語（二）》這是勇者的世界/香海文化（附 CD）

61.《往事百語（三）》滿樹桃花一棵根/香海文化（附 CD）

62.《往事百語（四）》沒有待遇的工作/香海文化（附 CD）

63. 《往事百語（五）》有理想才有實踐／香海文化（附 CD）

64. 《美滿因緣》／國際佛光會中華總會

65. 《僧事百講（第一冊）叢林制度》／佛光文化（附 CD）

66. 《僧事百講（第二冊）出家戒法》／佛光文化（附 CD）

67. 《僧事百講（第三冊）道場行事》／佛光文化（附 CD）

68. 《僧事百講（第四冊）集會共修》／佛光文化（附 CD）

69. 《僧事百講（第五冊）組織管理》／佛光文化（附 CD）

70. 《僧事百講（第六冊）佛教推展》／佛光文化（附 CD）

71. 《人間佛教何處尋》／天下文化

72. 《百年佛緣（一）行佛之間》／國史館

73. 《百年佛緣（二）社緣之間》／國史館

74. 《百年佛緣（三）文教之間》／國史館

75. 《百年佛緣（四）僧信之間》／國史館

76. 《佛光山開山故事：荒山化為寶殿的傳奇》／佛光文化

77. 《人間佛教法要》國際佛光會世界大會主題演說
（1992~2012)／國際佛光會世界總會發行

78. 《十種幸福之道──佛說妙慧童女經》／有鹿文化

79. 《星雲大師一筆字書法》／佛光山文教基金會

80. 《百年佛緣 01：生活篇一》（增訂版）／佛光出版社

81. 《百年佛緣 02：生活篇二》（增訂版）／佛光出版社

82. 《百年佛緣 03：社緣篇一》（增訂版）／佛光出版社

83. 《百年佛緣 04：社緣篇二》（增訂版）／佛光出版社

84. 《百年佛緣 05：文教篇一》（增訂版）／佛光出版社

85. 《百年佛緣 06：文教篇二》（增訂版）／佛光出版社

86. 《百年佛緣 07：僧信篇一》（增訂版）／佛光出版社

87.《百年佛緣 08：僧信篇二》（增訂版）／佛光出版社

88.《百年佛緣 09：道場篇一》（增訂版）／佛光出版社

89.《百年佛緣 10：道場篇二》（增訂版）／佛光出版社

90.《百年佛緣 11：行佛篇一》（增訂版）／佛光出版社

91.《百年佛緣 12：行佛篇二》（增訂版）／佛光出版社

92.《百年佛緣 13：新春告白一》（增訂版）／佛光出版社

93.《百年佛緣 14：新春告白二》（增訂版）／佛光出版社

94.《百年佛緣 15：別冊》（增訂版）／佛光出版社

95.《百年佛緣 16：名家看百年佛緣》（增訂版）／佛光出版社

96.《人間佛教的發展》／佛光文化

97.《人間佛教的戒定慧》／佛光文化（再版）

98.《星雲禪話 1 點亮心燈》／香海文化（十冊套書）

99.《星雲禪話 2 到處是路》／香海文化

100.《星雲禪話 3 隨心自在》／香海文化

101.《星雲禪話 4 活的快樂》／香海文化

102.《星雲禪話 5 真心不變》／香海文化

103.《星雲禪話 6 一切現成》／香海文化

104.《星雲禪話 7 百味具足》／香海文化

105.《星雲禪話 8 養深積厚》／香海文化

106.《星雲禪話 9 即心即佛》／香海文化

107.《星雲禪話 10 禪即生活》／香海文化

108.《詩歌人間》／天下文化

109.《貧僧有話要說》／福報文化、中華佛光傳道協會

總監修・編著・審訂・總策畫

1978~1987 年（51~60 歲）

· 《佛光大藏經・阿含藏》共 17 冊/佛光出版社（監修）

1988~1997 年（61~70 歲）

· 《佛光大辭典》共 8 冊/佛光出版社（監修）一九八九年
  新聞局頒予「圖書類金鼎獎」
· 《佛光大藏經・禪藏》共 51 冊/佛光出版社（監修）
· 《佛光大藏經・般若藏》共 42 冊/佛光出版社（監修）
· 《佛光大藏經・淨土藏》共 33 冊/佛光出版社（監修）
· 《佛光學》/佛光文化・講義本（編著）
· 《佛教叢書之一：教理》/佛光出版社（編著）
· 《佛教叢書之二：經典》/佛光出版社（編著）
· 《佛教叢書之三：佛陀》/佛光出版社（編著）
· 《佛教叢書之四：弟子》/佛光出版社（編著）
· 《佛教叢書之五：教史》/佛光出版社（編著）
· 《佛教叢書之六：宗派》/佛光出版社（編著）
· 《佛教叢書之七：儀制》/佛光出版社（編著）
· 《佛教叢書之八：教用》/佛光出版社（編著）
· 《佛教叢書之九：藝文》/佛光出版社（編著）
· 《佛教叢書之十：人間佛教》/佛光出版社（編著）

1998~2007 年（71~80 歲）

- 《中國佛教經典寶藏精選白話版》共 132 冊／佛光文化（總監修）
- 《佛光教科書 1：佛法僧三寶》／佛光文化（編著）
- 《佛光教科書 2：佛教的真理》／佛光文化（編著）
- 《佛光教科書 3：菩薩行證》／佛光文化（編著）
- 《佛光教科書 4：佛教史》／佛光文化（編著）
- 《佛光教科書 5：宗派概論》／佛光文化（編著）
- 《佛光教科書 6：實用佛教》／佛光文化（編著）
- 《佛光教科書 7：佛教常識》／佛光文化（編著）
- 《佛光教科書 8：佛教與世學》／佛光文化（編著）
- 《佛光教科書 9：佛教問題探討》／佛光文化（編著）
- 《佛光教科書 10：宗教概說》／佛光文化（編著）
- 《佛光教科書 11：佛光學》／佛光文化（編著）
- 《佛光教科書 12：佛教作品選錄》／佛光文化（編著）
- 《書香味（一）：在字句裡呼吸》／香海文化（總編輯）
- 《書香味（二）：穿越生命的長河》／香海文化（總編輯）
- 《書香味（三）：聽星子在歌唱》／香海文化（總編輯）
- 《書香味（四）：波光裡的夢影》／香海文化（總編輯）
- 《書香味（五）：世界向我走來》／香海文化（總編輯）
- 《書香味（六）：不倒翁的歲月》／香海文化（總編輯）
- 《書香味（七）：那去過的過去》／香海文化（總編輯）
- 《書香味（八）：天地與我並生》／香海文化（總編輯）
- 《書香味（九）：人間不塵不漫》／香海文化（總編輯）
- 《書香味（十）：我有明珠一顆》／香海文化（總編輯）

- 《佛光大藏經・法華藏》共 55 冊／佛光出版社（監修）
- 《法藏文庫》共 110 冊／佛光山文教基金會（監修）
- 《人間佛國》／天下文化（審訂）
- 《金玉滿堂・教科書 1：佛光菜根譚》共 10 冊／佛光文化（總策畫）
- 《金玉滿堂・教科書 2：星雲說偈》共 10 冊／佛光文化（總策畫）
- 《金玉滿堂・教科書 3：人間萬事》共 10 冊／佛光文化（總策畫）
- 《金玉滿堂・教科書 4：佛光山名家百人碑牆》共 10 冊／
  佛光文化（總策畫）
- 《金玉滿堂・教科書 5：星雲法語》共 10 冊／佛光文化（總策畫）
- 《金玉滿堂・教科書 6：佛光祈願文》共 10 冊／佛光文化（總策畫）
- 《金玉滿堂・教科書 7：古今譚》共 10 冊／佛光文化（總策畫）
- 《金玉滿堂・教科書 8：禪話禪畫》共 10 冊／佛光文化（總策畫）
- 《金玉滿堂・教科書 9：人間音緣》共 10 冊／佛光文化（總策畫）
- 《金玉滿堂・教科書 10：法相》共 10 冊／佛光文化（總策畫）
- 《佛光大辭典》增訂版，共 10 冊／佛光文化（監修）
- 《世界佛教美術圖說大辭典》共 20 冊／佛光文化（總監修）
- 《獻給旅行者 365 日：中華文化佛教寶典（中文版）》／
  佛光文化（總監修）
- 《獻給旅行者 365 日：中華文化佛教寶典（中英文版）》／
  佛光文化（總監修）

【附錄六】

《貧僧說話的回響》歡迎索取
索書處詳見版權頁

《貧僧說話的回響》作者名單（順序以來稿先後排序）

人間佛教叢書

星雲大師 著

第一集 《人間佛教論文集》
本書收集星雲大師相關佛學義理、佛教前途發展、及全球融和與和平相關議題之探討。

第二集 《人間佛教當代問題座談會》
乃星雲大師秉持佛陀言教，對當代社會問題，提出廣度的探討與解決方向。

第三集 《人間佛教語錄》
收錄星雲大師弘法一甲子精彩言論立說，從中得知大師人間佛教思想及弘法風格。

第四集 《人間佛教書信選、序文選》
本書看見星雲大師以筆耕作福田修行，收錄內容包括：序文、新春賀函、傳燈學院、佛光會員書信等，為大師弘法中留下雪泥鴻爪，彌足珍貴。

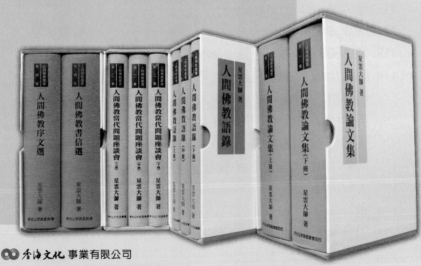

秀海文化 事業有限公司

TEL:886(2)2971-6868 FAX:886(2)2971-6577 www.gandha.com.tw gandha@gandha.com.tw

貧僧有話要說

口　　述｜星雲大師
封面題字｜星雲大師
記　　錄｜佛光山法堂書記室妙廣法師等
編　　輯｜佛光山文教基金會如常法師等

發行出版｜中華佛光傳道協會
　　　　　福報文化股份有限公司
　　　　　公益信託星雲大師教育基金
贊　　助｜佛光山信徒等

索書處 / 洽詢電話

中華佛光傳道協會
地　　址｜台北市信義區松隆路 327 號 8 樓
電　　話｜886-2-27620112 轉 2504

佛光山海內外別分院
地　　址｜佛光山文化發行部
電　　話｜886-7-6561921 轉 6666~6669
◎ 佛光山海內外別分院，地址請上網 www.fgs.org.tw

人間福報社
地　　址｜台北市信義區松隆路 327 號 5 樓
電　　話｜886-2-87874005

大陸地區 / 佛光祖庭大覺寺
地　　址｜江蘇省宜興市西渚鎮橫山村香林路 66 號
電　　話｜86-510-87376181

價　　值｜公益非賣品‧歡迎助印
助　　印｜每本新台幣 200 元
出版日期｜2015 年 6 月 25 日

ＩＳＢＮ｜978-986-91811-0-5（精裝）
初版一刷｜100,000　　初版二刷｜100,000　　再版一刷｜200,000
印 刷 廠｜中茂分色製版印刷事業股份有限公司

法律顧問｜舒建中、毛英富律師
登 記 證｜行政院新聞局　局版台省業字第一五二四號
版權所有　請勿翻印　歡迎流傳
如有缺頁或裝訂錯誤，請寄回更換

國家圖書館出版品 CIP 預行編目資料

貧僧有話要說 / 星雲大師口述.
-- 初版 .-- 臺北市：福報文化，2015.6
面；21x15 公分
ISBN 978-986-91811-0-5 (精裝)

224.519　　　　　　　　　104007402